D1583785

Dominique Combe

Les littératures francophones

Questions, débats, polémiques

Presses
Universitaires
de France

LICENCE

Droit
Économie
Géographie
Histoire
Langues
Lettres
Philo
Psycho
Socio

Les ouvrages de la collection « Licence » disposent
tous de compléments
(documents d'approfondissement des connais-
sances, annexes, cartes, tableaux et exercices…)
consultables en accès libre sur le site des PUF :
www.licence.puf.com

ISBN : 978-2-13-056845-2

Dépôt légal - 1re édition 2010, juillet
© Presses Universitaires de France, 2010
6, avenue Reille, 75014 Paris

SOMMAIRE

→ INTRODUCTION

ENCADRÉ N° 1

À l'entrée « francophone », le *Trésor de la langue française* donne deux définitions : « celui (celle) qui parle le français ; « en parlant d'une collectivité, dont la langue officielle ou dominante est le français », et à « francophonie » : « ensemble de ceux qui parlent français ; plus particulièrement, ensemble des pays de langue française ». L'adjectif « francophone », qui doit s'entendre dans un sens purement linguistique et descriptif, s'applique à une communauté de sujets (groupe ethnique, peuple, nation) qui parle français et, par extension, qui écrit en langue française. Le français peut alors être langue première ou seconde, langue nationale ou étrangère, mais il doit remplir une fonction véhiculaire. Dans l'absolu, le substantif « francophonie » dérivé de l'adjectif, désigne le fait ou la qualité de celui ou ce qui est « francophone ».

Derrière le mot « francophonie » se trouvent des réalités linguistiques disparates. Le degré de maîtrise de la langue varie du tout au tout selon les pays, les régions, les groupes sociaux, les individus. Comment comparer la situation linguistique à Genève, Bruxelles, Montréal et à Bamako, Casablanca, Port-au-Prince ? Que signifie, au juste, parler français ? Et qui parle français ? Compte tenu de la diversité des situations linguistiques, culturelles et sociopolitiques, le mot apparemment neutre de « francophonie » doit donc impérativement être mis au pluriel, car les francophonies sont nécessairement multiples. Il en est de même des littératures francophones. L'emploi des expressions « francophonie », « littérature francophone » au singulier, n'a de sens que dans le contexte très spécifique d'une opposition aux autres *-phonies* : anglophonie, germanophonie, hispanophonie, lusophonie, arabophonie, etc. et aux littératures d'autres langues : la littérature francophone *vs* la littérature anglophone aux Antilles ou en Afrique, par exemple.

La « francophonie » ainsi comprise de manière collective ne concerne pas directement les « singularités francophones » (Jouanny, 2000) d'écrivains issus de pays où le français n'est ni langue nationale, ni même langue de communication, ne serait-ce que pour les élites. Certes, Cioran a fait le choix de renoncer au roumain au profit du français, mais il vient d'un pays qui a une tradition francophone collective, même si le français n'y est pas la langue officielle. Samuel Beckett, Hector Bianciotti, Lorand Gaspar, qui ne sont pas de langue maternelle française, ont fait le choix d'écrire en français, de même que Joseph Conrad ou Vladimir Nabokov pour l'anglais. Ils peuvent ainsi être qualifiés de « francophones », mais leur choix reste strictement individuel et personnel, il n'engage pas une communauté de sujets. À proprement parler, il n'existe pas de francophonie irlandaise, argentine ou hongroise, dans le sens où l'on parle d'une francophonie haïtienne, libanaise, suisse, ou même roumaine.

Le fait historique et culturel de la « francophonie », lui-même, revêt une signification double. Parmi les grandes aires géographiques de diffusion de la langue française, en simplifiant et en schématisant à l'extrême, on peut distinguer le « Nord », le monde occidental, où la langue française s'est développée librement (même s'il s'agit de colonies de peuplement, comme au Canada), du « Sud » colonial et postcolonial, où la langue a été imposée par l'impérialisme européen. Les francophonies coloniales (ou postcoloniales) résultent d'une exportation ou d'une « dispersion » du français vers les Antilles, l'Afrique, le Proche-Orient, l'océan Indien, le Pacifique, et se distinguent des francophonies « ataviques » (Glissant), qui correspondent aux lieux de la naissance et du développement de la langue française en Europe : France, Wallonie-Bruxelles et Luxembourg, Suisse romande, Val d'Aoste.

ENCADRÉ N° 2

Monde francophone du « Nord »: Europe (Suisse, Belgique, Luxembourg, Val d'Aoste, Roumanie) ; Amérique du Nord (Québec, provinces partiellement francophones du Canada : Acadie, Ontario, Manitoba), ou des États-Unis, quoique à titre résiduel : Louisiane, Vermont, etc.), Terre-Neuve…

Monde francophone postcolonial du « Sud »: Afrique (Maghreb : Tunisie, Algérie, Maroc) et Afrique subsaharienne (Côte d'Ivoire, Sénégal, Tchad, Mali, Niger, Gabon, Cameroun, Congo…) ; Caraïbe (Guyane, Martinique, Guadeloupe, Haïti) ; océan Indien (Madagascar, Djibouti, Comores, Réunion, Maurice) ; Proche-Orient (Syrie, Liban, Égypte) ; Asie du Sud-Est (Vietnam, Cambodge, Laos) ; Pacifique (Nouvelle-Calédonie, Polynésie française).

La diffusion du français outre-mer occasionne une rencontre, et souvent même un « choc » des langues, qui crée naturellement des situations plurilingues dans lesquelles le français est en contact avec l'anglais, l'espagnol, le créole, l'arabe, le berbère, le wolof, le malinké, le malgache, etc. Les littératures francophones des Antilles, du Maghreb et d'Afrique subsaharienne portent la marque évidente d'une interaction des langues et des cultures, dans une confrontation parfois violente. Certes, les histoires des deux mondes se croisent, se rejoignent et s'entrelacent, mais elles produisent des situations très différentes, suscitant à leur tour des rapports à la langue et à la culture françaises radicalement différents, qui influencent de manière décisive la production littéraire. Un abîme sépare la francophonie en Algérie, province arabe de l'Empire ottoman lorsqu'elle est conquise par l'armée française en 1830, et en Suisse romande, où l'on parle français depuis que le français existe, et qui n'a jamais été sous domination française. Les différences de situation sont même si profondes que certains critiques s'interrogent sur la pertinence de l'idée de « francophonie » (ou de toute autre *-phonie*, du reste) pour rapprocher des littératures et des cultures que parfois tout sépare. C'est le critère de la langue, sur lequel est fondée l'idée même de « francophonie », qui est ainsi remis en question puisque « l'identité ne se réduit pas à la langue » (Quaghebeur,

1997). Au-delà (ou en deçà) du problème philosophique des rapports entre la langue et l'identité, ou plutôt les langues et les identités, sur lequel il faudra revenir, il n'en demeure pas moins que les expressions « littératures francophones » et « francophonie » se sont imposées, au prix de malentendus et de controverses infinies.

Après la conférence de Brazzaville en 1944, dans laquelle le général de Gaulle, chef du gouvernement provisoire d'Alger, propose une évolution du statut des colonies en Afrique, la constitution de la IVᵉ République française, en 1946, prévoit la création d'une Union française réunissant la métropole et ses colonies. Entre-temps, à l'initiative de Césaire, député communiste à l'Assemblée nationale et artisan de la loi de « territorialisation », la Martinique et la Guadeloupe sont devenues des « départements d'outre-mer ». Sous la Vᵉ République, après le processus des indépendances qui s'achève avec la guerre d'Algérie et les accords d'Évian en 1962, il ne reste plus – officiellement, du moins – de l'ancien empire colonial français que les départements et territoires d'outre-mer, partie intégrante du territoire national.

Se pose alors pour la plupart des nouveaux États – à l'exception de l'Algérie et du Vietnam, ou encore de la Guinée, qui accusent Paris de « néocolonialisme » – la question cruciale des relations avec l'ancienne puissance coloniale. La France reste de toute façon encore présente à travers ses capitaux, ses intérêts économiques, ses commerçants, ses fonctionnaires, ses professeurs – et surtout sa langue. Sous l'impulsion de Senghor, de Bourguiba et de quelques autres, germe l'idée, inspirée du Commonwealth britannique, d'une Communauté des pays francophones, que rapprochent une histoire et une langue communes. En 1969, se réunit à Niamey (Niger), la première conférence intergouvernementale des États francophones. Le 20 mars 1970, lors d'une deuxième conférence à Niamey, 21 pays décident de créer une Agence de coopération culturelle et technique (ACCT), qui devient l'Agence intergouvernementale de la francophonie, puis l'Organisation internationale de la francophonie (OIF) en 2005. L'OIF, dotée d'un budget important, finance des actions en faveur du développement de la langue et de la culture françaises et organise, tous les deux ans, un sommet des chefs d'État et de gouvernement « ayant le français en partage » (voir Poissonnier, Sournia, 2006 ; OIF, 2007). Ces institutions, relayées par de nombreux organismes et associations (de parlementaires, de journalistes, d'avocats, de professeurs, etc.), constituent la Francophonie en quelque sorte « officielle ». Le Québec joue un rôle déterminant dans ce projet politique international, mais la communauté est tout de même largement perçue à l'étranger comme une sorte de « club » des anciennes colonies animé par le président de la République française, qui use de son influence dans les réunions internationales. Par ses origines et par son histoire, la Francophonie avec une majuscule revêt donc une signification éminemment politique qui alimente toutes les controverses depuis les années 1960, comme en témoigne le fait qu'un pays comme l'Algérie ait longtemps refusé d'appartenir à ses instances.

Certes, la « Francophonie » se distingue en théorie de la « francophonie ». Selon une tradition politique héritée du XIXe siècle, on oppose parfois la « nation », qui désigne le pays « officiel » pour l'administration, au « peuple » qui constitue le pays « réel ». De la même façon, il existe une francophonie « réelle », de terrain, qui ne correspond pas nécessairement à la Francophonie politique. Le Sénégal et la Tunisie relèvent à la fois de la Francophonie et de la francophonie, tandis que l'Algérie récuse la Francophonie alors même que le français y reste encore largement en usage. L'Égypte, où la francophonie se limite à une élite, joue quant à elle un rôle important dans les instances de la Francophonie. Au centre de la Francophonie, sur le territoire de la République française elle-même, qui ne reconnaît que le français comme langue officielle, d'autres langues sont parlées chaque jour par des milliers de sujets, non seulement des langues européennes (ou supposées telles), « régionales » comme le breton, le corse, le catalan, le basque, l'alsacien, que certains considèrent comme en sursis, mais encore des langues véhiculaires non européennes comme l'arabe, le berbère, le turc, le wolof, le malinké (pour ne pas citer le créole, qui pose des problèmes spécifiques)… Toutes ces langues conduisent à interroger l'adéquation de la « francophonie » à la « Francophonie » en France même.

Mais la langue et le politique sont intimement liés, y compris et surtout en littérature. Dans l'usage, en fait sinon en droit, il paraît bien difficile de distinguer la « Francophonie » officielle des francophonies réelles et plurielles en Afrique, en Amérique, en Asie ou en Europe. De cette indistinction, qui ne tient pas seulement à une confusion terminologique mais à la nature même de la langue et de la littérature, naissent les discussions, débats, controverses et polémiques que le présent ouvrage tente d'examiner à travers les littératures de la « francophonie » dans la double acception du terme : les « littératures francophones ».

* *
*

Invités réguliers des salons du livre et des festivals, les romanciers que la critique appelle « francophones » sont à l'honneur. Après Patrick Chamoiseau, Tahar Ben Jelloun, Amin Maalouf, Andreï Makine, Anne Hébert, Pierre Mertens, Jacques Chessex, ils reçoivent de prestigieux prix littéraires. Alain Mabanckou obtient le Renaudot en 2006 pour *Mémoires de porc-épic*, Jonathan Littell le Goncourt en 2006 pour *Les Bienveillantes*, Nancy Huston le Médicis étranger en 2007 pour *Lignes de faille*, Vassilis Alexakis le Grand Prix du roman de l'Académie française en 2007 pour *Ap. J.-C.*, Henri Bauchau le Livre Inter en 2008 pour *Le Boulevard périphérique*, Tierno Monénembo le Renaudot en 2008 pour *Le Roi de Kahel*, Dany Laferrière le Médicis en 2009 pour *L'Énigme du retour*.

À travers eux, l'édition, le public, la presse, les officiels vantent la vitalité de la langue française en Afrique, aux Antilles, au Maghreb, mais aussi au Canada et, dans une moindre mesure, en Europe. C'est la Francophonie qui est célébrée. Assia Djebar, élue à l'Académie française en 2005, déclare être « contente pour la francophonie du Maghreb ». L'Afrique, elle, pleure Senghor, dont on fête en 2006 le centième anniversaire de la naissance, à défaut de lui avoir rendu l'hommage officiel que la « Françafrique » lui devait. Césaire, « chantre de la négritude » disparu au printemps 2008, fait l'objet de commémorations académiques. L'Association pour le développement de la pensée française (ADPF) publie sous les auspices du ministère des Affaires étrangères des monographies consacrées à Assia Djebar et à Édouard Glissant. En 2008, le prix Nobel lui-même, qui n'a plus été décerné à un écrivain français depuis Claude Simon en 1976, récompense la Francophonie en la personne de Jean-Marie Gustave Le Clézio, romancier français né sur l'île Maurice.

Mais le succès indéniable de ces écrivains, qu'on appelle « francophones » par commodité, provoque d'innombrables et interminables polémiques. Après l'*Éloge de la créolité* en 1989, le manifeste *Pour une littérature-monde*, publié dans le quotidien *Le Monde* puis en volume aux éditions Gallimard en 2007, nourrit abondamment les tribunes du quotidien[1]. Les écrivains franco-phones, souvent eux-mêmes des migrants ou des réfugiés, inter-viennent dans le débat controversé sur l'identité nationale et sur la place de l'Islam en France. Tahar Ben Jelloun, Abdelwahab Meddeb, Amin Maalouf, Édouard Glissant, Patrick Chamoiseau prennent ainsi activement part au débat politique. Ces polé-miques médiatiques autour des littératures francophones et de la littérature en général, qui n'ont guère d'équivalent à l'étranger, sont typiquement franco-françaises. La notoriété des écrivains francophones paraît en effet acquise au prix de terribles malen-tendus. La promotion des romanciers d'Afrique, des Antilles, du Monde arabe ou du Québec ne flatterait-elle pas insidieusement le goût du public pour un exotisme facile rappelant le roman colonial ? Les romans de Tahar Ben Jelloun, d'Amin Maalouf, de Maryse Condé, de Patrick Chamoiseau, de Calixthe Beyala ou d'Andreï Makine ne satisferaient-ils pas, au fond, la nostalgie ambiguë de l'Ailleurs ? Les contes des *Mille et Une Nuits*, le mirage oriental, le rêve des îles et des Tropiques séduisent en effet le public français, surtout s'ils sont traduits d'une langue étrangère qui en démultiplie l'effet d'exotisme.

Les romanciers eux-mêmes, conscients de ces risques, prennent une distance ironique à l'égard des honneurs qui leur sont rendus, comme Alain Mabanckou en 2006 :

---

1. Suite à un colloque de l'Académie des lettres du Québec en 2008, le volume collectif *Les littératures de langue française à l'heure de la mondialisation* (Gauvin, 2010) est largement consacré à l'étude du manifeste. Sur le même thème, voir également Combe (2010), dont la matière est reprise dans le présent ouvrage.

> J'écris en français pour que l'on continue à me poser sempiter-
> nellement la question « Pourquoi écrivez-vous en français ? » [...]
> J'écris en français pour manger dans tous les râteliers de l'institu-
> tion francophone. [...] J'écris en français parce que je voulais être
> publié, primé – dis-je ! –, célébré à Paris. [...] J'écris en français
> parce que je rêve de recevoir un jour le prix Goncourt. J'écris en
> français parce que je rêve de traîner mes vieux os jusqu'au Quai
> Conti [...]. (*Libération*, 16 mars 2006)

Ben Jelloun et Maalouf utilisent leur position médiatique
pour dénoncer les relents colonialistes de la Francophonie qui les
célèbre, et se démarquer de la génération de Senghor.

Mais ces critiques et ces interrogations ne sont pas nouvelles.
Dans *Aurélien* (1944), Aragon met en scène un personnage
raciste qui se plaint qu'on attribue le prix Goncourt à René Maran
pour un « roman nègre », *Batouala*, en 1921. De toute façon, la
« littérature mondiale » du XXIe siècle ne se fait pas à Paris, et
encore moins à Montréal, Bruxelles, Genève ou Beyrouth, mais à
Londres, New York, Toronto, Sydney et New Delhi. La « République mondiale des lettres » (Casanova, 1999) n'a plus Paris pour
capitale, mais Londres ou New York, qui bénéficient de la formidable diffusion de l'anglais comme « langue globale » (Crystal,
1997). Sur un marché du livre mondialisé, le livre français ne pèse
pas lourd, comme s'attachent à le montrer régulièrement les statistiques alarmistes des éditeurs, confirmées par le chiffre des traductions. Mais celles-ci concernent également l'ensemble des
langues européennes autres que l'anglais et, dans une moindre
mesure, l'espagnol. Les prix littéraires français : Goncourt,
Renaudot, Médicis, Interallié, Inter, de l'Académie française, etc.
et francophones : prix Athanase David, prix du Gouverneur général au Québec[1], prix Rambert en Suisse, prix de l'Académie royale
de Belgique ont une audience confidentielle, comparés aux prestigieux prix anglo-saxons comme le Booker Prize ou le Pulitzer. Le
Grand prix de la Francophonie décerné par l'Académie française
depuis 1986, à Georges Schehadé, Albert Cossery, Salah Stétié,
François Cheng, n'intéresse guère les médias, surtout à l'étran-

---

1.   Attribué pour la première fois à un anglophone en 2007, Yann Martel, pour *Le
     Règne de Pi,* ce qui n'a évidemment pas manqué de susciter des polémiques...

ger. Le Nobel de littérature lui-même, suffit-il à assurer le rayonnement de la littérature en français ? La notoriété discrète de Le Clézio dans le monde anglo-saxon incite à en douter. Depuis sa création, en fait de francophones non français, seuls Maeterlinck et Beckett (et encore, en tant qu'Irlandais bilingue) ont reçu le prix. Senghor et Césaire auraient largement pu y prétendre, compte tenu de leur audience internationale mais, outre des raisons politiques, le jury leur a préféré des auteurs de langue anglaise issus eux aussi du monde postcolonial, Wole Soyinka, V.S. Naipaul, Derek Walcott, John Maxwell Coetzee, Doris Lessing, de très grande envergure eux aussi. Le prestigieux Booker Prize, réservé au Commonwealth, a maintes fois été attribué à des auteurs qui n'étaient pas d'origine britannique, comme Salman Rushdie, Ben Okri, Arundhati Roy, Kazuo Ishiguro, parmi lesquels seront élus, un jour ou l'autre, les futurs Nobel. Que le Goncourt ou le Renaudot soit attribué à Tahar Ben Jelloun, Amin Maalouf, Patrick Chamoiseau, Jonathan Littell ou Alain Mabanckou ne suffit malheureusement pas à mettre ces derniers en lice pour le Nobel – d'autant moins que leur sélection est loin d'être au-dessus de tout soupçon, contrairement aux prix anglo-saxons, qui répondent à des critères exclusivement littéraires.

En France même, loin de constituer un atout, la langue française se révèle paradoxalement un obstacle :

> Plus je réfléchis sur les destinées de la littérature canadienne, moins je lui trouve de chance de laisser une trace dans l'histoire. Ce qui manque au Canada, c'est d'avoir une langue à lui. Si nous parlions iroquois ou huron, notre littérature vivrait. Malheureusement nous parlons et écrivons d'une assez piteuse façon, il est vrai, la langue de Bossuet et de Racine. Nous avons beau dire et beau faire, nous ne serons jamais, au point de vue littéraire, qu'une simple colonie ; et quand bien même le Canada deviendrait indépendant et ferait briller son drapeau au soleil des nations, nous n'en demeurerions pas moins de simples colons littéraires. Voyez la Belgique, qui parle la même langue que nous. Est-ce qu'il y a une littérature belge ? Ne pouvant lutter avec la France pour la beauté de la forme, le Canada aurait pu conquérir sa place au milieu des littératures du vieux monde, si parmi ses enfants il s'était trouvé un écrivain capable d'initier, avant Fenimore Cooper, l'Europe à la grandiose nature de nos forêts, aux exploits légendaires de nos trappeurs et de nos voyageurs.

Aujourd'hui, quand bien même un talent aussi puissant que celui de l'auteur du *Dernier des Mohicans* se révélerait parmi nous, ses œuvres ne produiraient aucune sensation en Europe, car il aurait l'irréparable tort d'arriver le second, c'est-à-dire trop tard. Je le répète, si nous parlions huron ou iroquois, les travaux de nos écrivains attireraient l'attention du vieux monde. Cette langue mâle et nerveuse, née dans les forêts de l'Amérique, aurait cette poésie du cru qui fait les délices de l'étranger. On se pâmerait devant un roman ou un poème traduit de l'iroquois, tandis que l'on ne prend pas la peine de lire un livre écrit par un colon du Québec ou de Montréal. Depuis vingt ans, on publie chaque année, en France, des traductions de romans russes, scandinaves, roumains. Supposez ces mêmes livres écrits en français, ils ne trouveraient pas cinquante lecteurs. (Crémazie (1867), 2006, p. 130)

Ce constat pessimiste a été formulé il y a déjà bien longtemps, en 1867, à Paris. On ne parlait pas encore de littératures francophones, mais toutes les questions étaient déjà posées. Le poète et éditeur canadien français Octave Crémazie, figure majeure du romantisme, exilé à Paris pour échapper à ses créanciers, correspond avec un ami resté au Québec. Il dresse un diagnostic sans appel sur la littérature du Canada français dont il est l'un des pères fondateurs. Étendu de la littérature canadienne française à la littérature « québécoise », dont la notion ne s'impose qu'un siècle plus tard, et de là aux littératures francophones dans leur ensemble, ce constat reste encore d'une saisissante actualité en 2010.

Les contemporains, eux, se méfient d'une consécration universitaire, pourtant assez rare et parcimonieuse, surtout en France. Ainsi du romancier djiboutien Abdourrahmane A. Waberi :

À l'université, le sort des écritures dites « francophones » n'est pas à envier davantage. La même pensée systématique, paraphrastique et *in fine* hiérarchisante règne dans les coulisses quand elle ne déroule pas ses muscles dans les amphithéâtres et dans les pages des manuels édictés depuis le sommet de la pyramide. On réduit la prose ou le poème « francophone » au document et, lorsqu'on lui accorde une capacité subversive du bout des lèvres, c'est presque toujours sur le terrain sociopolitique, et presque jamais sur le terrain formel. [...] C'est ainsi que le poème ou la prose en question se trouve neutralisé dans sa spécificité et son tumulte propres, renvoyé au folklore et à la vulgate sociologique, à l'univers préhistorique des contes et des légendes, réduit en

note de bas de page noyée dans le désert glacé de l'abstraction.
(Abdourahmane A. Waberi *in* Le Bris, Rouaud, 2007, p. 69-70)

Waberi, lui-même professeur, est l'auteur d'un roman hila-
rant qui, renversant le point de vue ethnocentrique, représente la
culture occidentale à partir d'une Afrique devenue dominante,
États-Unis d'Afrique (2006). Il dresse un tableau accablant de la
situation des littératures francophones dans l'université française, qu'on retrouve sous la plume des autres signataires du
manifeste. La littérature comme telle, il est vrai, est souvent le
parent pauvre des études francophones, où prévalent des préoccupations ethnographiques, sociologiques, idéologiques qui
transforment le texte en document, négligeant l'écriture qui lui
donne sa qualité littéraire. Cependant, là encore, la critique n'est
pas nouvelle. La caricature du cours de littérature fastidieux
dispensé à la Sorbonne par un mandarin fatigué est devenue
un cliché, bien qu'elle ne soit évidemment pas toujours sans
fondement… C'est aussi une facilité pour l'écrivain, francophone
ou non, de dénigrer la critique, alors qu'il n'est pas lui-même
insensible à la reconnaissance universitaire, qui passe par les
cours, les séminaires, les conférences, les colloques qu'il est de
bon ton de décrier. Mais il ne faut pas oublier que nombreux
sont ceux qui, parmi ces écrivains francophones, sont ou ont été
professeurs, d'Aimé Césaire à Édouard Glissant, de Maryse
Condé à Raphaël Confiant, de Léopold Sédar Senghor à Mongo
Beti, de Tierno Monémembo à Alain Mabanckou. Les littératures
francophones, comme du reste la littérature française, sont souvent des littératures de professeurs, même si le style n'en est plus
aujourd'hui un style « d'instituteur », comme on a coutume de le
dire à propos des textes fondateurs des années 1950. Le tableau
paraît en fait correspondre à la situation des littératures francophones des années 1970-1980, quand Waberi était encore étudiant. À ce moment-là, enseigner les littératures francophones
n'allait pas de soi, tant s'en faut. Le cliché est d'autant plus sujet
à caution que Waberi oppose l'université française aux universités américaines, qui auraient selon lui, « une tout autre attitude,
dénuée de ce paternalisme drapé des idéaux de la Révolution et
des Lumières », d'un autre âge. Il suffit de fréquenter les campus

nord-américains pour se persuader qu'ils sont loin d'être exempts des défauts pointés par Waberi, même lorsque des écrivains réputés y enseignent. Le « politiquement correct » qui y règne depuis les années 1980, mauvaise conscience moderne à l'égard des Afro-américains et des minorités, n'est pas toujours exempte de paternalisme, voire de condescendance. Mais il est exact que les programmes de *Francophone and Postcolonial Studies* occupent une place de choix dans les cursus universitaires anglo-saxons, dont les universités françaises devraient s'inspirer. Dans un système universitaire concurrentiel, où les universités privées jouent un rôle moteur, il y a certes des raisons économiques au développement des études francophones. Il s'agit en effet d'atti-rer des étudiants issus des minorités, afin de bénéficier des sub-ventions accordées par l'État pour la « discrimination positive ». Mais l'intérêt pour les cultures minoritaires n'en est pas moins réel, dans une tradition universitaire plus ouverte à l'immigration et sans doute moins attachée aux « canons » occidentaux.

Les littératures francophones restent encore trop peu pré-sentes dans les programmes universitaires hexagonaux, en parti-culier pour les concours de recrutement des professeurs. Mais Kateb Yacine est désormais inscrit au concours d'entrée à l'École normale supérieure de Lyon, et on peut espérer (rêver ?) le voir figurer un jour au programme des agrégations de lettres. Senghor est le seul auteur francophone à n'y avoir jamais figuré pour le tronc commun de littérature, même si Césaire vient d'y entrer pour l'épreuve de littérature comparée, sous le thème de l'épique moderne. Mais à quand un programme incluant Mohammed Dib (Algérie), Ahmadou Kourouma (Côte d'Ivoire), Jacques Roumain (Haïti), Georges Schehadé (Liban), Charles-Ferdinand Ramuz (Suisse), Ghelderode (Belgique), Gaston Miron (Québec) ? Les choix timides des jurys pour la littérature du XXe siècle qui, en fait de francophonie, ne s'aventurent guère au-delà de Saint-John Perse et de Beckett, sont révélateurs d'une méconnaissance plus que d'un rejet, encore que se pose régulièrement la question des « classiques » de la littérature française, c'est-à-dire des « canons » littéraires. Mais Césaire, sans doute plus lu que Saint-John Perse, pourtant inscrit au programme à deux reprises en vingt ans, n'est-il pas désormais devenu un « classique » ? Certes, le programme de spécialité des séries littéraires du baccalauréat, après Senghor, a justement accueilli Césaire ; mais celui-ci a été retiré au bout d'une année seulement, sans doute en raison du caractère subversif du *Discours sur le colonialisme*, qui était associé au *Cahier d'un retour au pays natal*... Depuis lors, plus d'auteurs « francophones ».

Néanmoins, des progrès considérables ont été accomplis ces dernières années. Si l'on considère les différentes « aires » culturelles francophones abordées dans les programmes universitaires, le Maghreb, les Antilles et, dans une moindre mesure l'Afrique subsaharienne occupent une place dominante, mais au détriment d'autres aires, moins connues comme le Proche-Orient, l'océan Indien et le Pacifique, l'Asie du Sud-Est, l'Europe, et même l'Amérique du Nord, qui ne se limite pas au Québec. L'enseignement est en outre trop souvent cloisonné, en raison de la nécessaire spécialisation des chercheurs. Les approches transversales et synthétiques sont peu répandues dans le champ francophone (Combe, 1995 ; Beniamino, 1999 ; Moura, 1999 ; Gauvin, 2007), à la différence du domaine postcolonial anglophone. Hormis l'héritage de la catégorie, désormais obsolète, des littératures dites « négro-africaines », dans laquelle figuraient conjointement des auteurs antillais et africains sur la base de la « négritude », trop rares sont encore aujourd'hui les enseignements qui croisent différentes aires des littératures francophones. Il reste encore à faire dialoguer Kateb Yacine (Algérie) avec Hubert Aquin (Québec), René Depestre (Haïti) avec Jacques Rabemananjara (Madagascar). Comparaison n'est pas raison, certes, mais les littératures francophones, comme toutes les littératures, sont ouvertes les unes sur les autres, de sorte que des échanges s'établissent non seulement avec la littérature française, qu'il serait absurde de dénier ou même de sous-estimer, mais avec les autres littératures francophones, anglophones, etc., du Sud comme du Nord.

En outre, lorsque les littératures francophones sont introduites dans l'université française et dans la critique, dans les années 1960, elles sont souvent présentées en annexe de l'histoire de la littérature française, comme leur prolongement naturel. Les principaux auteurs, systématiquement rapportés à leurs « maîtres » ou modèles français, sont analysés et jugés à l'aune de la littérature française ou d'autres littératures europhones en

guise de « canon ». C'est ainsi que Kateb Yacine est systématiquement rapproché de Faulkner, Senghor de Claudel et de
Péguy, Tchicaya U Tam'si de Rimbaud. Certes, ces rapprochements sont fondés, mais ils tendent souvent à atténuer la singularité et l'originalité des écrivains francophones. La critique
n'échappe pas toujours aux préjugés ethnocentriques, adoptant
une attitude paternaliste un peu condescendante à l'égard de la
« périphérie ». Mais, à leur décharge, les écrivains eux-mêmes ne
manquent pas de se référer à ces modèles français ou occidentaux pour légitimer leur démarche. Ils sont surtout des lecteurs
admiratifs (et pas seulement des imitateurs, comme on voulut le
dire) : Kateb cite le nom de Faulkner dans la préface de *Nedjma*,
Senghor avoue sa dette à l'égard de Claudel et de Péguy,
Tchicaya U'Tam'si intitule son premier recueil *Le Mauvais sang*,
en hommage au titre d'une section d'*Une saison en enfer*.
Aujourd'hui, les littératures francophones, ayant acquis une certaine légitimité institutionnelle, sont au contraire parfois artificiellement coupées de la littérature dite « française », mais aussi des
autres littératures europhones, en particulier anglophone, avec
lesquelles elles sont pourtant en dialogue étroit et constant. Les
littératures francophones s'inscrivent dans un réseau de relations
avec les autres littératures du Sud en langues européennes ou
vernaculaires, mais aussi avec les littératures occidentales. Waberi
observe ainsi fort justement :

> Je ne vois pas pourquoi je devrais m'approprier Kateb Yacine
> plus qu'Henri Michaux. À la limite, la plus grosse insulte qu'on
> puisse me faire, c'est me reprocher de m'intéresser à Joyce, sous
> prétexte que je suis un écrivain du tiers-monde. Certains pensent
> qu'un écrivain du tiers-monde doit faire une littérature utilitaire,
> puisqu'il vient d'un pays, d'un continent où il y a 70 % d'anal-
> phabètes. (Cité par Nongo-Mboussa, 2002, p. 104-105)

À renvoyer ainsi l'écrivain du Sud à ses congénères et aux
urgences socio-économiques, la critique reproduit les préjugés
ethnocentriques qu'elle prétend dénoncer. Les différentes aires
de la francophonie elles-mêmes gagnent à être mises en « Relation », comme y incite non seulement le « métissage » senghorien, mais encore la « Poétique du Divers » défendue par Édouard
Glissant, par-delà la logique des identités nationales, qui préside

encore à l'*Histoire comparée des littératures francophones* (1981) d'Auguste Viatte, un précurseur. Il faut tenter d'éviter l'hyperspé-cialisation à laquelle invite fatalement l'immensité du champ. Depuis quelques années, à la mesure même du phénomène des « écritures migrantes » (voir chapitre 6, p. 189) et de l'« hybri-dité » postcoloniale (Bhabha, 2007), les études sur les échanges et passages entre les cultures se multiplient, fort heureusement.

* *
*

À quoi bon se risquer encore, après tant d'autres, à écrire sur les littératures francophones ? Et d'ailleurs, les littératures franco-phones – « périphériques », « mineures », « postcoloniales », « migrantes », comme on voudra – existent-elles ? En définitive, ne sont-elles pas une pure construction de l'esprit (journalistique et universitaire) pour rassembler, de manière artificielle, des auteurs inscrits dans des histoires et des cultures hétérogènes, et qui n'ont rien d'autre en commun que la langue ? Mais l'argu-ment nominaliste vaut pour toute tentative de regroupement d'écrivains et de textes : pour les littératures « francophones » aussi bien que « postcoloniales », « migrantes », ou tout simple-ment pour les littératures « africaine », « maghrébine », « antil-laise », etc. Le romancier togolais Kossi Efoui déclare en effet, à propos du romancier et dramaturge congolais Sony Labou Tansi, auteur de *La Vie et demie* (1979) :

> Pour moi, la littérature africaine est quelque chose qui n'existe pas. Quand Sony Labou Tansi écrit, c'est Sony Labou Tansi qui écrit, ce n'est ni le Congo ni l'Afrique. On peut identifier un arrière-plan culturel, mais ce n'est pas une question littéraire – celle-ci est ailleurs. La littérature africaine peut exister comme quelque chose de fabriqué, comme une question qui est intéres-sante d'un point de vue sociologique, pas d'un point de vue littéraire ! Elle existe peut-être comme une réponse à un libraire qui a besoin de classer ses livres. C'est une forme de classification comme une autre. (Mongo-Mboussa, 2002, p. 140)

Toute histoire littéraire est une construction *a posteriori*. Il appartient au chercheur et au critique de donner une pertinence à ces catégories, que la seule appartenance ethnicolinguistique ne suffit pas à légitimer.

Certes, les rapprochements par-delà les langues d'auteurs inscrits dans une culture ou une histoire communes, peuvent paraître justifiés. Édouard Glissant a évidemment plus d'affinités avec le poète antillais Derek Walcott, anglophone et créolophone de Sainte-Lucie, qu'avec ses contemporains suisses ou belges. Nombre d'écrivains de langue française se réfèrent plus volontiers aux littératures américaines, par exemple, qu'à la littérature française. Mais il n'en demeure pas moins que la langue, toute langue, est déjà en soi un facteur commun, parce qu'elle est porteuse de représentations susceptibles d'être partagées. La théorie postcoloniale elle-même se concentre sur les textes de langue anglaise, quoiqu'elle cite (le plus souvent en traduction) Fanon, Memmi, Césaire et les penseurs de la « *French theory* » : Foucault, Derrida, Lacan, Lyotard ou Deleuze. Et les critiques anglophones qui travaillent dans le domaine des *Francophone Postcolonial Studies* (Forsdick, Murphy, 2003) n'opèrent que rarement des rapprochements avec le champ anglophone. Le clivage des langues et le partage des savoirs subsistent, même outre-Manche et outre-Atlantique. Ce sont ces représentations communes du monde (on n'ose dire, comme Senghor, des « valeurs ») qui donnent une fonction heuristique au qualificatif « francophone » (comme à ceux d'« anglophone », « hispanophone », etc.), pourtant vague et insuffisant, surtout à l'heure de la littérature mondiale.

Faut-il se résoudre à l'alternative accablante proposée par Waberi, qui se demande « s'il faut se jeter dans la Seine comme Paul Celan le fit pour d'autres raisons hautement brûlantes », ou au contraire, par opportunisme, « rejoindre la francophonie emplumée, juchée sur sa rente linguistique tel un notaire sur ses actes, dont Senghor avait jadis tracé les contours » ? Faut-il, comme le propose cyniquement Mabanckou, « manger dans tous les râteliers de l'institution francophone » ? L'identité ne se réduit certes pas à la langue, mais celle-ci demeure tout de même essentielle. Existe-t-il dans et par la langue française une certaine communauté « d'esprit » (comme dirait Senghor, à nouveau), ou plutôt de pensée ? Entre des romanciers aussi différents que Waberi (Djibouti), Mabanckou (Congo), Laferrière (Haïti/Québec), Godbout (Québec), Sansal (Algérie), Svit (Slovénie), Layaz (Suisse), Dai Sije (Chine), tous signataires du manifeste *Pour une littérature-monde*, se tissent les liens étroits d'une « Relation » qui, peut-être, passe par la langue. Paradoxalement, c'est le refus de l'idée de Francophonie qui rassemble ces écrivains sous la bannière d'une *littérature-monde en français*. Cette communauté « inavouée », fragile et incertaine des littératures francophones malgré elles, si hypothétique ou problématique qu'en soit la dénomination, interroge la littérature elle-même. Les études dites francophones sont un laboratoire de la théorie littéraire. Réfléchir à la place et à la signification des littératures francophones, c'est réfléchir au statut de la littérature comme telle.

PREMIER CHAPITRE

Comment peut-on être francophone ?

❶ Un mot récusé

Les expressions « littératures francophones », « écrivain francophone », « roman francophone » pourraient passer pour neutres ou simplement descriptives, mais elles éveillent immédiatement le soupçon, la défiance, quand ce n'est pas l'hostilité. « Francophone » est un mot-tabou, un mot « piégé » qui a si mauvaise réputation qu'on lui préfère des périphrases : « de langue française », « d'expression française », « en français ». Mais ces dénominations peuvent à leur tour résonner comme des euphémismes « politiquement corrects ».

Il y a plus de vingt ans, introduisant un numéro spécial de *La Quinzaine littéraire* sur le thème « Écrire les langues », à l'occasion d'un Salon du livre à Paris, Maurice Nadeau se félicitait d'avoir soigneusement évité de prononcer le mot « francophonie » :

> Quand nous avons décidé, à l'occasion du Salon du livre, de publier ce numéro spécial, nous savions que le terme « francophonie » répondait mal à notre entreprise. On nomme « francophones » en effet des pays, des contrées, des communautés, des écrivains qui font du français un usage particulier. Le français des Wallons ne ressemble pas à celui des Québécois, les Haïtiens ne parlent pas la même langue que certaines communautés d'Égypte ou d'Amérique et, dans tous les cas, ce français diversifié n'a que peu à voir avec le français du Larousse ou du Robert. Au même titre que l'anglais, le portugais ou l'espagnol notre langue a subi les vicissitudes de l'Histoire et de la géographie. Le terme « francophonie » en outre résonne mal à certaines oreilles. Elles y entendent l'écho d'une histoire coloniale heureusement dépassée. Il est plus juste et plus conforme à la réalité de placer ce numéro sous l'enseigne des « langues françaises ». (*La Quinzaine littéraire*, 1985, p. 3)

Même si les considérations sur « l'histoire coloniale » peuvent sembler aujourd'hui optimistes, les arguments du critique restent d'une parfaite actualité. Fidèle à sa méfiance à l'égard de l'adjectif « francophone », la revue continue à dresser dans tous ses numéros une bibliographie des « écrivains de langue française » qui réunit les écrivains français et francophones, en les distinguant des écrivains de langue étrangère.

Vingt ans après, le mot est toujours une source inépuisable de mises au point théoriques, de déclarations retentissantes, de débats animés, de querelles byzantines, de polémiques violentes, dont témoigne le manifeste *Pour une littérature-monde en français* paru en 2007. Les auteurs du manifeste proclament la « fin de la francophonie » et signent son « acte de décès », pour célébrer la naissance d'une « littérature-monde en français » (voir conclusion, p. 213). Mais ils confirment par là que le cadavre bouge encore, que la francophonie n'est pas seulement « de la lumière d'étoile morte ». Ils l'installent même au centre du débat, comme si des littératures francophones dépendait l'avenir de la littérature tout entière, selon une mégalomanie (ou une arrogance) toute française. Le débat illustre le provincialisme que le manifeste prétend dénoncer.

À suivre ces discussions sans fin, il paraît aujourd'hui presque impossible de trouver un auteur qui se revendique comme francophone, ou tout simplement qui s'assume comme tel. Les littératures francophones ont décidément mauvaise réputation, contrairement à ce qu'affirme la romancière d'origine vietnamienne Anna Moï, selon qui « il est politiquement correct de parler aujourd'hui de littérature francophone ; elle a remplacé la littérature française » (Moï, 2006, p. 54). La revue *Agotem* consacre un numéro aux « poètes francographes », allusion aux écrivains « de graphie française » du poète algérien Jean Sénac, avec le sous-titre : « Pourquoi nous ne sommes plus *francophones* ? » La question n'entonne pas tant la complainte du déclin de la langue française, qu'elle ne souligne par l'italique l'impossibilité du mot lui-même.

a – Le tiers-monde, le Sud

C'est bien pourquoi la Francophonie renvoie dans l'opinion commune au « tiers-monde » (une expression inventée dans les années 1970 par Alfred Sauvy et largement diffusée par l'anthropologue africaniste Georges Balandier), c'est-à-dire à l'hémisphère Sud, au Maghreb, à l'Afrique, aux Antilles, à l'océan Indien, à l'Asie, au Pacifique, anciennement colonisés par la France. La Francophonie est ainsi couramment assimilée à l'héritage colonial de la France.

Quand ce n'est pas au mépris, les francophones ont donc droit à la condescendance ou à la commisération, alors même que le romancier congolais Henri Lopès appelle les critiques à juger les livres des auteurs africains sur les mêmes critères que ceux des occidentaux.

> À Phnom Penh, où j'étais l'invitée d'un café littéraire, note Anna Moï, j'entendis, le lendemain de mon intervention, dans le même café, une expatriée française dire à une autre : « Êtes-vous venue écouter la Vietnamienne hier ? » Parlant de Jorge Semprun, écrivain non issu de la colonisation, aurait-elle dit : « Êtes-vous venue écouter l'Espagnol hier ? ». (Moï, 2006, p. 54)

Que la francophonie soit réduite aux pays du Sud ne signifie pas pour autant qu'on connaît les littératures du Liban, de l'Égypte, de Madagascar, de Nouvelle-Calédonie, de Polynésie, du Vietnam. Le prix Nobel attribué à Le Clézio aura au moins permis de faire connaître l'existence de l'île Maurice, bien que les noms de Malcolm de Chazal, d'Édouard Maunick, de Loÿs Masson, de Marie-Thérèse Humbert, et même d'Ananda Devi, autres écrivains mauriciens de langue française, n'aient guère circulé dans les médias à cette occasion.

Quant aux auteurs originaires du Sud eux-mêmes, ils protestent justement contre une classification jugée condescendante, discriminatoire, infamante même. Le francophone, c'est toujours l'autre, celui à qui il manque quelque chose pour être français à part entière, ou tout simplement pour être écrivain. Dans les années 1950, les éditeurs parisiens, comme les critiques, assimilaient volontiers les écrivains du Maghreb, d'Afrique ou du Québec à la littérature française, caution de leur qualité littéraire. Les francophones (qui n'étaient pas encore nommés ainsi) participaient à l'universalité de la littérature française, au même titre que les Berrichons, les Poitevins ou les Normands. Depuis les années 1960, les écrivains francophones sont au contraire ethnicisés. De Dany Laferrière, d'origine haïtienne et installé au Québec et en Floride, à Alain Mabanckou, d'origine congolaise et enseignant aux États-Unis, tous ou presque n'en finissent plus de se démarquer de leurs aînés prestigieux enfermés dans les « réserves » de la « francophonie emplumée », selon le mot d'Abdourrahmane Waberi. Il faut bien dire qu'on a trop vite fait de les « folkloriser », en les plaçant invariablement sous le signe de la négritude. Et ceux qui, en désespoir de cause, finissent par accepter l'étiquette de francophones, le font à leur corps défendant, en victimes d'une ségrégation inadmissible héritée du colonialisme, ou de la domination française sur le marché du livre : « Être écrivain me suffirait ; mais je suis aussi écrivaine francophone », regrette Anna Moï, dans son essai provocateur : *Esperanto, désesperanto, la francophonie sans les Français* (2006).

La plupart des essais ou entretiens d'écrivains tournent au procès de la Francophonie, comme notion et comme institution héritée du colonialisme.

Pour la critique américaine, Claude Simon, Julien Gracq ou Yves Bonnefoy sont des écrivains « francophones », quand ils sont « français » pour la critique française. Ce n'est que très récemment que certaines grandes enseignes de librairies ont commencé à utiliser l'appellation « roman francophone » en incluant le roman français. Se distinguant de celle de Senghor, née avec le siècle, la génération des années 2000 récuse avec véhémence la catégorie des écrivains francophones, qui se révèle en définitive un « ghetto » pour une minorité. Toute catégorisation, toute classification, il est vrai, introduit une ségrégation. Dans la conscience nationale commune, sont francophones ceux qui, d'une manière ou d'une autre, ne peuvent prétendre à la littérature « française ». Se pensant comme universelle, la littérature française s'érige en canon de la littérature tout court. Le processus de « minorisation » (Bertrand, Gauvin, 2003) est lui-même sans fin, puisque de nouveaux « centres » peuvent naître à leur tour, renvoyant les anciens à la « périphérie ». Ainsi de la notion des écrivains dits « migrants » (voir chapitre 6, p. 189), qui instituent les différentes littératures nationales dans une position centrale et canonique, en lieu et place de la littérature française. Être migrant, c'est s'inscrire dans les marges du champ québécois, belge, ou suisse, et par là conforter les « centres ».

b – L'Europe et le monde occidental

En Europe même, certains écrivains, irrités par les connotations « tiers-mondistes » attachées au mot, se récrient à l'idée d'être assimilés aux auteurs des pays du Sud. Le romancier suisse Jacques Chessex, héritier de Ramuz dans un pays où le français n'a pas été importé et encore moins imposé par une quelconque colonisation, refuse d'être placé sur le même plan qu'un Africain ou un Antillais. On ne compte jamais Beckett, Cioran, Kundera, Semprun ou Nancy Huston parmi les écrivains francophones. La critique considère qu'ils sont avant tout écrivains, quitte à rappeler leur nationalité ou leur origine (irlandaise, roumaine, tchèque, espagnole, canadienne), « comme si les valeurs universelles émanaient du seul Occident », observe encore Anna Moï. Vus de Paris, les écrivains « blancs » du Québec, de Belgique ou de Suisse, pays du Nord sont souvent assimilés à la littérature française. Ainsi, ils sont irrésistiblement attirés dans le « champ littéraire » français – comme le poète belge Verhaeren, devenu l'un des auteurs de référence de l'école républicaine, pour des générations de jeunes élèves nourris de *Toute la Flandre*, ou encore de Simenon, dont un critique parisien disait que, s'il avait été belge, il aurait été le plus grand écrivain belge… Quand ils n'ont pas été naturalisés français, ils ne sont donc pas moins méconnus, pour ne pas dire inconnus, que ceux du Sud. La publication d'une sélection d'œuvres de Ramuz (mais non des œuvres complètes) dans la Bibliothèque de la Pléiade fait découvrir le plus grand romancier de Suisse romande et l'existence d'une littérature romande autonome, distincte de la littérature française. Certes, on connaît en France l'œuvre de Jacques Chessex, disparu en

2009, qui a reçu le prix Goncourt en 1973 pour *L'Ogre*. Ses romans font scandale en Suisse, comme *Un juif pour l'exemple* (2009), qui aborde le tabou de la violence antisémite, complice du nazisme dans une Suisse « au-dessus de tout soupçon ». Nicolas Bouvier, « citoyen de Genève » tout comme Rousseau, a un public nombreux et enthousiaste, mais plutôt au titre de la littérature dite « de voyage », qui fait oublier son origine suisse. Mais qui connaît Édouard-Henri Crisinel, Pierre-Louis Matthey, Jacques Mercanton, Monique Saint-Hélier, Georges Haldas, Jean-Pierre Monnier, Alexandre Voisard, figures pourtant majeures de la vie littéraire romande, et de la littérature tout court ? Quand un écrivain francophone réussit, obtenant la consécration du public, des médias ou de l'institution littéraire (française, s'entend), il est tout simplement annexé sans autre forme de procès à la littérature française. Qui sait que Philippe Jaccottet, l'un des poètes contemporains les plus étudiés, est né à Moudon dans le canton de Vaud, de parents suisses, et que, lié à Gustave Roud, il a été critique littéraire à la *Gazette de Lausanne*, avant de s'installer à Grignan, dans la Drôme ? Qu'Edmond Jabès, né au Caire, a commencé son itinéraire poétique en Égypte, où il a animé avec Georges Henein, l'auteur du *Seuil interdit* (1956), la revue littéraire *La Part du sable*, avant de s'exiler à Paris en 1956, aux abords de la cinquantaine ? Que le dramaturge et poète Georges Schehadé, dont les pièces ont connu leur heure de gloire au théâtre Renaud-Barrault et à la Comédie-Française en même temps que celles d'Ionesco, de Beckett et d'Adamov, est né à Alexandrie dans une famille syro-libanaise, avant de s'installer à Beyrouth et, au moment de la guerre civile, d'émigrer à Paris ? La même démonstration pourrait bien évidemment être conduite pour telle ou telle figure de la Belgique ou du Québec, victimes de leur apparente et illusoire proximité géographique aussi bien que culturelle. Sans doute les écrivains désireux de se faire reconnaître comme écrivains universels sont-ils en partie responsables de cet oubli ou de ce déni. Mais ils n'auraient jamais pu s'assimiler (ou se laisser assimiler) sans la puissance d'attraction du « champ littéraire » français. Certes, Michaux a voulu rompre avec ses origines wallonnes, et Cendrars avec ses origines bernoises, mais l'universalisme parisien leur a tout de même considérablement facilité la tâche.

c – La France et les « Français de France » (Ramuz)

Les adjectifs « français » et « francophone » paraissent donc en un sens s'exclure. Car aucun écrivain français n'accepte de se présenter comme francophone, le francophone étant par définition l'autre, venu de la « périphérie » occidentale (Suisse, Belgique ou Québec) ou pire encore, du Sud. Situé au centre, l'écrivain hexagonal considère comme francophones ceux qui gravitent autour de lui, quoiqu'ils publient souvent chez les mêmes éditeurs parisiens – Gallimard, Le Seuil, Minuit, Grasset, Lattès. Il faut bien reconnaître que le malentendu véhiculé par le mot « francophone » est à tout le moins persistant. Pour la critique américaine, la littérature française n'est qu'un exemple particulier, certes capital, des littératures francophones, qui couvrent l'ensemble des productions en langue française, de Montréal à Port-au-Prince, de Bruxelles à Dakar, d'Alger à Beyrouth, de Cotonou à Tananarive. Pour les éditeurs et les critiques français au contraire, est francophone tout ce qui n'est pas français. Et le fait qu'on puisse inclure les écrivains des départements et territoires d'outre-mer parmi les francophones en dit long sur leur dépendance par rapport à la métropole. Que Césaire, le principal artisan de la loi de départementalisation des Antilles en 1946, puisse être qualifié de poète « francophone » quand Breton, lui, est tout simplement présenté comme « français », suffit à illustrer la portée idéologique du mot « francophone ».

« Nos arts littéraires sont faits de refus », constate Jean Paulhan, qui désigne la « Terreur dans les Lettres » (*Les Fleurs de Tarbes*, 1942). La question des littératures francophones semble aujourd'hui se réduire au « refus » de la francophonie. La romancière et essayiste iranienne Chahdortt Djavann, réécrivant les *Lettres persanes*, intitule un roman par lettres : *Comment peut-on être français ?* (2006) Comment, surtout, peut-on être francophone ? C'est bien ce que demande son héroïne, Roxanne, obsédée par l'idée de devenir « francophone » :

> – Tu pourras parler le français, mais jamais, au grand jamais, tu
> ne pourras te dire en français. C'est le persan qui t'a forgée, il
> te sera fidèle, plaidait Roxane persanophone.
> – Mais le persan appartient à un autre monde, à une autre vie, à
> un autre espace-temps, répliquait Roxane francophone. Je tra-
> vaillerai, je travaillerai, je découvrirai les méandres de cette
> langue, je saurai m'y prendre un jour avec ses caprices. Un jour
> elle se donnera à moi, un jour… (Djavann, 2006, p. 104)

❷ Français ou francophone ?

a – Les origines de la francophonie

La francophonie, selon l'acception étymologique du mot, est loin d'être un phénomène récent. Pourquoi ne pas remonter jusqu'aux *Serments de Strasbourg* (842), qui président à la division de l'héritage de Charlemagne entre ses trois fils, même si le texte en est écrit dans la langue d'oïl, qui n'est pas encore à proprement parler le français ? On pourrait ainsi considérer que la réalité de la francophonie, du fait francophone, est aussi ancienne que la langue française elle-même, qui poursuit sa formation aux XVe et XVIe siècles, avant que le français moderne ne s'impose définitivement. Mais une telle hypothèse n'a guère de sens.

• L'humanisme réformé

C'est en effet le développement de l'humanisme à travers l'Europe, la circulation des érudits et de leurs idées, et surtout, des langues vernaculaires et vulgaires, qui prélude à la francophonie moderne, sur fond de concurrence avec les autres langues européennes, l'italien en particulier (Mari, 2000, p. 35-38). La Réforme conduite à Genève par des huguenots français émigrés (Calvin, Postel, Farel) qui traduisent la Bible en langue vulgaire, est un vecteur important de la langue et de la culture françaises. La traduction ne joue pas un rôle aussi décisif pour le français que pour l'allemand moderne, qui se constitue à travers les traductions de la Bible et les sermons de Luther (*Verdeutschung*)

(Berman, 1984), ou que pour l'anglais. La Bible de King James, *The Book of Common Prayer* (1548) a contribué à fixer une langue standard contre les menaces de corruption qui accompagnent l'expansion à l'étranger et, bientôt, dans les colonies (Talib, 2002).

- **Le cosmopolitisme des Lumières**

L'émigration (ou l'exil) des huguenots à travers l'Europe et le monde (en Allemagne, en Hollande, en Afrique du Sud) prépare en quelque sorte le « cosmopolitisme français » qui triomphe au XVIIIe siècle grâce aux Philosophes. Cette situation est largement à l'origine du mythe de l'universalité de la langue française. On pourrait ainsi se livrer à une archéologie sinon du mot, du moins du fait de la francophonie, entendue dans un sens purement descriptif, en remontant jusqu'à l'Ancien Régime. Avant la Révolution et jusqu'au début du XIXe siècle, le français, langue de cour, langue de culture, joue un rôle comparable à celui du latin chez les clercs (laïcité mise à part), dans une « Europe française » de Dublin à Berlin, de Lisbonne à Saint-Pétersbourg, d'Istanbul à Stockholm. Depuis la signature du traité de Rastatt avec l'Espagne, en 1714, le français est la langue exclusive de la diplomatie, jusqu'à ce que Georges Clemenceau, en hommage aux Alliés, reconnaisse également l'usage de l'anglais lors de la signature du traité de Versailles, en 1919. En 1905, la Russie et le Japon signent encore sur le sol des États-Unis un traité de paix rédigé en français.

On pourrait donc être tenté de voir l'usage répandu du français comme les prémices de la francophonie, et ce d'autant plus que, entre-temps, le royaume s'est étendu outre-mer, dans les colonies. Mais que Diderot et Catherine II correspondent en français, que Frédéric II de Prusse impose le français à la cour de Berlin et à l'armée elle-même, que le Prince de Ligne écrive ses mémoires en français, tout cela ne suffit pas à définir les contours d'une francophonie européenne, malgré l'existence d'un réseau d'étrangers qui écrivent en français (Casanova, pour l'Italie, Gibbon, Hamilton et Beckford pour l'Angleterre, Potocki, pour la Pologne, etc.). Au XIXe siècle, Napoléon, l'héritage de la Révolution et les écrivains défenseurs des droits de l'homme, de Hugo à Zola, contribuent encore à l'institutionnalisation de cette « République des Lettres » universelle dont Paris, la Ville lumière, est le centre (Casanova, 1999). Balzac, Alexandre Dumas, Hugo, Zola, Jules Verne, qui sont les auteurs français les plus lus dans le monde et les plus traduits, incarnent cette « République ». Avec Molière, Voltaire et Rousseau, tous ces auteurs appartiennent à une République des Lettres en français, mondialisée (ou du moins européanisée) avant la lettre. Mais le contexte linguistique, social, politique est très différent. Il est impossible de comparer la diffusion de la langue et de la culture françaises à la francophonie et *a fortiori* à la Francophonie, inséparables de l'histoire de la colonisation au xixe siècle et de la décolonisation dans les années 1960.

b – Littératures françaises, Lettres françaises ?

Jusqu'aux années 1960, durant lesquelles l'adjectif « francophones » s'impose, les littératures de langue française hors de France sont habituellement qualifiées de « françaises », ce qui ne semble plus acceptable aujourd'hui. Il y a ainsi une Europe française, une Amérique française, une Suisse française, des Lettres françaises de Belgique ou de Suisse, des écrivains canadiens français. Certes, l'adjectif renvoie à la langue, mais il laisse également entendre l'écho de l'appartenance nationale à travers le « pacte avec la nation » dénoncé par le manifeste *Pour une littérature-monde.* Et tout naturellement, dans le contexte colonial, l'Afrique, et surtout l'Algérie ne peuvent être que françaises. Ce qui s'exprime en français, peu ou prou, doit être rapporté à la France, même en l'absence de colonisation (Suisse ou Belgique), comme si la langue pouvait être assimilée à la nation dominante. Les Lettres françaises de Suisse, de Belgique, du Canada sont ainsi assujetties, par leur appellation même, à la littérature française, qui en est le centre, la référence, le « canon » selon la théorie postcoloniale.

❸ La « francophonie », une invention (post)coloniale

Désignant l'« ensemble de ceux qui parlent français », le mot « francophonie » tire son sens de l'histoire de l'expansion coloniale et des empires européens, depuis le XVIe siècle et, surtout, la seconde moitié du XIXe siècle. C'est donc non seulement le mot, mais la notion même de francophonie qui relève de l'histoire contemporaine. La francophonie finit donc par se confondre avec la Francophonie. Héritage de la colonisation, même si la notion ne s'impose que dans les années 1960, la francophonie est post-coloniale. Certes, la carrière du français s'est d'abord déroulée à l'intérieur des frontières de la France et de ses proches voisins européens, la Suisse et la Belgique. Mais, très tôt, elle s'est répandue dans les premières colonies de peuplement, dans l'Amérique française et les îles de la Caraïbe, dans l'océan Indien, et le sud-est du Pacifique.

a – L'origine géopolitique du mot « francophone »

L'adjectif « francophone » est attesté par les dictionnaires depuis les années 1930, mais il semble avoir été inventé dès 1880, comme un néologisme, par le géographe Onésime Reclus (1837-1916), frère d'Élisée, connu pour son engagement anarchiste durant la Commune. Le contexte est celui du traité de Berlin, en 1885, par lequel les puissances européennes, construisant leurs empires coloniaux, se répartissent les territoires de l'Afrique de l'Ouest, découpée en zones d'influence définies non plus selon les « races », mais selon les langues. Outre l'Allemagne et l'Italie, c'est surtout entre l'Angleterre et la France que doivent se répartir les territoires. Les frontières ainsi tracées ne sont pas seulement nationales, mais linguistiques et culturelles, puisque Léopold, roi des Belges, impose le français au Congo dans le même temps. Onésime Reclus ne se contente pas de décrire la géographie de l'Afrique, il défend au nom de la République un nationalisme fervent qui passe, paradoxalement, par l'apologie de la colonisation. C'est toute la contradiction tragique de la « République coloniale », qui trahit les valeurs héritées de 1789 et, la première, foule aux pieds les droits de l'homme (Blanchard, Bancel, Vergès, 2003). Césaire, dans le *Discours sur le colonialisme* (1955), dénonce l'« hypocrisie » du « pseudo-humanisme » d'une Europe « moralement, spirituellement indéfendable », qui tue, vole et détruit au nom de la « civilisation » (Césaire, 1955, p. 7-13). Les rivalités entre les puissances européennes pour la domination de l'Afrique constituent donc le cadre dans lequel Reclus classe les populations, non plus en fonction des ethnies, selon les critères de l'époque, mais des langues. Au chapitre six de *France, Algérie et colonies*, publié en 1880, il utilise ainsi l'adjectif francophone, d'où il tire également le substantif « francophonie », pour dénombrer les locuteurs du français par rapport à ceux de l'anglais ou d'autres langues européennes, mesurant ainsi la puissance française à sa démographie. Dans les années 1930, les mots « francophone » et « francophonie » prennent un sens apparemment neutre. Mais l'expression « langue dominante » souvent utilisée montre bien que, conformément à l'origine du mot et de la notion, c'est bien d'un rapport de pouvoir entre les langues qu'il s'agit, de « guerre des langues » (Calvet, 1987). Même lorsque l'adjectif sert à décrire les relations entre différentes communautés dans un même pays (francophones *vs* arabophones au Maghreb, francophones *vs* Flamands en Belgique, francophones *vs* germanophones en Suisse, francophones *vs* anglophones au Canada, etc.), la signification et les enjeux de la francophonie sont toujours politiques, du fait de l'histoire de la diffusion de la langue, et de la notion elle-même, qui tend à se confondre avec celle de Francophonie.

• La Francophonie politique

Alors que la guerre d'Algérie s'achève, et avec elle la formation d'États indépendants issus de l'Afrique française, s'esquisse le rapprochement des anciennes colonies de l'Empire, sur des bases culturelles qui sont aussi nécessairement politiques. Ainsi naît la Communauté des pays de langue française, manifestement inspirée du Commonwealth britannique. À l'initiative du général de Gaulle et de quelques chefs d'État, au nom de la langue et de la culture françaises, la plupart des nouveaux pays de l'Afrique subsaharienne et du Maghreb (à l'exception notable de l'Algérie, logiquement très hostile à l'idée), restent liés à l'ancienne puissance coloniale, avec laquelle ils continuent d'entretenir d'étroites relations politiques, culturelles et économiques aussi, sous le signe de la Francophonie. Outre les dirigeants algériens, nombre d'opposants aux régimes issus des indépendances et d'intellectuels anticolonialistes verront dans la Francophonie le cheval de Troie du néocolonialisme. Très vite, la Francophonie est assimilée à la « Françafrique », alliance incestueuse de régimes autoritaires et corrompus avec Paris, qui perpétue la dépendance coloniale.

Au moment des accords d'Évian, en novembre 1962, l'adjectif « francophone » s'impose lors de la publication d'un numéro spécial de la revue *Esprit* consacré au « français, langue vivante », qui joue un rôle historique dans le développement de l'idée de Francophonie. On peut y lire des articles de journalistes (Jean Lacouture), de linguistes (André Martinet), de critiques littéraires et d'universitaires (Pierre-Henri Simon, Selim Abou), mais aussi d'acteurs politiques majeurs des indépendances (Léopold Sédar Senghor, Norodom Sihanouk, ancien roi du Cambodge). Fondée par le philosophe Emmanuel Mounier, inspirée par le personnalisme et le christianisme social, la revue est engagée dans le combat contre le colonialisme (Winock, 1999), de même que les Éditions du Seuil qui la publient. *Esprit* n'a jamais cessé de lier la culture à la politique. La notion même de francophonie à laquelle elle donne alors une large publicité, est inséparable du politique. Bien au-delà d'Onésime Reclus, ce sont d'abord des hommes politiques, anciens combattants des luttes anticoloniales devenus chefs d'État, qui l'élaborent. Lié d'amitié avec Senghor depuis son exil en France dans les années 1930 et auréolé de son combat contre la colonisation française, président de la République tunisienne depuis 1957, Bourguiba développe l'enseignement du français. Ce choix politique déterminant va de pair avec le vote du statut personnel de la femme et la modernité laïque dans laquelle il veut engager son pays. Comme Senghor pour le Sénégal, comme Houphouët-Boigny pour la Côte d'Ivoire ou Hamani Diori pour le Niger, Bourguiba dissocie la culture française, à laquelle il est profondément attaché, de la politique internationale. Lecteur de Hugo et de Vigny, Bourguiba arbore son certificat d'études français qui, dit-il, lui a permis de libérer son pays. Promouvoir la culture française permet d'entretenir des liens de fraternité avec la France, sans pour autant lui être subordonné. La rencontre de Senghor avec Bourguiba apparaît ainsi déterminante dans ce contexte, d'où naît le projet d'une communauté de nations francophones, qui prend le relais de l'Union française de la métropole, de ses départements d'outre-mer et de ses colonies, créée en 1946.

   C'est l'origine géopolitique de l'idée de Francophonie, désormais inséparable de la « Françafrique » si décriée, qui explique la réticence, voire l'hostilité que déclenche immanquablement le mot encore aujourd'hui, même et surtout lorsqu'il s'applique à la littérature. Comme catégorie politique, l'adjectif francophone ne peut que faire référence à un monde postcolonial, déterminé aujourd'hui encore par le passé colonial de la France. La culture française en Afrique est un héritage colonial, situation que le romancier congolais Alain Mabanckou assume pleinement, au Salon du livre, en 2006 : « J'écris en français parce que je suis un pur produit postcolonial » (*Libération*, 16 mars 2006, p. 7). Dans le discours critique et le vocabulaire institutionnel, les adjectifs « anglophone », « hispanophone », « lusophone », « arabophone », etc. sont aussi fréquents que « francophone ». Pourtant, les mots d'anglophonie (voir *infra*, chapitre 2, p. 42) d'hispanophonie, de lusophonie, d'arabophonie ne sont guère utilisés que pour désigner le fait de s'exprimer en anglais, en espagnol, en portugais, en arabe, sans connotations idéologiques ou politiques. Certes, ce sens neutre existe également en français, il est dûment répertorié dans les dictionnaires, mais il s'applique à des contextes techniques limités qui intéressent surtout le linguiste ou le professeur de langues. En réalité, la francophonie, qui n'est jamais très éloignée de la Francophonie, est donc bien plus qu'un terme abstrait. Même le nom commun francophonie remplit une fonction symbolique par la puissance de ses connotations idéologiques et politiques, que les autres -phonies ignorent. Par ses connotations, le mot « francophonie » ouvre sur le symbolique.

- « Francité » ou « francophonie » ?

La critique française utilise rarement le substantif « francité » dérivé de l'adjectif français. Le mot apparaît vers 1963 presque simultanément sous la plume de Jacques Berque à Paris et de Jean-Marc Léger, à Montréal. Senghor l'a employé, à diverses reprises, et on le retrouve dans nombre de publications consacrées aux problèmes politiques, sociaux et culturels des anciennes colonies françaises. En France, le mot « francité » a des connotations nationalistes, héritées du barrésisme, marquées plutôt à la droite de l'échiquier politique. Mais il semble beaucoup plus neutre dans le monde francophone. Il existe à Bruxelles, depuis longtemps, une Maison de la Francité. Au Québec, le mot dialogue couramment avec ceux d'« américanité », de « canadianité » et de « québécité ». On le trouve encore sous la plume du romancier français Richard Millet, élevé au Liban, d'où il tire son intérêt pour les chrétiens d'Orient dans le récent essai : *L'Orient désert* (2007). Mais c'est dans *Le Sentiment de la langue* (1993), que Millet défend ardemment la « francité », certes distinguée du « patriotisme », mais tout de même associée à la « grandeur » :

> Le souci de maintenir dans le monde entier une œuvre française, où convergeraient davantage les apports (vous diriez les « métissages ») de multiples sentiments de notre langue, non point par quelque futile nostalgie de l'Empire, ni par souci de son actualisation républicaine, mais par cet irrépressible *besoin de grandeur* qui le fait vivre d'une façon quasi désespérée, ou excessive, la contradiction que Ramuz trouvait entre patriotisme et nationalisme. (Millet, 1993, p. 201)

Selon une perspective qu'Edward W. Saïd n'aurait pas manqué de qualifier d'« essentialiste », le mot « francité » désigne les qualités essentielles et abstraites, hors de l'Histoire, de la langue et de la culture françaises, « l'ensemble des valeurs de la langue et de la culture, partant, de la civilisation française », selon Senghor.

Littératures francophones, littératures anglophones ?

English Literature,

Commonwealth Literature,

New Literatures in English,

Postcolonial Literatures,

World Literature in English

En France, les travaux sur les littératures francophones prennent trop rarement en considération les autres
-phonies. Mais les études postcoloniales anglophones, quoique
inspirées des théoriciens français (Derrida, Lacan, Foucault,
Sartre, Fanon, Memmi – voir Combe, 2009), ne sont pas moins
isolationnistes. Afin d'éviter de s'enfermer dans un débat
« franco-français », le détour par les littératures de langue
anglaises paraît instructif, ne serait-ce que pour interroger certains lieux communs, comme la comparaison obligée entre la
Francophonie et le Commonwealth. La critique de la Francophonie, par exemple, joue volontiers sur la « concurrence des
mémoires », en opposant une colonisation britannique supposée relativement souple et libérale à une colonisation française
plus brutale. Cette idée, contredite par les travaux des historiens
anglo-saxons de l'Empire, perpétue un « mythe britannique »
dans la conscience française, depuis l'anglophilie des XVIIIe et
XIXe siècles. Les francophones eux-mêmes, victimes de la colonisation française, reprennent tout naturellement ce mythe à leur
compte.

Tahar Ben Jelloun évoque ainsi la comparaison entre les
empires coloniaux, sans pour autant en faire une critique historique :

> Les Britanniques n'ont pas eu besoin de créer des institutions en
> vue de promouvoir l'« anglophonie ». Ils considèrent leurs écri-
> vains nés hors de leurs frontières et écrivant en anglais comme
> des écrivains anglais. Il n'y a pas de débat, pas de conflit, pas
> d'ambiguïté. J'ai demandé un jour à Salman Rushdie s'il se
> considère comme un écrivain britannique. Il m'a répondu :
> « Oui, bien sûr, mais je suis aussi un écrivain indien, simple-
> ment parce que ma source d'inspiration est principalement

indienne. » J'ai posé la même question à Hanif Kureishi, dont les parents sont du Pakistan. « Écrivain anglais, évidemment ! », a-t-il répondu. Quoi qu'il en soit, ces écrivains qui ne sont pas britanniques de souche vivent et écrivent comme s'ils étaient des Anglais avec un imaginaire spécifique, sont perçus et lus comme des auteurs anglais au même titre que John Le Carré ou Martin Amis. L'arrière-fond historique n'est pas le même que celui qu'a la France avec les pays du Maghreb et de l'Afrique noire. De là à considérer la francophonie comme un des aspects ou une des conséquences de la colonisation, il n'y a qu'un pas. Je ne le franchirai pas, parce que ce serait facile de tout mettre sur le dos de l'histoire. (*Le Monde diplomatique*, mai 2007, p. 20-21)

L'exemple de Martin Amis, l'auteur de l'essai *The Second Plane* (2008), et qui s'est illustré par des prises de position islamophobes après le 11 septembre 2001, est pour le moins malheureux. Mais l'important est ailleurs. Ben Jelloun suggère à bon droit que l'actuelle francophonie résulte de la colonisation. Pourtant, il fait comme si la Grande-Bretagne n'avait pas eu d'empire colonial (« l'arrière-fond historique n'est pas le même que celui qu'a la France avec les pays du Maghreb et de l'Afrique noire »), ou du moins comme si la décolonisation avait pris fin sans douleur. Les intellectuels issus des colonies britanniques ont dû combattre âprement, parfois au prix de leur vie. De ces luttes, l'Angleterre porte encore les stigmates, qui font d'elle une société postcoloniale au même titre que la société française. La principale différence tient sans doute à ce que la France contemporaine commence à peine à reconnaître sa nature postcoloniale. Pour un écrivain marocain comme Ben Jelloun, il paraît certes normal de dénoncer la colonisation française. Mais Ben Jelloun omet soigneusement le fait que le douloureux héritage colonial est partagé entre la France, la Grande-Bretagne, le Portugal et la Hollande (on a tendance à oublier les Indes néerlandaises), notamment. Comme Ben Jelloun, qui est lui-même un écrivain « postcolonial », certains intellectuels francophones affirment que la colonisation britannique a été plus libérale que la colonisation française. L'accueil et l'intégration des ressortissants du Commonwealth en seraient aujourd'hui facilités, ce dont les charters affrétés conjointement par le Royaume-Uni et la France pour la reconduite des clandestins irakiens ou afghans peuvent faire douter. Au moins sur ce point, la République française peut rivaliser avec le Royaume-Uni.

Les livres de Robert J.C. Young : *White Mythologies* (1990) et *The Idea of English Ethnicity* (2007) montrent que les critères de l'identité anglaise sont élaborés pour et par la diaspora britannique. L'ouvrage classique de Paul Gilroy : *There Ain't no Black in the Union Jack* (1987) sur la condition des Noirs au Royaume-Uni et la dénégation de la « race » révèle toute la complexité d'une discussion dans laquelle les écrits anticolonialistes de Fanon, de Césaire, de Kateb, de Sartre doivent être comparés à ceux des leaders et des théoriciens anglophones de la décolonisation – Gandhi, James, Nkrumah, Saïd, aussi bien d'ailleurs que d'autres aires culturelles, comme Amilcar Cabral, théoricien et acteur de la décolonisation des colonies portugaises[1]. Young met du reste bien en valeur les relations et les échanges entre penseurs francophones et anglophones dans les chapitres consacrés à l'histoire de l'anticolonialisme, dans *Postcolonialism : an Historical Introduction* (2001). La théorie postcoloniale a précisément pour but de mettre en évidence d'une langue à l'autre, d'une histoire à l'autre, les traits communs des systèmes de la domination impérialiste, qui passent toujours par l'armée, la police, l'administration, l'école, l'église, même si ces institutions s'accompagnent de formes plus subtiles et diffuses de la « domination symbolique », parmi lesquelles la langue et la littérature.

❶ L'empire et ses langues

La politique linguistique centralisatrice conduite en France depuis l'édit de Villers-Cotterêts (1539), la création de l'Académie française (1635), le rapport de l'Abbé Grégoire sur la situation des langues dans la République jacobine (1794), jusqu'aux lois scolaires de Jules Ferry (1881-1882), a été étendue après 1885 à

---

1. On pourra sur ce point consulter l'article synthétique de Tamara Sivanandan, « Anticolonialism, national liberation, and postcolonial nation formation » *in* Lazarus, 2004.

l'Algérie et aux colonies, au nom d'une « mission civilisatrice » de la République, dont les historiens montrent que, en contradiction flagrante avec les principes hérités de la Déclaration des droits de l'homme et du citoyen, elle est coloniale et même colonialiste dans son projet même (Bancel, Blanchard, Vergès, 2003, p. 67-88). Une continuité évidente s'établit ainsi avec la Restauration et la Monarchie de Juillet, qui naît juste après la prise d'Alger en 1830, comme si l'exigence de la conquête coloniale dépassait les clivages idéologiques et politiques. À travers la succession des régimes, l'expansion coloniale se poursuit sous le Second Empire et, surtout, sous la IIIᵉ République de Gambetta et de Jules Ferry, durant laquelle elle s'accentue et parvient en quelque sorte à son apogée (conquête de la Tunisie en 1881, de l'Indochine en 1883-1885, de Madagascar en 1896, du Maroc en 1912). À cet égard, peu de différence avec la politique de la monarchie britannique depuis le XVIIIᵉ siècle, qui légitime elle aussi son entreprise par les valeurs de la civilisation. Malgré la violence contre le gaélique en Irlande (voir *infra*), une plus grande tolérance semble tout de même avoir été le fait du colonisateur britannique en matière de langues. Il n'a jamais été question d'éradiquer les patois du territoire britannique, comme le demande l'Abbé Grégoire en 1794 dans le rapport sur l'état des langues qu'il présente à la Convention (de Certeau, Revel, Julia, 1975). Grégoire, après avoir distribué des questionnaires à travers la France entière, grâce à un réseau de notables lettrés et de sociétés savantes qui jouent le rôle d'informateurs, constate qu'on ne parle pas moins de trente « jargons » dans les provinces françaises, quand la « langue de la Révolution » est parlée jusqu'en Amérique. Concluant donc qu'on ne parle pas français en France, le rapport assigne à la République une mission clairement annoncée par son titre même : *Rapport sur la nécessité et les moyens d'anéantir les patois et d'universaliser l'usage de la langue française*. Il s'agit d'imposer dans une « République une et indivisible, l'usage unique et invariable de la langue de la liberté ».

a – Le « fardeau de l'homme blanc »

Le modèle centralisateur s'applique avec plus de rigueur encore aux colonies. Malgré des histoires différentes, les historiens du Commonwealth relèvent néanmoins des similitudes frappantes entre la République et la Couronne, qui partagent les mêmes préjugés ethnocentriques. La supériorité des langues et des cultures européennes renvoie à la supériorité de la « race », selon le modèle biologique alors dominant. Le français doit être imposé par l'école et l'administration au nom de la civilisation et de la morale, selon des valeurs laïques héritées de la Révolution (même s'il s'y mêle parfois des références religieuses, aux Croisades par exemple, et une véritable « mystique » républicaine). Mais, la laïcité mise à part, la situation n'est pas fondamentalement différente dans les colonies de l'Empire britannique, qui doivent prendre en charge le *White Man's Burden*, le « fardeau de l'homme blanc » du célèbre poème de Rudyard Kipling, publié en 1899 en réponse à la conquête américaine des Philippines sur l'Espagne. Certains critiques ont voulu lire le poème au second degré, comme une dénonciation ironique du colonialisme. Mais, compte tenu de l'ensemble de l'œuvre de Kipling, ce texte de commande initialement composé pour le jubilé de la reine Victoria, apparaît plutôt comme une apologie de l'impérialisme occidental, britannique ou américain. L'homme blanc, du fait de sa maturité, doit s'imposer pour le bien de l'humanité tout entière, restée dans l'enfance.

Bien que l'histoire britannique soit moins centralisée que l'histoire française, le développement de l'anglais dans le sud-est de l'Angleterre, et son extension à l'ensemble du territoire des îles britanniques, puis outre-mer, s'apparente au triomphe du français en Ile-de-France, puis sur l'ensemble du territoire métropolitain, jusqu'aux terres les plus reculées de l'empire. Il s'agit en somme d'un processus de colonisation intérieure. Tout comme l'Inde ou le Kenya, l'Irlande du XIXe siècle est dans une situation coloniale à certains égards comparable à celle de l'Algérie. Le gaélique, méprisé et redouté par le pouvoir central, qui y voit une langue de la résistance, est censuré et soumis à la domination de l'anglais. Dans *Le Portrait de l'artiste* (1916), écrit en anglais,

James Joyce souligne le désarroi du narrateur Stephen Dedalus, dépossédé de sa langue. Suite aux affrontements avec les Anglais durant les Pâques sanglantes de 1916, l'Irlande, dont le territoire fait l'objet d'une partition, obtient son autonomie grâce au statut de *dominion* au sein de l'empire, avant que ne soit proclamée la République, en 1949. C'est donc de manière tout à fait légitime que les théories postcoloniales s'appliquent largement à l'histoire et à la culture irlandaises, jusqu'à l'indépendance et même au-delà (voir Eagleton, Jameson, Said, 1990).

b – Le complexe anglo-saxon

Dans le contexte colonial britannique, le même sentiment d'une domination, politique, économique et symbolique propre aux populations minoritaires s'exprime au Québec (voir Randall, 2003). Le modèle postcolonial permet ainsi de comprendre la situation du Canada français, puis du Québec jusqu'aux années 1960. Dans le roman fondateur *Les Anciens Canadiens* (1863), Philippe Aubert de Gaspé père met en scène deux nobles amis que sépare l'affrontement des communautés antagonistes. La trame épique illustre déjà l'idée d'une collaboration entre Français et Anglais, sur fond d'anglophilie et d'allégeance à la Couronne britannique. Depuis le XIXe siècle, un courant politique fédéraliste et anglophile lié à une certaine fascination pour la langue et la culture anglaises, a été alimenté par le sentiment que les Canadiens français avaient été « trahis » et abandonnés par la Mère-patrie. Il est plus étonnant d'en constater la résurgence chez un romancier contemporain comme Jacques Godbout, qui a participé à la Révolution tranquille – quitte d'ailleurs à tourner en dérision le Parti québécois, dans le roman intitulé *D'Amour, P.Q.* (1972). Godbout a pourtant publié l'ensemble de son œuvre à Paris, aux Éditions du Seuil, où il a fait l'objet d'un accueil privilégié. *Salut Galarneau* (1967), réédité en collection de poche, est devenu un classique. Sans doute pour régler ses comptes avec les milieux littéraires parisiens, Godbout, signataire du manifeste *Pour une littérature-monde*, perpétue à son tour le cliché anglo-phile, invoquant l'histoire britannique *contre* l'histoire française. Réécrivant le « récit national » à sa manière, il feint de se rallier, non sans une certaine mauvaise foi, à une lecture orientée de la colonisation britannique, oublieuse de la défaite des Plaines d'Abraham, du Grand Dérangement, de la répression des Patriotes et de l'humiliation permanente des Canadiens français et des Québécois en position de dominés jusqu'aux années 1960 :

> Le colon anglais a abordé l'indigène sans lui imposer sa vision du monde, ayant toujours été persuadé, de toute façon, qu'il était inimitable. Le Français, au contraire, avec dans ses bagages les droits de l'homme et les Lumières, a cru qu'il pouvait transmettre et même imposer ses valeurs. Résultat : quand les indigènes ont renvoyé chez eux les uns et les autres, les Anglais expulsés se sont empressés de créer le Commonwealth, une « richesse en partage ». La *world music* et le *world book* sont nés dans ce marché commun, les créateurs indiens, jamaïcains, sud-africains, canadiens ou britanniques y figurent comme rivaux, mais à égalité des chances. Les Français ont plutôt perpétué l'approche coloniale en acceptant de nommer « francophonie » leur relation nouvelle avec les nations libérées. [...] Par ignorance ou par arrogance, la France est restée accrochée à son espace littéraire national, et ses maisons d'édition à leurs réseaux hexagonaux. L'institution littéraire française n'a pas eu vraiment envie, à ce jour, de participer à une littérature-monde. (Rouaud, Le Bris, 2007, p. 104-105)

Les historiens et les linguistes anglophones montrent au contraire que l'Empire a cherché à se justifier en se donnant pour mission de diffuser les valeurs de la civilisation, qui passent par la langue et la littérature anglaises et par la religion anglicane (voir Visnawathan, 1989 ; Pennycook, 1998 ; Talib, 2002). Que l'*Englishness* soit inimitable parce qu'elle s'hérite plus qu'elle ne s'acquiert, n'empêche pas que les colonisateurs aient cherché à imposer leur vision du monde, tout en conservant une distance infranchissable entre les classes sociales, sans doute encore plus marquées qu'en France. La création du Commonwealth, après-guerre, n'était pas moins cyniquement stratégique que celle de la Communauté qui devait devenir l'OIF. Simplement, la présence d'États aussi riches et développés que l'Australie et le Canada pouvait donner l'illusion d'une libre association, quand l'enjeu principal était aussi de maintenir les liens politiques et économiques avec le subcontinent indien, l'Afrique et l'Asie du Sud-Est, de manière tout à fait comparable à la Francophonie. Que les Français, avec la même hypocrisie, aient prétexté transmettre les droits de l'homme, les Lumières et la laïcité républicaine ne fait aucun doute. Mais dans tous les cas, c'est bien le modèle occidental de la civilisation qu'il s'agit d'inculquer à « l'indigène » par la force aussi bien que par la persuasion. Si les écrivains anglophones des anciennes colonies occupent le devant de la scène londonienne, montréalaise ou new-yorkaise, c'est en raison de l'immensité de l'ancien Empire britannique, et du nombre de ses écrivains. Comment la Sorbonne aurait-elle pu rivaliser avec Oxford et Cambridge, Harvard, Yale et Princeton ? Comment la littérature du Maghreb et de l'Afrique francophones aurait-elle pu se mesurer à la production intellectuelle et littéraire de l'Inde anglophone, la première démocratie du monde ?

L'attitude de Godbout, signataire du manifeste *Pour une littérature-monde* en 2007, est révélatrice d'une critique anglophile de la Francophonie. Il ne s'agit évidemment pas ici de défendre la colonisation française contre la colonisation britannique, ni même d'entrer dans la spirale de la « concurrence des mémoires », mais simplement de cerner les tenants et les aboutissants d'une véritable mythologie, dont témoigne la fascination pour la culture anglo-saxonne, qui atteint un intellectuel québécois comme Godbout. Les littératures de langue anglaise servent en quelque sorte de modèle aux littératures de langue française, dans le combat qu'elles sont censées mener contre la francophonie « emplumée » de Senghor. Faisant un grand honneur aux prix littéraires français, les auteurs du manifeste n'hésitent pas à comparer le Goncourt et le Renaudot au Booker Prize. L'« émergence d'une littérature-monde en français » doit être rapprochée, selon eux, du « surgissement des enfants de l'ex-Empire britannique dans l'espace littéraire anglais, au tournant des années quatre-vingts, lorsqu'à la suite des *Enfants de minuit* de Salman Rushdie, ceux-ci commencèrent à rafler Booker Prize après Booker Prize » (Rouaud, Le Bris, 2007, p. 24). Les littératures de langue anglaise s'inscrivent dans une geste épique, pour ne pas dire biblique, de fondation : « Dans le même temps, un vent nouveau se levait outre-Manche, qui imposait l'évidence d'une littérature nouvelle en langue anglaise, singulièrement accordée au monde en train de naître ». Après avoir évoqué Bruce Chatwin et les *travel writers*, le manifeste, reproduisant des schémas colonialistes éculés, présente les écrivains issus du Commonwealth sous les couleurs de l'exotisme le plus conventionnel et, dans le fond, le plus paternaliste :

> Puis s'affirmaient, en un impressionnant tohu-bohu, des romans bruyants, colorés, métissés, qui disaient, avec une force rare et des mots nouveaux, la rumeur de ces métropoles exponentielles où se heurtaient, se brassaient, se mêlaient les cultures de tous les continents. Au cœur de cette effervescence, Kazuo Ishiguro, Ben Okri, Hanif Kureishi, Michael Ondaatje – et Salman Rushdie, qui explorait avec acuité le surgissement de ce qu'il appelait les « hommes traduits ». (*Le Monde*, 16 mars 2007)

Midnight's Children de Salman Rushdie, qui reçoit le Booker Prize en 1981, sert de signe de ralliement aux écrivains issus de la décolonisation. Le roman met en scène la génération de 1947, les enfants de l'indépendance de l'Inde. Rouaud et Le Bris se réfèrent ensuite directement aux « petits-enfants de Stevenson et de Conrad ». La littérature anglaise est ainsi réduite au roman d'aventures. Le rapprochement de Stevenson et de Conrad, lui-même, ne va pas de soi, puisque l'auteur de *Lord Jim* (1900) est aussi un romancier de la conscience qui, à bien des égards, croise Virginia Woolf, elle-même citée comme un repoussoir, comme si elle n'était pas, elle aussi, représentative d'un courant majeur de la littérature anglaise. Le Bris fait ironiquement allusion à « la troisième génération de romans woolfiens », feignant de considérer que la page est désormais tournée. Le récit du journaliste d'origine pakistanaise Mohsen Hamid, *The Reluctant Fundamentalist* (2007), contredit par exemple totalement ces clichés, en livrant une sorte de pseudo-autobiographie intimiste et crépusculaire, sur le mode de la confession. Certes, ce récit de vie fait de l'auteur un « petit-fils » de Conrad, mais certainement pas dans le sens où l'entend le manifeste.

Les littératures postcoloniales en anglais doivent inspirer une « littérature-monde en français ». Ainsi, Michel Le Bris compare les romanciers africains francophones Alain Mabanckou, Abdourahmane Waberi, Kossi Efoui, Fatou Diome à Wole

Soyinka, Ben Okri ou Nuruddin Farah, ce qui est évidemment extrêmement élogieux, mais tout de même un peu écrasant pour eux. Toute la démonstration du manifeste repose sur l'opposition de la francophonie, délibérément confondue avec la Francophonie, à l'anglophonie, qui ne dit pas son nom. Michel Le Bris, qui est un remarquable connaisseur des littératures de langue anglaise, et l'éditeur de nombreuses traductions de l'anglais, rapporte la vie littéraire parisienne au monde anglo-saxon. Mais comment comparer deux littératures, précisément incommensurables par le nombre des publications et des lecteurs ? Le rayonnement et la diffusion de la langue française, désormais secondaire sur la scène internationale, rendent vaine toute comparaison. Il est en effet assez injuste de déplorer l'hégémonie de Paris sur l'édition en langue française quand, hormis Montréal, le monde francophone ne compte aucune métropole comparable à New York, Boston, San Francisco, Toronto, Sydney, Dublin, Calcutta, New Delhi par le nombre de ses habitants et son développement. Les capitales de l'édition francophone Bruxelles, Genève et Beyrouth – et *a fortiori* Alger, Tunis, Dakar, Abidjan – ne peuvent rivaliser avec ces mégapoles littéraires anglophones.

C'est encore un réflexe bien français de céder à ce qu'on pourrait appeler un complexe anglo-saxon, quelle que soit par ailleurs l'éclatante réussite des littératures postcoloniales en langue anglaise. Le manifeste, en ce sens, reproduit peut-être sinon le « complexe du colonisé » jadis décrit par Albert Memmi (Memmi, 2008), du moins le complexe du minoritaire. Mais ce complexe prouve au moins que la concurrence, pour ne pas dire la rivalité avec la langue et la culture anglaises, qui est au cœur de la Francophonie, est toujours d'actualité. Les défenseurs de la Francophonie trouvent leur raison d'être dans un combat singulier contre l'anglais. Ils se mobilisent tous pour essayer d'endiguer la progression inexorable de l'anglais dans la mondialisation, et de jouer le français comme langue non alignée et alternative. Donnant au contraire une représentation enthousiaste des littératures de langue anglaise, les promoteurs d'une « littérature-monde » continuent néanmoins à se confronter avec l'Angleterre et les États-Unis dans un combat singulier. Ils lient leur engagement à la sempiternelle rivalité entre le français et l'anglais, comme si les autres langues n'existaient pas, non seulement les autres langues européennes : l'espagnol, le portugais, le russe, l'allemand, qui sont encore « langues d'empire », mais surtout les langues extra-européennes du « Tout-monde » (Glissant, 1995) : le chinois, l'arabe, le créole, en particulier. Malgré ses appels à s'ouvrir sur le monde, le manifeste, cantonné à la scène occidentale et europhone, doit être « provincialisé », dans le sens où Dipesh Chakrabarty parle de « provincialiser l'Europe » (Chakrabarty, 2009). Jean-Pierre Cavaillé, philosophe et occitaniste, critique ainsi à bon droit le monolinguisme europhone que présuppose le manifeste :

> Dans sa critique de l'impérialisme et du colonialisme, le manifeste perpétue les présupposés jacobins qu'il dénonce. La révolution copernicienne, la véritable, n'aura lieu que lorsqu'il sera devenu évident que l'idée même de constituer des collectifs littéraires monolingues pour célébrer la littérature-monde est une aberration et une contradiction dans les termes, lorsqu'il apparaîtra que la littérature du monde se dit dans toutes les langues et doit être promue dans son multilinguisme, quand on acceptera enfin de produire la critique non seulement de la francophonie, mais de l'europhonie triomphante, critique que Raphaël Confiant appelait de ses vœux il y a exactement un an, mettant du même coup en relief l'existence d'une europhonie dominée, dont aucune reconnaissance littéraire n'est envisageable. (*Libération*, 30 mars 2007)

S'enfermant dans une rivalité (symbolique, car l'affaire est entendue depuis longtemps) avec l'anglais, fût-elle admirative, la « littérature-monde » dénie par avance l'objectif qu'elle s'était fixé. Comment rêver d'une « littérature-monde » quand, comme l'observe Le Clézio, un jeune écrivain des Antilles ou de l'océan Indien ne peut trouver de maison d'édition pour publier en créole, sa langue maternelle ? Par là, cette littérature est vouée à une grande langue internationale. La « littérature-monde » est une littérature mondialisée, ou plutôt « globalisée », selon une expression qui, justement, se dit *en anglais*. Que cette littérature s'écrive en anglais ou en français ne fait pas grande différence, puisque c'est toujours l'Occident qui s'institue en un centre par rapport à la périphérie. Le discours enthousiaste sur les écrivains originaires d'Inde, du Pakistan, des Antilles faisant irruption dans une littérature agonisante pour la ranimer, ne sort pas du tourniquet de la « représentation occidentale ». Edward Saïd, dans l'essai fondateur *L'Orientalisme* (1978), opère une critique radicale du discours ethnocentrique qui donne lieu à des discussions et des controverses innombrables. Malgré son ouverture d'esprit et sa générosité, le manifeste *Pour une littérature-monde en français* perpétue les impensés ethnocentriques du discours de la « vieille » Francophonie.

❷ Les langues anglaises

La question du vocabulaire et des présupposés qu'il véhicule se pose avec non moins d'acuité pour les littératures de langue anglaise, quoique dans des termes un peu différents. Le critique canadien d'origine haïtienne, Max Dorsinville dans un essai intitulé *Caliban without Prospero* (Dorsinville, 1974), décrit les relations entre dominants et dominés en Afrique, dans la Caraïbe, aux États-Unis et au Québec, en dégageant des similitudes. Prolongeant les analyses classiques d'Albert Memmi dans le *Portrait du colonisé* (1957) et de Frantz Fanon dans *Les Damnés de la terre* (1961), Dorsinville fait de la langue et de la littérature les enjeux majeurs de la domination symbolique, en prenant en compte la situation des populations minoritaires : les Irlandais dans l'Empire britannique, les Québécois au Canada, les Aborigènes en Australie. Un peu plus tard, Edward Saïd emprunte à Gramsci l'idée d'une « hégémonie symbolique ». Il se réfère également à Foucault, penseur du pouvoir dans les discours, dans *Culture et impérialisme* (1993), qui fait suite à *L'Orientalisme* (1978), avec lequel il constitue un diptyque de la critique de l'ethnocentrisme occidental (Combe, 2009). Saïd déchiffre les signes des schémas coloniaux et impérialistes dans quelques chefs-d'œuvre du roman européen « canonique » du XIXe et du XXe siècle, de Jane Austen à Rudyard Kipling et Joseph Conrad, en passant par Flaubert. Déjà, dans *L'Orientalisme*, Saïd avait montré la complicité des orientalistes britanniques, français et allemands dans la constitution d'un imaginaire colonial. Dans le deuxième volet de ce diptyque, Saïd étudie comment les romans, souvent à l'insu de l'auteur, accompagnent la conquête impériale et en font résonner les échos jusque dans les provinces les plus reculées. L'exemple de ces travaux, parmi tant d'autres, suffit à montrer que les littératures anglophones et francophones, inscrites dans l'histoire coloniale des empires européens, peuvent se croiser et même converger.

La langue est un enjeu crucial lors de la constitution des empires, au XIXᵉ siècle. Le français et l'anglais sont des langues largement « déterritorialisées ». On a l'habitude de rappeler, avec raison, la normativité du français, liée à la prééminence de Paris dans le long processus de la centralisation depuis les Capétiens. Soucieux de la norme plus que tout autre peuple, les Français ont à l'égard de la langue un « sentiment » (Millet, 1990) qui s'apparente au fétichisme, comme si la langue était un substitut du corps du Roi, de la République ou de la Nation. Paris est le lieu symbolique de cet « amour de la langue », ou « amour de lalangue », selon Jean-Claude Milner, qui se réfère à Lacan (Milner, 1978). Certes, il existe des métropoles francophones concurrentes – Genève, Bruxelles, Beyrouth, et surtout Montréal. Mais, pas plus que Lyon, ces villes ne peuvent se mesurer à Paris au plan symbolique, même si le français a été parlé à Genève bien avant la plupart des provinces françaises. L'Abbé Grégoire en 1794 souligne le fait qu'on parle français à Montréal, quand les provinces françaises en sont encore aux « patois », notamment celles du Centre et de l'Ouest d'où sont majoritairement issus les colons de la Nouvelle-France. On insiste au contraire sur le fait que le monde anglophone est, lui, multipolaire. Il existe de fait plusieurs centres littéraires et universitaires, outre Oxford et Cambridge (plus que Londres, qui n'occupe pas du tout la même position que Paris), pour la langue anglaise – Dublin, New York, Toronto, Sydney, Le Cap, New Delhi… –, avec lesquels Bruxelles, Genève et même Montréal ne sauraient non plus guère rivaliser.

Mais il n'empêche que l'anglais britannique conserve une prééminence évidente, au moins sur un plan symbolique, même si, sur le terrain, il tend aujourd'hui à être supplanté par ses

variantes nord-américaines. Et, de même que Paris pour le français, Oxford en est le lieu symbolique, comme l'indique aujour-
d'hui encore l'appellation « Oxford English » pour l'anglais
« standard », qui fait office de norme. À la fin du xvɪᵉ siècle, la
formule *King's English* place la norme sur un plan politique et
religieux, quoique la langue effectivement parlée par les souverains ne corresponde souvent guère à cette norme. C'est au fil
du xɪxᵉ siècle que l'anglais *standard* triomphe, selon un modèle
social aussi bien que linguistique imposé par les *public schools*
où sont traditionnellement formées les élites, qui se reconnaissent au « bon anglais » (Bailey, 1992, p. 4). Les connotations
sociales de cette langue standard sont si fortes qu'on parle quelquefois de *Public School English (PSE)*. Le « bon » anglais est parlé
par l'aristocratie et la grande bourgeoisie, formée à Eton et dans
les collèges prestigieux du sud-est de l'Angleterre. À la différence
sans doute du français, dont la norme est surtout grammaticale,
l'anglais se définit d'abord par sa prononciation, et ensuite par
son lexique. La *received pronunciation (RP)* de l'anglais britannique, basée sur la langue parlée au sud-est de l'Angleterre,
dans les *Public Schools* et dans les collèges d'Oxford et de
Cambridge, suffit à elle seule à indiquer le poids de cette norme.
La maîtrise de la prononciation et de la scansion musicale de
l'accent tonique fait la « distinction » des locuteurs, dans tous
les sens du terme, au même titre que l'emploi du passé simple,
de l'imparfait du subjonctif ou que la correction de l'ortho-
graphe dans l'école républicaine française. Cette prononciation
« reçue » de l'anglais, qui doit triompher non seulement des
accents régionaux, notamment du nord de l'Angleterre, assimilés
à des accents populaires, détermine l'appartenance sociale.
Comme le montre avec humour l'anthropologue Kate Fox dans
Watching the English : The Hidden Rules of English Behaviour
(2004), la diction « haute » consiste dans une accentuation
emphatique des consonnes et dans l'amuïssement des voyelles ;
à l'inverse, la diction populaire, volontiers traînante, tend à allon-
ger les voyelles jusqu'à la diphtongaison. Mais le vocabulaire
n'en est pas moins un fort marqueur social, comme le montrent
bien les « sept péchés capitaux » qui précipitent immanquablement le locuteur dans l'enfer social, comme l'usage de « par-

don » pour *sorry*, de « serviette » pour *napkin* ou de *settee* pour
« sofa »... Il est certes possible de répertorier des « règles
cachées » similaires en français, mais le marquage des classes
sociales est sans doute moins prononcé que celui de l'origine
géographique ou du niveau d'instruction, avec lequel le *Public
School English* ne se confond pas tout à fait, même s'il le recoupe
largement.

C'est dire que, tout autant que le français, l'anglais est soumis
à la domination symbolique d'une langue académique. Oxford et
Cambridge restent malgré tout le vrai centre, comme suffisent à
le montrer les innombrables romans et films où la « parlure » des
Américains est tournée en dérision, et inversement l'arrogance et
le snobisme de la diction anglaise de la « vieille Europe ». Il va
sans dire que, malgré les nombreux travaux des linguistes sur les
variantes de l'anglais dans les anciennes colonies, sans même
parler des *pidgin Englishes*, souvent considérés comme tout simplement fautifs, le sentiment de la norme reste très présent, au
moins parmi les élites issues d'Oxbridge.

L'anglais des Antilles, de l'Afrique ou de l'Asie est ainsi traditionnellement assimilé à une version abâtardie de la langue
« authentique » – le *Black English*, fortement déprécié, comme
l'indique une expression ouvertement raciste, même si elle est
aujourd'hui revendiquée par les écrivains non britanniques. Le
poète antillais Derek Walcott, prix Nobel 1992, fait du *Black
English* l'emblème de toutes les écritures dissidentes, non académiques, y compris pour des auteurs venus d'Europe, dès lors
qu'ils sont des marginaux (Walcott, 1998, p. 61). Il convient
donc, pour mieux le comprendre, de replacer le modèle français,
dans un cadre plus large, en le comparant au modèle britannique
et même, idéalement, aux autres modèles europhones, espagnol,
portugais et néerlandais. Le sentiment de la norme castillane est
également très fort. L'actualité brûlante de la question catalane
ou basque en Espagne en témoigne, même si la diffusion de
l'espagnol en Amérique a conduit à atténuer ce sentiment sur la
scène internationale. Le centralisme linguistique, sans doute
poussé plus loin que partout ailleurs, n'est pas propre à la seule
tradition française, comme le montre l'histoire de la Grande-

Bretagne, pourtant généralement citée en exemple pour son libé-
ralisme et son pragmatisme en matière de politique linguistique.

Les termes employés pour désigner les langues, en français
comme en anglais, souffrent d'ailleurs de la même confusion. Le
double sens, linguistique et ethnique, du mot « *English* » rejoint
celui du mot « français », ainsi d'ailleurs que dans la plupart des
langues (Talib, 2002, p. 3). On peut observer, avec le critique
marxiste Terry Eagleton, que l'identité de l'anglais est désormais
affirmée avec d'autant plus de conviction que le centre a perdu
de sa puissance :

> On n'a jamais vraiment eu besoin de définir l'« *Englishness* »
> auparavant, au moins au bon vieux temps de l'Empire. Le besoin
> d'une définition nationale est bien plus ressenti par les opprimés,
> qui doivent se définir contre les forces dominantes. (« The way
> we are », *The Guardian*, 28 July 1993, p. 3, nous traduisons)

Historiquement, l'anglais apparaît comme une langue
ouverte aux apports étrangers, qu'elle intègre avec plus de sou-
plesse que le français. Au XVIe siècle par exemple, le lexique de
l'anglais s'est considérablement enrichi d'emprunts au français,
au portugais, à l'espagnol, qui ont à leur tour transmis à l'anglais
des mots puisés dans les langues des territoires explorés par les
navigateurs et les voyageurs. Cette ouverture et cette capacité
d'adaptation, qui expliquent sans doute au moins partiellement
l'extraordinaire richesse du lexique anglais au regard des autres
langues européennes, ont souvent été célébrées par les critiques,
qui y voient une des raisons du triomphe de l'anglais comme la
langue universelle (*World English*). Bien évidemment, outre
l'expansion de l'Empire, la Déclaration d'Indépendance des États-
Unis (1776) a largement contribué au sentiment d'une universalité de l'anglais. Les penseurs américains, depuis John Adams, ont
vu un lien profond entre la progression de la langue anglaise,
dans sa variante américaine devenue progressivement autonome,
et l'installation de la démocratie dans le Nouveau Monde. Mais
c'est le critique allemand Jakob Grimm qui, dans un discours en
anglais à l'Académie de Berlin en 1851, lui a donné sa légitimité
philosophique, en réponse au fameux *Discours sur l'universalité
de la langue française* de Rivarol (1783) :

> De toutes les langues modernes, aucune n'a acquis autant de force et de vigueur que l'anglais [...] En vérité, la langue anglaise, qui n'a pas pour rien donné naissance au plus éminent de tous les poètes (je fais bien sûr allusion à Shakespeare), contrairement à la poésie classique, peut justement être appelée langue mondiale : et elle paraît, comme la nation anglaise, destinée à étendre toujours plus largement son pouvoir sur toutes les parties du monde. (Bailey, 1991, p. 109-110, nous traduisons)

Mais en réaction à l'image d'une langue malléable et adaptable à l'infini, imposée par nombre d'idéologues britanniques du XIXe siècle, la pensée nationaliste a défendu l'idée d'une langue « atavique ». À l'universalisme progressiste en faveur du *World English* s'oppose le repli identitaire sur le *Pure Saxon English*. La France et les pays francophones n'ont pas l'apanage du purisme qui, en Angleterre, recommande l'usage de mots d'origine anglo-saxonne, plutôt qu'empruntés aux langues romanes – au français, en particulier –, ou construits sur une base latine. Ces mots sont réputés pour leur brièveté, leur concision, leur efficacité, censés faire le génie de la langue anglaise. Le purisme, comme tout fétichisme de la langue animé par le fantasme de l'origine, se fonde ici sur un ethnicisme, le retour à la pureté de la « race » germanique. Le philologue et poète William Barnes lance le débat en s'élevant contre l'usage d'emprunts incompréhensibles au peuple, selon lui. Dans un manuel scolaire de 1869, il appelle donc à une « purification » de l'anglais par un retour aux origines germaniques. La grammaire normative s'appuie ainsi tout naturellement sur l'opposition centrale au XIXe siècle dans l'historiographie anglaise, entre les « Latins » et les « Anglo-Saxons ». Le peuple est assimilé à la germanité dans sa pureté originelle, tandis que sont discrédités les apports de l'étranger, supposés profiter seulement aux gens éduqués. Le mythe xénophobe d'un *Pure Saxon English*, nourrit en profondeur le fantasme d'une Angleterre préservée dans son insularité, tout en contribuant au mythe de la germanité. À la même époque, les historiens français mettent en avant les origines franques de l'aristocratie, tandis que le peuple est censé descendre des « ancêtres » gaulois.

Afin d'éviter toute confusion entre le linguistique et l'ethnique, les auteurs de *The Empire Writes Back* (1989), Bill Ashcroft, Gareth Griffiths et Helen Tiffen proposent donc de distinguer par la graphie : *English*, qui désigne le code standard et la norme, langue du centre impérial, et *english*, les variations par rapport à cette norme (Ashcroft, Griffiths, Tiffen, 1989, p. 8). D'où la revendication, pour les colonisés (ou les anciens colonisés) d'écrire en *Black English*. Le poète de Trinidad, Edward Kamau Brathwaite, se fondant précisément sur cette distinction entre *english* et *English*, appelle ainsi à écrire en « langue nationale » (*nation language*) :

> La langue nationale est la langue qui est très fortement influencée par le modèle africain, la dimension africaine de notre héritage caribéen du Nouveau Monde. Selon ses traits lexicaux, elle peut être considérée comme de l'anglais. Mais dans sa forme, son rythme, son timbre, ses explosions phoniques, ce n'est pas de l'anglais, même si ses mots peuvent, plus ou moins, à les entendre, être de l'anglais. D'un autre côté, la langue nationale est la partie immergée du dialecte qui est la plus intimement alliée à la dimension africaine de l'expérience caribéenne. Elle peut être de l'anglais : mais c'est souvent dans un anglais qui ressemble à un hurlement, un cri ou une mitrailleuse, ou au vent, ou à une vague. Elle ressemble également au blues. Et quelquefois elle est à la fois anglaise et africaine. (Brathwaite, 1984, p. 12-13, nous traduisons)

Le romancier nigérian Chinua Achebe appelle quant à lui à un usage africain de la langue anglaise, jouant sur les variantes et même les variations par rapport à l'anglais standard, selon les procédés d'« indigénisation » (Zabus, 1991), également bien connus des littératures francophones :

> L'écrivain africain devrait viser à employer l'anglais de telle sorte qu'il transmette son message sans modifier la langue au point de lui faire perdre sa portée internationale. Il devrait façonner un anglais qui soit à la fois universel et à même de communiquer son expérience particulière [...] Mais il faudra que cela soit un nouvel anglais, toujours en communion avec la terre ancestrale mais transformé pour s'adapter à son nouvel environnement africain. (Achebe, 1975, p. 61-62, nous traduisons)

Mais il est possible d'aller plus loin encore dans le « décentre-ment » de l'anglais, en adoptant une attitude de rupture radicale. En réaction à la domination coloniale, après avoir commencé son œuvre en anglais, le romancier kenyan Ngugi wa Thiong'o décide d'abandonner la langue coloniale. Dans un recueil d'essais capital, devenu un classique des études postcoloniales : *Decolonising the Mind. The Politics of Language in African Literature* (1986), il justifie sa décision d'écrire dans sa langue maternelle, le gikuyu, en dénonçant l'hégémonie symbolique exercée par l'anglais, langue exclusive de l'enseignement au Kenya après l'instauration de l'état d'urgence, en 1952 :

> La plupart d'entre nous avons été éduqués en anglais. Les livres que nous lisions, la littérature que nous avons fréquentée étaient surtout en anglais. Ainsi, il était presque inévitable que nous écrivions en anglais, à moins d'être bien conscients des implications de ce que nous étions en train de faire. Il était facile d'écrire dans la langue de la pensée, de l'éducation, dans la langue dans laquelle on s'est efforcé de saisir le monde environnant. Je crois que la question de la langue est une clef importante pour le processus de la décolonisation. Ce qu'il arrive véritablement, à présent, c'est que la pensée africaine est prisonnière des langues étrangères. La littérature africaine et la pensée africaine, même les plus radicales, même les plus révolutionnaires, s'aliènent la majorité. En anglais, cette pensée n'est pas disponible pour la plupart, elle n'est pas soutenue par la communication avec la majorité, le peuple. (Ngugi, 1986, p. 29-30, nous traduisons)

« Au Kenya, ajoute-t-il, l'anglais est devenu plus qu'une langue : c'était *la* langue, devant laquelle toutes les autres langues devaient s'incliner avec déférence » (Ngugi, 1986, p. 11). Et un peu plus loin : « L'anglais est devenu l'aune à laquelle se mesurent l'intelligence et les capacités dans le domaine des arts, des sciences, et de toutes les branches de l'enseignement » (*op. cit.*, p. 12). De la même façon que le français au Sénégal, en Côte d'Ivoire, au Gabon ou au Congo, l'anglais est ainsi devenu au Kenya, au Nigeria, en Ouganda « le véhicule officiel et la for-mule magique de l'élite coloniale » (*op. cit.*, p. 12). Ngugi rappelle les punitions (bonnet d'âne et autres « symboles ») infligées aux élèves qui utilisent leur langue maternelle à l'école, exactement comme le font les récits d'enfance dans les autobiographies du

Maghreb ou de l'Afrique francophone. La situation de diglossie est comparable à celle des campagnes et des provinces de la métropole qui, à la fin du XIXᵉ siècle, voient les langues régionales décliner au profit du français, que les enfants découvrent lorsqu'ils entrent à l'école. Selon le même argument invoqué par les romanciers francophones d'Afrique subsaharienne, l'anglais est pour Ngugi un instrument de la domination qui continue à « coloniser » les esprits longtemps après les indépendances. Si l'on veut « décoloniser l'esprit », selon le titre devenu fameux (Ngugi wa Thiong'o, 1986), il faut donc renoncer à l'anglais, se traduire, puis revenir aux langues africaines, comme le fait Ngugi lui-même à partir de 1977.

Ngugi restreint son public au peuple, et encore seulement à une partie de celui-ci puisque le gikuyu n'est qu'une des langues parlées au Kenya. À l'opposé de cette logique nationaliste qui privilégie une langue africaine au détriment des autres, non moins nationales, le romancier somalien Nureddin Farah vise le public africain dans son ensemble. Certes, on pourrait retenir telle ou telle langue africaine largement répandue, comme le kiswahili pour l'Afrique australe, que Ngugi est d'ailleurs prêt à reconnaître. Mais il n'en demeure pas moins que, du fait de l'immensité du continent africain, il paraît difficile de trouver une langue véhiculaire aussi largement diffusée que l'anglais. Mais si Nureddin Farah fait le choix de l'anglais, c'est d'abord par ouverture d'esprit, en réaction, pense-t-il, au nationalisme de Ngugi :

> Personnellement, je pense que tous les Africains et le tiers-monde sont mon peuple, et j'utiliserai les langues que je choisis pour écrire. [...] La raison pour laquelle j'ai des difficultés avec le point de vue de Ngugi en particulier c'est quand j'en viens à définir quel est mon peuple. Quand je me demande, de qui, vraiment, je me sens le plus proche, je pense aux Somalis, mais aussi à l'ensemble du continent africain, à l'Inde, où j'ai grandi intellectuellement et où j'ai écrit mon premier roman, au monde arabe, dont la culture m'a également influencé, tout cela constitue mon peuple. Mon peuple est dans n'importe quelle partie du monde qui a été colonisée et a perdu son orgueil national. Si vous prenez la question de Ngugi qui souligne qu'il va écrire dans une langue kenyane, mon problème vient également de penser, inévitablement, que le Kenya comme entité, comme nation, est

une création coloniale. Et ainsi, quand Ngugi dit qu'il écrit dans une langue kenyane, n'est-il pas conscient du fait que le Kenya n'existe pas autrement que dans la formation coloniale qui lui a été donnée par les colonialistes ? (Jussawalla, Dasenbrock, 1992, p. 45, nous traduisons)

Le Nigérian Wole Soyinka, visant sans doute Ngugi, récuse lui aussi les frontières créées par le pouvoir colonial, dont les frontières linguistiques nationales sont les héritières. Pour lui, les frontières entre les langues – entre le gikuyu et l'anglais, par exemple – ne sont pas moins dangereuses que les frontières entre les états : « remplacer les frontières géographiques par des frontières linguistiques nationales revient à entériner pour toujours le principe de la fragmentation coloniale » (Soyinka, 1988, p. 142, nous traduisons). Les raisons du retour au gikuyu méritent toutefois d'être examinées attentivement, car la démarche de Ngugi peut également être interprétée comme le désir de s'ouvrir sur l'universel à partir de la langue maternelle. Loin de correspondre à un repli identitaire, Ngugi tente en quelque sorte d'universaliser le gikuyu que le pouvoir colonial avait restreint à un usage « indigène » et local (Garnier, 2010).

Dans sa critique de la domination symbolique des langues européennes, Ngugi inclut Senghor et le romancier nigérian Chinua Achebe, l'auteur du classique *Things Fall Apart* (1958). Selon Ngugi, celui-ci ne produit en définitive qu'une littérature « hybride » (et le mot a ici des connotations péjoratives), « afro-anglaise » (*op. cit.*, p. 27). Dans une note, Ngugi dénonce l'appellation usurpée d'une « littérature africaine » qui n'est en réalité qu'une littérature « afro-européenne » (*ibid.*, p. 33). Peu de différence d'ailleurs, selon lui, entre le système assimilationniste des colonies françaises ou portugaises et le fameux « pragmatisme » du « gouvernement indirect » de l'Empire britannique, supposé plus libéral en matière de langue.

Ngugi combat donc en théorie et en pratique la thèse d'Achebe, pour qui l'anglais, langue coloniale, serait devenu une langue africaine à part entière et, par conséquent légitime pour une littérature nationale. Dans une conférence intitulée « L'écrivain africain et la langue anglaise », reprise dans *Morning Yet on Creation Day* (Achebe, 1975), Achebe se demande s'il est pos-

CHAPITRE 2

sible d'abandonner sa langue maternelle, pour conclure que, trahison ou non, il n'a pas d'autre choix, s'il veut être lu. De toute façon, le concept de langue africaine, que Ngugi feint de tenir pour évidente, reste problématique faute d'une définition claire :

> Il y a eu une controverse passionnée à propos d'une littérature africaine en langue non africaine. Mais qu'est-ce qu'une langue non africaine ? L'anglais et le français, certainement. Mais qu'en est-il de l'arabe ? et même du swahili ? S'agit-il de savoir depuis combien de temps la langue a été présente sur le sol africain ? [...] Pour moi, c'est une affaire pratique. Une langue parlée par des Africains sur le sol africain, une langue dans laquelle des Africains écrivent, se justifie. (Achebe, 1975, p. 50, nous traduisons)

Cette réflexion de bon sens, qui remet en question les présupposés nationalistes, rejoint la critique par Kateb Yacine du panarabisme en Algérie, reprise par Assia Djebar (voir chapitre 3, p. 110 *sq.*). L'anglais, comme le français, a pour mission d'exprimer l'expérience africaine, pour peu qu'il soit un « nouvel anglais, encore en parfaite communion avec le pays des ancêtres, mais adapté au nouvel environnement africain » (Achebe, 1975, p. 62). Répondant à son tour à la critique véhémente de Ngugi, Achebe invoque l'argument, également utilisé par les défenseurs de la francophonie, du nombre de langues au Nigeria qui empêchent la communication et, suggère-t-il, sont à l'origine des guerres civiles qui déchirent le pays. Achebe oppose ainsi l'histoire violente du Nigeria et son plurilinguisme dévastateur à la relative unité du Kenya, où domine le gikuyu. Locuteur d'une langue majoritaire, l'igbo, Achebe n'en conclut pas moins à la nécessité de l'anglais comme langue de communication nationale, ainsi que l'indique selon lui la forte demande au Nigeria d'un enseignement de l'anglais, dès les débuts de la colonisation. S'appuyant sur les termes du rapport établi par la Commission Phelps-Stokes pour l'Afrique occidentale en 1922, Achebe affirme que la diffusion de l'anglais ne répond pas tant à un désir des Britanniques d'enseigner leur langue, que d'une demande autochtone, selon les mécanismes complexes de l'impérialisme. Albert Memmi décrit des phénomènes comparables lorsqu'il montre que le « colonisé » intériorise le complexe de supériorité du colonisateur, jusqu'à déprécier sa propre langue maternelle (Memmi, 1957). Non seulement le français ou l'anglais sont imposés par les institutions coloniales, mais ils triomphent dans l'esprit même des colonisés, qui se vouent à la langue adverse et se jettent « dans la gueule du loup », selon la formule célèbre de Kateb Yacine (Kateb, 1966). À la fin du *Polygone étoilé* (1966), Kateb montre que c'est son propre père qui l'a envoyé à l'école française, coupant une seconde fois le « cordon ombilical » de la langue maternelle. Selon un lieu commun du roman francophone ou anglophone, maîtriser la langue du colonisateur permet de survivre, et même de réussir – ne serait-ce d'ailleurs que pour la retourner contre elle-même, par l'écriture, mais aussi contre le colonisateur, par l'appel à l'insurrection.

L'argument de la « demande » autochtone peut sembler éminemment suspect, puisqu'il sert d'alibi au colonialisme. De nombreux débats ont divisé les administrateurs coloniaux britanniques quant à l'enseignement des langues, pour savoir s'il fallait transmettre les valeurs occidentales dans les langues indigènes, ou au contraire en anglais. De manière tout à fait pragmatique, différentes solutions ont été retenues, tenant compte de la situation linguistique mais aussi des enjeux économiques, militaires, politiques dans chacun des territoires colonisés. En Inde, par exemple, à la différence de l'Afrique, le choix de l'anglais a finalement prévalu, conformément aux conclusions du célèbre rapport *Minute on Indian Education* rédigé par Thomas Macaulay en 1835, qui sert de base au système éducatif instauré par les Britanniques dans le Raj indien :

> Nous devons éduquer un peuple qui ne peut actuellement être éduqué dans sa langue maternelle. Nous devons lui enseigner une langue étrangère. Il est à peine nécessaire de rappeler les mérites de notre propre langue. Elle se distingue même parmi les langues occidentales. Elle abonde en œuvres d'imagination qui ne sont pas inférieures à celles que la Grèce nous a léguées […] La langue anglaise est celle qui sera la plus utile à nos sujets natifs […] Nous devons à présent faire de notre mieux pour former une classe de personnes, indienne de sang et de couleur, mais anglaise par le goût, l'opinion, la morale et l'intellect. À cette classe nous pouvons laisser le soin d'affiner les dialectes vernaculaires du pays, d'enrichir ces dialectes par des termes scientifiques

empruntés à la nomenclature occidentale, et d'en faire les véhi-
cules appropriés pour diffuser la connaissance à l'ensemble de la
population. (Macaulay (1835) *in* Ashcroft, Griffiths, Tiffin, 1995,
p. 374)

Macaulay affirme ainsi avec une arrogance sans égale la
« supériorité intrinsèque de la littérature occidentale » – ajoutant
même qu'une seule étagère d'une bonne bibliothèque européenne vaut la totalité de la littérature de l'Inde et de l'Arabie ».
Quant à l'anglais lui-même, « prééminent, même parmi les
langues occidentales », il ne peut que l'emporter sur les langues
indiennes, rabaissées au rang de « dialectes ». Le colonialisme
linguistique de l'Empire britannique, sous la plume de Macaulay,
n'a rien à envier aux lois coloniales de Jules Ferry, telles qu'elles
se sont appliquées à l'Algérie, par exemple. L'« *indirect rule* » qui
fait la spécificité de la colonisation britannique, surtout en Inde,
suppose l'anglicisation des élites. La politique linguistique prônée
par Macaulay a été couronnée d'un succès qui a sans doute
dépassé les attentes de l'administration coloniale.

C'est ainsi que, dans la préface à un roman célèbre,
Kanthapura (1937), Raja Rao – qui est d'ailleurs aussi de culture
française, pour avoir vécu à Paris – peut souligner que l'anglais
n'est pas une langue étrangère à l'Inde, selon l'argument que
reprendront Achebe et Farah pour l'Afrique. Raja Rao va jusqu'à
dégager, dans son roman, une spécificité de l'anglais parlé en
Inde, qui exprime l'« esprit » indien :

C'est la langue de notre composition intellectuelle – comme
l'étaient auparavant le sanskrit ou le farsi – mais pas de notre
composition émotive. Nous sommes tous instinctivement
bilingues, écrivant pour beaucoup d'entre nous dans notre
langue et en anglais. Nous ne pouvons pas écrire comme les
Anglais. Nous ne devrions pas le faire. Nous pouvons seulement
écrire en tant qu'Indiens. [...] Notre méthode d'expression doit
être un dialecte qui se révélera un jour aussi typique et coloré que
l'irlandais ou l'américain. Seul le temps le justifiera. (Rao (1937) *in*
Ashcroft, Griffiths, Tiffin, 1995, p. 276)

De manière significative, Raja Rao reprend le terme péjoratif
de « dialecte » utilisé cent ans plus tôt par Macaulay pour qualifier
les langues de l'Inde, mais il lui confère une signification cette fois

positive, en s'appuyant sur des variantes désormais reconnues de l'anglais, comme l'irlandais ou l'américain. Il a certes fallu du temps pour que la Grande-Bretagne reconnaisse enfin l'autonomie et la légitimité de l'anglais des États-Unis, pourtant effective depuis le milieu du XIXᵉ siècle. En 1789, Noah Webster rédige une *Dissertation on the English Language* dans laquelle il prédit qu'une langue américaine autonome finira par se détacher de l'anglais. Dès 1828, il publie *An American Dictionary of the English Language*, qui s'appuie sur des exemples empruntés à Franklin, Washington, Adams, Irving. En se référant à l'Irlande et à l'Amérique, Raja Rao annonce le développement d'un anglais « indianisé » comme langue littéraire. Avec *Kanthapura*, dont la préface aborde la question linguistique, Raja Rao jette les bases d'une littérature proprement indienne en anglais, à l'instar de la littérature des États-Unis et de l'Irlande, qui a alors conquis son indépendance depuis peu. L'anglais s'est ainsi maintenu en Inde, il s'est même renforcé après l'indépendance, obtenue en 1947, malgré l'appel de Gandhi en faveur d'une décolonisation linguistique :

> Donner à des millions de personnes une connaissance de l'anglais, c'est les réduire en esclavage. Les fondations posées par Macaulay pour l'éducation ont fait de nous des esclaves. Je ne suggère pas qu'il en ait eu l'intention, mais tel en a été le résultat… N'est-il pas douloureux que, si je veux aller en justice, je doive utiliser la langue anglaise ; que, devenu avocat, je n'aie pas le droit de parler ma langue maternelle, et que quelqu'un d'autre doive traduire ma propre langue ? N'est-ce pas complètement absurde ? N'est-ce pas un signe d'esclavage ? Dois-je blâmer l'anglais ou moi-même ? C'est nous, qui connaissons l'anglais, qui avons réduit l'Inde en esclavage. La malédiction de la nation ne frappera pas la nation, mais nous-mêmes. (Cité par Bailey, 1991, p. 144, nous traduisons)

L'analyse de Gandhi, qui conclut que « l'anglais ne peut devenir la langue nationale de l'Inde », rejoint celle d'Albert Memmi et de Kateb Yacine. C'est parce que la langue du colonisateur est relayée par les élites occidentalisées, qui voient en elle un formidable instrument de promotion sociale, qu'elle peut triompher durablement. Depuis la révolte de Cipayes en 1857, l'Angleterre, renonçant à une occidentalisation trop rapide, a associé étroitement les élites indiennes au pouvoir, ce qui lui a permis de se maintenir. Le prestige de l'anglais et du français explique que ces langues aient pu dominer, et continuer à dominer après les indépendances. L'« hégémonie symbolique » analysée par Gramsci assure la pérennité de l'« esprit » occidental que le colonisateur a voulu imposer, bien plus que les rapports de force et les institutions coloniales.

Un siècle et demi après Macaulay, s'interrogeant à son tour sur la prévalence de l'anglais, le linguiste indien Braj B. Kachru reprend l'argument de l'efficacité. L'anglais sert de langue véhiculaire dans la multiplicité babélienne des langues indiennes, même si l'hindi remplit à peu près la même fonction. Mais la suprématie incontestable de l'anglais et la forte demande qui s'est fait sentir dès le XVIIIe siècle au Bengale et ailleurs tiennent selon Kachru à sa « neutralité » par rapport aux autre langues, dans un pays marqué par la division des castes, des religions, des régions, des ethnies, etc. À la différence de l'hindi ou de l'urdu, associés aux hindous et aux musulmans, du bengali ou du tamoul, associés à des régions très éloignées de la capitale New Delhi, l'anglais pourrait apparaître comme une langue commune et relativement « neutre », en tant que langue importée. La signification coloniale dénoncée par Gandhi est ainsi reléguée au second plan, du fait de la montée des communautarismes et des fondamentalismes que les autres langues sont soupçonnées de favoriser (Kachru, 1990). Certes, la culture hindoue est de toute façon largement majoritaire. Mais mieux vaut tout de même l'hégémonie symbolique de l'ancien colonisateur, désormais bien éloigné, que l'expression directe du rapport de forces entre les grandes communautés. L'hindi, depuis 1965 officiellement censé remplacer l'anglais, est par exemple en concurrence avec l'urdu, même si l'Inde ne compte pas moins de vingt-deux langues « classifiées » (*scheduled languages*) ayant un statut officiel dans les États et, pour certaines, au niveau fédéral. La même réflexion empirique pourrait être étendue à d'autres aires de l'anglophonie. Quoique le continent africain ne puisse guère être comparé au subcontinent indien, l'anglais y jouit sans doute également d'une certaine « neutralité », par-delà les clivages ethnicolinguistiques qui divisent le Nigeria, le Kenya ou l'Afrique du Sud.

❸ La littérature anglaise et les autres

a – Littérature « anglaise » ?

Au-delà des questions de langue qui rapprochent francophonie et anglophonie, l'idée d'une littérature « anglaise » ne va pas
plus de soi que celle d'une littérature « française ». L'adjectif
« anglaise », qui ne se contente pas de qualifier la langue utilisée,
n'est pas moins ambigu que « française », dans la mesure où il
renvoie aussi à l'origine ethnique ou nationale :

> La question centrale qu'il faut poser est de savoir si l'expression
> « littérature anglaise » devrait être définie en relation avec la
> langue, l'origine ethnique ou la nationalité. Aujourd'hui, la litté-
> rature anglaise est rarement définie selon l'usage de la langue,
> puisqu'elle inclut toutes les littératures en anglais dans le monde.
> Elle n'est pas non plus définie selon l'origine ethnique de l'écri-
> vain, puisque cela revient à inclure des écrivains qui n'étaient pas
> anglais, comme Joseph Conrad, ou, pour la même raison, des
> écrivains comme Oliver Goldsmith et Walter Scott, qui étaient
> irlandais et écossais. (Talib, 2002, p. 4-5, nous traduisons)

C'est dire que le champ littéraire anglophone n'est pas
moins soumis à des querelles idéologiques que le champ francophone. Les historiens anglo-saxons montrent que le développement de l'enseignement de l'anglais comme langue seconde,
et avec lui de toute la didactique de l'anglais, est une discipline
profondément liée à l'expansion coloniale (Pennycook, 1998).
La discipline scolaire et universitaire appelée *English as Foreign
Language (EFL)*, de même que celle du français langue étrangère
(FLE), procède largement d'un système éducatif colonial attaché
à diffuser largement la langue dans la population. De la même
façon, l'institutionnalisation de la littérature anglaise, avec la
création des premières chaires dédiées à son enseignement à
Oxford et à Cambridge au XIXᵉ siècle, accompagne l'expansion
coloniale (en Inde, en particulier). On retrouve en effet dans les
colonies la nécessité d'enseigner aux « indigènes » les valeurs
portées par la littérature anglaise. Désireux de favoriser les

valeurs morales et religieuses du christianisme, qui empêchent le peuple de se révolter contre la domination britannique, sans pour autant laisser le pouvoir aux missionnaires, les administrateurs coloniaux trouvent dans la littérature anglaise un soutien idéal au pouvoir colonial (Visnawathan, 1987). Les grands auteurs anglais, lus dans des anthologies de textes soigneusement sélectionnés, de Shakespeare à Adam Smith, sont considérés comme les porte-parole de la moralité chrétienne, et ainsi placés au cœur du dispositif de l'éducation des élites, qu'il s'agit de « civiliser », c'est-à-dire d'« angliciser ». Les recueils et manuels littéraires sont ainsi les chrestomathies de l'école coloniale. Les textes littéraires remplissent une fonction comparable à celle des classiques grecs et latins, auxquels Macaulay lui-même ne manque d'ailleurs pas de comparer les écrivains anglais. Les grands auteurs de la littérature anglaise, prenant le relais des classiques, font l'objet d'un enseignement spécifique, selon les exigences de la philologie et de l'histoire littéraire :

> On peut montrer que l'étude de l'anglais et la croissance de l'Empire procédaient d'un même climat idéologique et que le développement de l'un est intrinsèquement lié au développement de l'autre [...] La littérature était placée au centre de l'entreprise culturelle de l'Empire, de la même façon que la monarchie pour sa formation politique. (Ashcroft, Griffiths, Tiffin, 1989, p. 3)

Le corpus des « classiques » français remplit un rôle tout à fait similaire dans l'école républicaine de la métropole et des colonies, pour l'apprentissage de la morale laïque du bon citoyen, inséparable de la correction de la langue et de l'élégance du style.

La distinction entre littérature « anglaise » et littérature(s) « en anglais » correspond à peu près à celle entre littérature « française » et littérature(s) « francophone(s) », même si le critère du lieu semble insuffisant, du fait des migrations (voir chapitre 6, p. 189). Pour lever l'ambiguïté due à l'adjectif, et préserver ainsi la primauté de la littérature anglaise stricto sensu, des appellations nouvelles ont été forgées pour les littératures de langue anglaise en dehors du Royaume-Uni (qui, incluant des littératures en gallois, en scott, en gaélique n'est d'ailleurs pas linguistiquement homogène), et en particulier celle de « littérature américaine ».

b – Littérature « américaine »

L'appellation *American literature*, on l'a vu, s'impose dans la seconde moitié du XIXe siècle, en même temps que la langue s'autonomise. Le romancier Mark Twain, qui n'hésite pas à employer des mots et des tournures de « dialecte » typiquement américains dans le récit de formation *Huckleberry Finn* (1874), est avec Walt Whitman, le poète de *Leaves of Grass* (1855) qui chante le Nouveau Monde et l'avènement de la démocratie américaine, l'un des pionniers de cette nouvelle identité littéraire américaine. Depuis longtemps la critique et l'université ont pris acte de cette ramification de la littérature anglaise en littératures anglaise et américaine. La littérature américaine est ainsi traditionnellement distinguée de la littérature anglaise britannique, dont elle est pourtant à la lettre un produit colonial. Plus tard, naît l'idée d'autres littératures de langue anglaise en Amérique, comme la littérature canadienne, sans parler des littératures des communautés noires (*Black and Afro-American Literatures*), amérindiennes (*Native American Literatures*), hispaniques, etc. Historiquement, c'est la prise de conscience par l'Angleterre d'un « décentrement » de la langue et de la littérature outre-Atlantique, et la reconnaissance, bon gré mal gré, d'une littérature spécifiquement américaine, qui a sans doute permis l'ouverture de la littérature anglaise sur d'autres aires et d'autres cultures que celles de l'Angleterre *stricto sensu*. Après Washington Irving, Edgar Poe, Nathaniel Hawthorne, Walt Whitman, Mark Twain et tant d'autres, il est en effet désormais impossible, quoi qu'il en coûte, de dénier l'existence d'une autre grande littérature en anglais. Les bastions du conservatisme britannique n'ont certes pas manqué d'exercer une critique acerbe à l'égard de cette littérature de « parvenus », de même qu'à l'égard de la langue. Mais l'anglophonie ne peut plus se limiter à l'Angleterre et à son empire, il faut désormais compter avec les États-Unis.

La langue française, de toutes les langues impériales européennes, est probablement la seule à n'avoir pas connu ce « décentrement » dû à une émigration massive outre-Atlantique, à la différence de l'anglais, de l'espagnol, du portugais. L'hispa-

nophonie en Amérique centrale et en Amérique du Sud, la lusophonie au Brésil, tout comme l'anglophonie aux États-Unis et au
Canada, ont profondément transformé la conscience des
langues européennes, en inversant les rapports entre la métropole et les colonies, ou anciennes colonies. Le centre de gravité,
pour l'espagnol et sa littérature s'est déplacé de Madrid à
Mexico, Buenos Aires et Santiago, de Lisbonne à Rio de Janeiro
et São Paolo pour le portugais. Quels que soient l'attachement à
la norme européenne et la prétention du « centre » à maintenir
sa suprématie, ce « décentrement » place les castillanophones
d'Espagne et les lusophones du Portugal en situation paradoxalement minoritaire. Par la chanson, la télévision et le cinéma, la
culture ibéro-américaine l'emporte sur celle de l'Ancien Monde.
Mais rien de tel ne s'est produit pour la langue française, restée
minoritaire en Amérique. Le centre n'a jamais vu sa position
menacée, et les locuteurs français perdre l'assurance de leur
suprématie. Sans doute la fameuse « arrogance » française est-
elle pour une part liée à cette domination de Paris, qui à aucun
moment n'a eu à craindre que « sa » langue ne soit « décentrée ». Il n'est peut-être pas exagéré d'imaginer que, si l'histoire
de l'Amérique française avait pris un cours différent, le rapport
de la France à la langue et à la francophonie aurait pu en être
changé, de la même façon que pour l'Angleterre, l'Espagne ou le
Portugal. Si la France, après avoir perdu la guerre de Sept Ans
contre l'Angleterre, n'avait pas dû céder très tôt la Louisiane (qui,
au moment de la signature du traité de Paris en 1763, représen-
tait à peu près un tiers du territoire actuel des États-Unis) et le
Canada, le développement d'une très importante colonie française, qui aurait fini par conquérir son indépendance, aurait durablement implanté la langue française sur un vaste territoire.
Cette expansion massive du français outre-Atlantique aurait
obligé les Français à relativiser leur propre importance. L'existence d'une francophonie canadienne outre-Atlantique, et des
francophonies belge et suisse à proximité, n'a jamais suffi à atténuer le sentiment, dans la population française, que la langue se
confond avec le territoire français. La prise de conscience, certes
difficile, que l'Angleterre ne pouvait plus être le « centre » unique
de la culture anglaise, que Harvard, Princeton et Yale pouvaient

concurrencer Oxford et Cambridge, que Londres s'effaçait derrière New York, obligeait l'*establishment* littéraire à accepter la
différence. Restée désespérément le centre historique, politique,
littéraire et artistique de la francophonie, Paris, capitale de la
« République mondiale des lettres », selon Pascale Casanova
(Casanova, 1999), ne pouvait que s'enfermer dans une conception universaliste de la littérature, considérant avec condescendance celle des autres pays francophones, discrédités par le petit
nombre de locuteurs du français. L'anglophonie américaine, si
divergente soit-elle de l'anglophonie britannique, a tout de
même profité indirectement au rayonnement de la langue et de
la littérature anglaises, du fait de la mobilité des écrivains et des
publics. Si l'anglais occupe une place centrale dans les systèmes
éducatifs du monde entier, c'est largement en raison de l'anglophonie américaine (même si le Royaume-Uni a toujours su attirer
étudiants et intellectuels). L'expérience douloureuse de la perte
précoce de ses colonies atlantiques faite par l'Angleterre aux XVIIIe
et XIXe siècles, qui l'a sans doute encouragée à poursuivre son
expansion coloniale à l'Est, lui a donné une plus grande ouverture sur le monde. Une telle expérience a manqué à la France,
qui a perdu ses colonies trop tôt, avant même que le français ait
eu le temps de s'implanter durablement et de s'imposer, comme
cela a été le cas pour les autres langues européennes.

Les problèmes de terminologie, qui paraissent si importants
en France, n'en divisent pas moins la critique anglophone. Après
l'effondrement de l'Empire, il était en un sens prévisible que
l'enseignement de la littérature anglaise, enjeu majeur de la colonisation, soit remis en question. L'université britannique a connu
un débat souvent violemment polémique, sans équivalent dans
l'université française. Même si l'on se dispute encore parfois pour
situer les études francophones, soit du côté de l'étude de la
« langue et littérature françaises », soit de la « littérature générale
et comparée », les enjeux de ces discussions restent d'abord
scientifiques et institutionnels, alors que dans le monde anglophone ils prennent une signification ouvertement politique et
idéologique, en raison de l'histoire même de la discipline appelée
« littérature anglaise ». Dans un article retentissant, le romancier
kenyan Ngugi wa Thiong'o, déjà cité pour son refus de la langue

anglaise, appelle logiquement à la suppression pure et simple des départements de littérature anglaise, symbole de l'oppression coloniale, dans les universités africaines. Les facteurs institutionnels jouent un rôle déterminant dans la définition d'une identité littéraire qui est également une identité nationale. Dans la préface à un recueil d'essais intitulé *Myth, Literature and the African World* (1976), le romancier nigérian Wole Soyinka, prix Nobel 1986, relate une tournée de conférences en Angleterre, durant laquelle il perçoit l'embarras des autorités qui le reçoivent. Dans quel département doit-il prononcer ses conférences ? L'anecdote universitaire pointe de manière très fine l'incertitude du statut des littératures africaines de langue anglaise, que Cambridge, l'institution « centrale », ne peut reconnaître : « le Département d'anglais (ou peut-être quelques-unes de ses figures-clés) ne croyait pas dans quelque bête mythique comme la "littérature africaine" » (Soyinka, 1976, VII). Soyinka souligne le fait qu'un nombre important universités africaines, elles-mêmes, considère la littérature africaine comme une sorte d'« appendice de la littérature anglaise » (*ibid.*, VIII), tandis que d'autres la rangent sous la rubrique « Littérature comparée », ou encore « *African Studies* ».

Pour rendre compte de l'émergence d'une nouvelle génération d'écrivains issus de la périphérie de l'ancien Empire, la critique universitaire, encore tâtonnante, a donc dû inventer des catégories nouvelles, comme *New Literatures in English*. La plus discutée a cependant été celle de *Commonwealth Literature*, qui désigne les littératures de l'ancien Empire britannique pris comme un tout, incluant 54 États membres, sur la base de l'allégeance à la Couronne britannique. Mais certains pays n'appartiennent pas au Commonwealth, à commencer par la République d'Irlande. Le Nigeria et l'Afrique du Sud, grands pays anglophones qui ont donné naissance à quelques-uns des plus grands écrivains de langue anglaise comme Chinua Achebe ou Nadine Gordimer, ont par exemple été longtemps exclus du Commonwealth, avant d'y être réintégrés. Mais, surtout, l'expression *Commonwealth Literature* paraît aussi discriminatoire que celle de « littérature francophone ». Le romancier d'origine indienne Salman Rushdie, l'auteur de la formule : « The Empire writes back », rendue célèbre par le livre déjà cité, récuse l'expression avec véhémence. Perpétuant selon lui le « canon » de la littérature anglaise, l'expression *Commonwealth Literature* relègue les écrivains de l'Inde, de l'Afrique, des Caraïbes, et même du Canada ou de l'Australie aux marges, à la périphérie de la littérature anglaise, implicitement « canonisée » comme le « centre ». Dans un article essentiel de 1983, dans lequel il rend compte d'une invitation à Cambridge en tant qu'« écrivain du Commonwealth », Salman Rushdie, proclame haut et fort que « la littérature du Commonwealth n'existe pas ». Il constate en effet que, bien que le Pakistan et l'Afrique du Sud ne soient plus des États membres du Commonwealth (du moins à ce moment-là), leurs écrivains en revanche paraissent l'être encore, à en croire leur réception critique. Et Rushdie ne manque pas d'ironiser sur le fait que les écrivains anglais, au contraire, ne sont jamais considérés comme des écrivains du Commonwealth :

> D'autre part, l'Angleterre qui, autant que je sache, n'a pas encore été chassée du Commonwealth, a été exclue de sa manifestation littéraire. Pour des raisons évidentes. Il serait tout à fait impossible d'inclure la littérature anglaise, la chose sacrée en elle-même, dans cette bande de parvenus qui se pressent sous ce parapluie neuf et mal fait. (Rushdie, « Patries imaginaires », 1993, p. 78)

L'appellation *Commonwealth Literature*, au singulier, ne semble donc pas moins un « ghetto d'exclusion », selon la formule de Rushdie, que celle de « littératures francophones ». La différence, néanmoins, pourrait tenir au fait que l'appartenance au Commonwealth ne repose pas sur la langue anglaise, mais sur l'allégeance à la Couronne, puisque la Reine est à la tête du Commonwealth. Mais la distinction s'atténue si l'on considère que la Couronne britannique, en la personne de la Reine, sert de repère à une langue anglaise improbable – « *the Queen's English* » – que, dit-on, personne ne parle, de sorte que la question de la langue, et des langues de l'Empire, ne se pose pas de manière moins sensible que dans la Francophonie. L'anglais « standard », comme le francien dont le mythe alimente toutes les généalogies de la langue française, n'est jamais qu'un dialecte du sud-est de l'Angleterre qui a triomphé des autres dialectes pour s'imposer comme une langue « nationale ». Toujours menacé au Royaume-Uni par ces autres dialectes, sans même parler des langues gaéliques et du français autrefois parlé à la cour anglo-normande, l'anglais s'est largement développé à l'étranger, à la faveur de l'expansion coloniale. Guetté par un risque non négligeable de dissolution au contact des langues de l'Empire et de corruption au contact des dialectes sur le sol de Grande-Bretagne, l'anglais a trouvé dans la double autorité politique et religieuse du « King's (ou Queen's) English » sa référence. Comme pour le français, la langue est inséparable du politique. Simplement, à la différence du français, qui est une langue résolument laïque, l'anglais reste marqué par la traduction de la Bible, le *Book of Common Prayer*, dans lequel et par lequel il a été fixé. Aujourd'hui, dans un monde anglo-saxon dominé par les États-Unis, l'anglais britannique tend à devenir à son tour – ironie de l'Histoire – la variante européenne, pour ainsi dire régionale, d'un anglais mondialisé qui s'impose à travers les médias et internet.

En usage jusqu'aux années 1980, l'expression *Commonwealth Literature* a donc été largement supplantée par celle de *New Literatures in English*, puis surtout de *Postcolonial Literatures* qui, cependant, ne rend que partiellement compte de la réalité canadienne, australienne ou néo-zélandaise, qui résulte d'une colonisation de peuplement. En outre, l'adjectif *postcolonial* tend à diluer les spécificités de l'anglophonie dans un ensemble trop vaste, qui recouvre en outre la francophonie, l'hispanophonie, la lusophonie. D'où la préférence aujourd'hui pour l'expression *World Literature in English*, dont l'acception large permet de prendre en compte toutes les situations, y compris celles des migrants issus de pays non anglophones, sans pour autant perdre la dimension anglophone.

On voit par là que les racines idéologiques d'une anglophonie triomphante, qui se perpétue dans le Commonwealth, sont en un sens comparables *mutatis mutandis* à celles de la francophonie néo (ou post)coloniale.

Les francophonies plurilingues

« **A**pprends-moi à parler dans tes langues » : l'essayiste, poète et romancier marocain Abdelkébir Khatibi, dans *Amour bilingue* (1983), s'adresse à la « folie de la langue » pour faire l'apologie d'un plurilinguisme babélien. La formule n'est pas sans rappeler la Pentecôte chrétienne et la faculté de « parler en langues », une expression que Khatibi applique à la littérature maghrébine dans la mesure où elle « fait signe » à la langue arabe : « Toute cette littérature maghrébine dite d'expression française est un récit de traduction. Je ne dis pas qu'elle n'est qu'une traduction, je précise qu'il s'agit d'un récit qui *parle en langues* » (Khatibi, 1983b, p. 186). Bilingue lui-même, Khatibi témoigne de la nécessaire inscription des littératures franco-phones dans la multiplicité des langues et des littératures du monde dans l'ensemble de son œuvre, tout entière dédiée à la « bi-langue ».

❶ « Monolinguisme de l'autre », « littératures mineures » et « surconscience linguistique »

a – « Le monolinguisme de l'autre »

Dialoguant avec son ami Khatibi, Jacques Derrida, né à Alger dans une famille juive, énonce la « La Loi de la Langue », qui est un principe théologique : « On ne parle jamais qu'une seule langue » (Derrida, 1996, p. 25). Derrida, francophone et français d'Algérie, se dit voué au « monolinguisme de l'autre ». Le fran-çais, seule langue qu'il « habite » et qui « l'habite », « n'est pas la sienne », son français bruit des échos du ladino, de l'hébreu, de l'arabe, de l'espagnol. De toute façon, comme le fait valoir l'autre voix du dialogue intérieur, « il n'y a pas d'idiome pur » (ibid., p. 23). Privé de la possession d'une langue propre par l'aliénation coloniale, l'écrivain est enfermé dans un « solipsisme monolingue » (ibid., p. 44). Mais c'est précisément parce « qu'il n'y a pas eu de langue maternelle autorisée » (ibid., p. 57) que l'écrivain francophone est plongé dans la « spectralité » des langues multiples. La « langue soustraite – l'arabe ou le berbère – devenait sans doute la plus étrangère », ouvrant l'espace des langues « préférées », « dans la solennité du chant ou de la prière ». Derrida avoue donc à propos des langues, dans une parenthèse, « en avoir plus d'une » (ibid., p. 71), même s'il ne peut à la lettre en « habiter » aucune. Le « goût hyperbolique pour la pureté de la langue » (ibid., p. 81), le culte de la « Loi » placent en définitive Derrida aux « frontières de nuit » des Arabes et des Kabyles, « tout proches et infiniment lointains » (ibid., p. 66). En cela, Derrida est infiniment proche de Khatibi, Marocain né à El Jadida, de culture musulmane et arabophone, avec qui il dialogue dans Le Monolinguisme de l'autre. Du Maghreb de Khatibi et de Derrida jusqu'aux Antilles, par-delà les différences entre l'arabe et le créole, la question de la pluralité des langues hante l'écrivain « en pays dominé », pour reprendre le titre de Patrick Chamoiseau :

> Comment écrire alors que ton imaginaire s'abreuve, du matin jusqu'aux rêves, à des images, des pensées, des valeurs qui ne sont pas les tiennes ? Comment écrire quand ce que tu es végète en dehors des élans qui déterminent ta vie ? Comment écrire, dominé ? (Chamoiseau, 1997, p. 17)

Dans « L'imaginaire des langues », un entretien avec la critique et romancière québécoise Lise Gauvin, repris dans Introduction à une poétique du Divers (Glissant, 1996), Édouard Glissant constate que l'écrivain antillais est lui aussi fondamentalement « multilingue ». Glissant lui-même est né bilingue en Martinique avec le créole et le français. Professeur aux États-Unis, il pratique l'anglais et comprend l'espagnol. Sans être polyglotte, à la différence d'autres écrivains de la Caraïbe, Glissant paraît néanmoins assez représentatif de la situation linguistique des écrivains antillais. Car ce n'est pas de la maîtrise effective de plusieurs langues qu'il s'agit, mais bien de « l'imaginaire des langues », qui consiste à avoir conscience, dans l'acte même d'écrire, de la multiplicité des langues : « Je parle et surtout j'écris en présence de toutes les langues du monde ». Et Glissant d'ajouter :

> Nous savons que nous écrivons en présence de toutes les langues du monde, même si nous n'en connaissons aucune. [...] Mais écrire en présence de toutes les langues du monde ne veut pas dire connaître toutes les langues du monde. Ça veut dire que dans le contexte actuel des littératures et du rapport de la poétique au chaos-monde, je ne peux plus écrire de manière monolingue. (Glissant, 1996, p. 112)

L'écrivain doit être ouvert à cette multiplicité, et surtout l'inclure dans son projet poétique :

> Aujourd'hui, même quand un écrivain ne connaît aucune autre langue, il tient compte, qu'il le sache ou non, de l'existence de ces langues autour de lui dans son processus d'écriture. On ne peut plus écrire une langue de manière monolingue. On est obligé de tenir compte des imaginaires des langues. (*Ibid.*, p. 112)

Bien au-delà des Antilles, cette réflexion s'applique au « Tout-monde », c'est-à-dire à l'ensemble des littératures, et tout particulièrement aux littératures europhones, où les langues se croisent et s'échangent dans une vaste polyphonie. Mêmes les aires du français que Glissant dirait « ataviques » sont plurilingues dans leur histoire, encore que l'unification de ses territoires, généralement plus ancienne, y soit également plus accomplie. Les littératures francophones sont toutes nées dans des contextes plurilingues à des degrés divers, au contact d'autres langues européennes : le flamand, l'allemand et le dialecte suisse allemand, l'italien. Même la littérature en langue d'oïl, d'où naît la littérature française à ses origines, s'écrit dans différents dialectes (francien, picard, anglo-normand, etc.) et croise la littérature en langue d'oc, dont elle a été séparée pour des raisons éminemment politiques. Occulté du fait d'une politique réussie de centralisation linguistique, le plurilinguisme continue à hanter la littérature française aujourd'hui encore. Il existe, bien sûr, une littérature française (au sens de la nationalité de ses écrivains) écrite en occitan, en corse, en basque, en breton, en alsacien, de même qu'en créole ou en kanak – toutes langues dites « régionales » dont l'existence est reconnue bon gré mal gré par la République française, même si celle-ci n'a pas signé la charte européenne (épreuves du baccalauréat, des concours de l'enseignement), se déclarant officiellement unilingue. Mais ces littératures « régionales » occupent actuellement une place marginale en France, à la différence de l'Espagne, par exemple, où les littératures basques et catalanes, illustrées par des auteurs de premier plan, jouent un rôle majeur. Ainsi de ces langues régionales que l'Abbé Grégoire nommait péjorativement « patois », la littérature de langue française en France garde la mémoire, la trace, pour ne pas dire la blessure, lorsqu'elle fait entendre « sous » le français les « voix chères qui se sont tues ». Le plurilinguisme des littératures francophones en Europe n'est d'ailleurs pas propre à la France et à ses départements ou territoires d'outre-mer, il est une donnée fondamentale de l'écriture. Les frontières de langues divisent les communautés dans une véritable « guerre des langues » (Calvet, 1987), comme en Belgique, entre Flamands et Wallons, ou en Suisse entre Alémaniques et Romands, quoique de manière moins violente. Plus rarement, ces frontières rapprochent les communautés, comme en Suisse, où italophones et francophones partagent un même héritage latin qui les rend solidaires face au monde germanique.

b – « Littérature mineure »
et « surconscience linguistique »

Le plurilinguisme inhérent aux francophonies (et aux autres europhonies) détermine un rapport à la langue, aux langues marqué par ce que Lise Gauvin appelle la « surconscience linguistique », notion qu'elle préfère à celle d'« insécurité linguistique » (voir Klinkenberg, 1993) :

> Surconscience, c'est-à-dire conscience de la langue comme lieu de réflexion privilégié, comme territoire imaginaire à la fois ouvert et contraint […] Les écrivains francophones reçoivent ainsi en partage une sensibilité plus grande à la problématique des langues, sensibilité qui s'exprime par de nombreux témoignages attestant à quel point l'écriture, pour chacun d'eux, est synonyme

> d'inconfort et de doute. La notion de surconscience linguistique renvoie à ce que cette situation d'inconfort dans la langue peut avoir d'exacerbé et de fécond. (Gauvin, 2004, p. 256)

Cette surconscience peut paradoxalement se révéler une « activité métalinguistique non consciente » (Culioli, 1968).

ENCADRÉ N° 3

Lise Gauvin se réfère à la notion de « littérature mineure » proposée par Gilles Deleuze et Félix Guattari, à partir de quelques phrases célèbres du *Journal* de Kafka :

> Une littérature mineure n'est pas celle d'une langue mineure, plutôt celle qu'une minorité fait dans une langue majeure. Mais le premier caractère est de toute façon que la langue y est affectée d'un fort coefficient de déterritorialisation. Kafka définit en ce sens l'impasse qui barre aux Juifs de Prague l'accès à l'écriture, et fait de leur littérature quelque chose d'impossible : impossibilité de ne pas écrire, impossibilité d'écrire en allemand, impossibilité d'écrire autrement. Impossibilité de ne pas écrire, parce que la conscience nationale, incertaine ou opprimée, passe nécessairement par la littérature [...]. L'impossibilité d'écrire autrement qu'en allemand, c'est pour les Juifs de Prague le sentiment d'une distance irréductible avec la territorialité primitive tchèque. (Deleuze, Guattari, 1975, p. 29-30)

Selon Deleuze et Guattari, les littératures mineures sont caractérisées par la déterritorialisation, la dimension collective et la signification politique. Ces trois caractéristiques, définies à partir de la situation de l'écrivain juif de langue allemande dans l'Empire austro-hongrois, concernent de nombreuses littératures. Ainsi, en Afrique australe, du roman en langue swahilie (Garnier, 2006). Mais le modèle s'applique également de manière privilégiée aux littératures francophones, postcoloniales ou non.

Lise Gauvin souligne que la condition du mineur peut être une source d'angoisse et d'incertitude qui voue l'écrivain francophone à cette « intranquillité » dont parle le poète portugais Fernando Pessoa. « L'écrivain francophone est, à cause de sa situation, condamné à penser la langue » (*ibid.*, p. 259), il est voué à une « pratique du soupçon » (*ibid.*, p. 259). La pensée de la langue développée par Khatibi, Derrida et Glissant illustre bien cette « surconscience linguistique » dont sont affectés les francophones, plurilingues parce que « monolingues ». Ne pouvant s'identifier à une langue, l'écrivain francophone est dans le doute et l'inconfort. Mais n'est-ce pas le cas de nombreux écrivains français et, en définitive, de tout écrivain ?

❷ Plurilinguismes, bilinguismes ?

La plupart des écrivains francophones (mais la remarque vaudrait pour les anglophones et les hispanophones), par leur situation, possèdent plusieurs langues, quoiqu'à des degrés de maîtrise divers. Mais ils ne sont pas pour autant capables, ni même désireux, à l'instar de Samuel Beckett, d'écrire (littérairement, s'entend) dans deux ou plusieurs de ces langues. Khatibi, penseur majeur du bilinguisme, écrit *La Mémoire tatouée*, *Amour bilingue* et l'ensemble de son œuvre en français. Rares sont ceux qui publient dans deux langues, comme le romancier algérien Rachid Boudjedra pour l'arabe, la romancière et essayiste canadienne Nancy Huston pour l'anglais, l'artiste haïtien Franketienne pour le créole, ou encore le poète Jean-Joseph Rabearivelo, pour le merina (le malgache, langue non pas africaine mais austronésienne, avec quelques influences bantoues et swahilies).

Il convient donc de distinguer la compétence linguistique du sujet, du locuteur, de celle de l'écrivain. Dans un contexte européen, le poète de Suisse romande Philippe Jaccottet, installé en France depuis les années 1950, et dont les traductions de l'allemand font autorité, n'écrit que dans sa langue maternelle, le français. Les conditions de possibilité d'un authentique bilinguisme littéraire se trouvent donc très rarement réunies. En définitive, les écrivains francophones bilingues, et *a fortiori* plurilingues, apparaissent comme des exceptions. Il n'existe en effet qu'un très petit nombre d'écrivains capables d'alterner les langues comme Beckett, qui écrit en anglais et en français, et se traduit. Beckett est sans doute le type de l'écrivain bilingue au sens strict, justement resté sans équivalent dans le champ francophone.

Et si l'on se place non plus seulement du point de vue de l'auteur, mais du texte lui-même, le bilinguisme en acte paraît rare, sauf dans des contextes bilingues très spécifiques, comme celui des littératures franco-ontarienne et franco-manitobaine du Canada. La francophonie ontarienne est tellement mêlée à l'anglophonie dominante que les écrivains glissent facilement d'une langue à l'autre, sans éprouver pour autant un sentiment d'aliénation, dans une hybridation jubilatoire. Patrice Desbien, après avoir publié son recueil *L'Homme invisible* (1981) en français, l'assortit de la traduction anglaise : *The Invisible Man* pour une édition bilingue en 2008. Mais le bilinguisme poussé à l'extrême consiste à mêler le français et l'anglais au sein d'un seul et même poème, avec tellement de fluidité que le lecteur (pourvu qu'il soit lui-même bilingue !) ne se rend pas compte du glissement incessant d'une langue à l'autre, avec des combinaisons multiples. À titre d'exemple, cas limite d'une énonciation véritablement bilingue, un poème amoureux de Charles Leblanc, poète manitobain qui joue systématiquement sur le double sens, en français et en anglais :

> (tu m'fais flipper
> avec deux p)
> voudrais jaser avec toi
> jaser
> jazzer
> to jass just
> la ligne juste
> making love
> ligne du cœur raisonné
> ligne de la raison cardiaque
> cœur to rock jazz
> to just jass
> et se chatouiller
> en dessous du vernis. (Léveillé, 2006, p. 249-250)

En fait de bilinguisme, c'est donc plutôt le changement de langue qui semble le plus répandu. Le rapport entre les langues n'est pas une donnée immuable de la vie, il évolue selon l'histoire personnelle de chaque écrivain, selon le lieu, les circonstances, le milieu familial et social, selon l'activité professionnelle, etc. Ces francophonies d'adoption sont donc d'abord des « singularités » (Jouanny, 2000). L'émigration et l'exil jouent ainsi un rôle décisif dans le choix de la langue d'écriture. Que l'œuvre de Nabokov ait commencé en russe pour se poursuivre en anglais, à la faveur de son émigration aux États-Unis, atteste certes la remarquable virtuosité de son bilinguisme (qui aurait pu être un trilinguisme, compte tenu de sa parfaite francophonie, s'il s'était installé plus tôt à Montreux). Mais Nabokov n'est jamais retourné au russe, de sorte que les langues ne coexistent pas dans son œuvre mais se succèdent, à la différence de celles de Beckett.

Pour les francophones d'adoption, le changement s'effectue toujours en direction du français. Il paraît difficile de trouver un homologue francophone au romancier kenyan Ngugi wa Thiongo qui, comme on l'a vu, renonce à l'anglais pour revenir à sa langue maternelle, le gikuyu, un exemple à vrai dire exception- nel même dans le domaine anglophone (Garnier, 2010). La plu- part de ceux, déjà rares, qui ont à leur actif une œuvre en français et dans une autre langue tendent à renoncer à leur langue mater- nelle : le roumain pour Cioran, le tchèque pour Kundera, l'espa- gnol pour Bianciotti. Et encore Cioran, Kundera, Bianciotti sont- ils, comme Beckett, des francophones d'adoption, originaires de pays non francophones, et qui font un choix individuel cohérent avec leur émigration vers la France. Le cas de la romancière et poète égypto-libanaise Andrée Chedid, fixée à Paris depuis 1945, qui écrit dans sa jeunesse un roman en anglais, n'est guère pro- bant puisqu'elle eût été de toute manière incapable d'écrire en arabe, à la différence par exemple du poète et essayiste égyptien Ahmed Rassim, dans le groupe des surréalistes égyptiens des années 1940-1950. Ainsi que l'observe une autre poète liba- naise, Nadia Tueni, « il semble *a priori*, que, faute de connaître suffisamment leur langue, certaines poètes libanais emploient la langue française – l'anglais souvent aussi » (Tueni, 1986, p. 60). Le trilinguisme souvent prêté aux écrivains libanais, du fait qu'ils parlent et même écrivent l'arabe, l'anglais et le français, se révèle en fait un unilinguisme pour l'écriture littéraire.

Il ne suffit d'ailleurs pas d'être en mesure, par la compétence linguistique, d'écrire dans des langues différentes pour s'y « sen- tir chez [soi] », ainsi que l'observe le romancier franco-américain Julien Green, qui écrit plus volontiers en français qu'en anglais, pourtant sa langue « maternelle » *stricto sensu*. Outre la maîtrise de la langue, interviennent des facteurs sociaux, psychologiques, philosophiques profonds qui touchent aux relations de l'individu tout entier avec la culture et la pensée véhiculées par une langue, au « sentiment de la langue » (Millet, 1993). C'est dire combien la notion même de bilinguisme, qui a fait l'objet de nombreux travaux linguistiques, paraît délicate à manier, surtout dans les études francophones.

ENCADRÉ N° 4

Il semble légitime de se demander si le bilinguisme dans son sens strict existe, puisqu'il suppose une maîtrise comparable et simultanée, à l'écrit comme à l'oral, de deux langues, sans que l'une d'elles l'emporte. En effet, même à supposer que les deux langues soient acquises simultanément par l'enfant d'une famille mixte, des inégalités subsistent inévitablement. Même si la distribution des rôles s'effectue de manière systématique (ce qui est exceptionnel), une langue finit par prédominer. Sans compter que, quelquefois, la langue « maternelle » bénéficie d'un privilège affectif sur la langue du père, qui peut s'inverser ultérieurement en détestation du fait d'une « domination symbolique ». La langue maternelle est en effet étroitement liée au corps de la mère, dans une relation œdipienne :

> La langue dite maternelle est inaugurale corporellement, elle initie au dire du non-dit de la confusion avec le corps de la mère et, de ce fait, il initie à ce qui ne pourra s'effacer dans aucune autre langue apprise, même si ce parler inaugural tombe en ruine et en lambeaux. Il restera que dans sa substitution, le parler maternel est irréductible à toute traduction radicale. (Khatibi, 1983b, p. 191)

Même dans les situations apparemment les plus égales, l'une des langues tend ainsi à l'emporter. Le bilinguisme semble ainsi nécessairement inégal (ou asymétrique), au plan des compétences, comme des affects. *A fortiori* lorsque le français, appris à l'école, n'est qu'une langue seconde, quoique parfaitement maîtrisée. La langue seconde, liée à l'écriture et à la lecture, remplit d'abord une fonction sociale, tandis que la langue maternelle, le plus souvent orale, exprime plutôt les émotions primordiales, qui remontent aux origines, à la vie inconsciente du sujet (voir Jackson, 1990, p. 13-57).

Le français comme langue seconde reste subordonné, en profondeur, à la langue maternelle, qui ne manque pas de ressurgir dans l'écriture, ouvrant sur des processus d'« hybridation », de « métissage » ou de « créolisation » (voir *infra*, p. 136 *sq.*). Telle est la situation de la plupart des écrivains fran-

CHAPITRE 3

cophones en zone plurilingue au Maghreb, au Proche-Orient, en Afrique subsaharienne comme dans la Caraïbe, dont le bilinguisme imparfait n'est en réalité le plus souvent qu'une diglossie.

❸ Diglossies, polyglossies

ENCADRÉ N° 5

Le philologue d'origine grecque né à Odessa, Jean Psychari, promoteur du démotique en Grèce, est à l'origine du concept moderne de *diglossie*, qui désigne la coexistence, dans une société donnée, de deux langues de « hauteur » inégale dans leur usage. Le concept a été diffusé en sociolinguistique par l'article fondateur « Diglossia » publié dans la revue *Word* par Charles A. Ferguson, en 1959. La langue « noble », réservée à l'usage écrit, tire son prestige de l'ancienneté de la tradition littéraire et culturelle qu'elle transmet, tandis que la langue vernaculaire est généralement méprisée comme « inférieure », parce que populaire. Élaborée à partir de la situation propre à la Grèce, écartelée entre l'héritage prestigieux du grec ancien mis en avant par les défenseurs de la *katharevousa* et le mépris pour le *dhemotiki*, la langue populaire, le concept a d'abord été appliqué à l'arabe, puis à d'autres langues qui distinguent l'usage écrit des dialectes, généralement parlés, même s'ils donnent lieu à une littérature, alors dépréciée comme « régionale », comme l'allemand. La diglossie met ainsi l'accent sur les variations linguistiques de l'oral à l'écrit. La diglossie, à la différence du bilinguisme, crée une hiérarchie entre les langues, auxquelles sont attribuées des valeurs sociales inégales. Dans une situation de diglossie, la langue valorisée tend à dominer l'autre, non seulement par un usage prépondérant, mais par les valeurs symboliques qui lui sont attachées.

Dans la plupart des cas, le bilinguisme cache en réalité une diglossie, le plurilinguisme une polyglossie. L'emploi des langues varie en effet selon la situation (objet du discours, identité du locuteur, du destinataire, circonstances, conditions de l'énonciation, etc.), elle-même conditionnée par des facteurs sociaux, idéologiques, ou psychologiques qui induisent une inégalité ou une dissymétrie. Édouard Glissant constate ainsi la dérive fatale du multilinguisme vers la diglossie :

> La donnée fondamentale du multilinguisme devrait être la libération du locuteur par rapport à tout assujettissement linguis-

tique possible [...] Ce n'est presque jamais le cas : la diglossie est la tentation de tout multilinguisme de fait. [...] Il ne faut pas confondre par exemple bilinguisme et pratique de deux langues (dont l'une aurait été apprise à l'école). Le bilinguisme réel est le rapport existentiel et compromettant de deux langues dans une communauté qui les contrôle. (Glissant, 1981, p. 325)

Le romancier franco-américain Julien Green, auteur d'un essai en français et en anglais intitulé *Le Langage et ses doubles* (Green, 1985) évoque la division de sa personnalité créée par son bilinguisme : « Julian » à la maison, « Julien » au lycée et, plus tard, dans la littérature. Cette situation, foncièrement inégale, pourrait s'apparenter à une diglossie. L'anglais, qui paraît « étrange », voire « étranger » à l'enfant Julien, dont la gouvernante est normande, est la langue de la communication dans la sphère privée, alors que le français s'impose dans tous les autres cas, prenant ainsi le pas sur la langue maternelle. La dualité des langues produit un clivage du sujet, une sorte de schizophrénie étrangère à la diglossie. L'étrangeté de la langue anglaise ne concerne que la situation individuelle, personnelle de Julien Green, et n'a rien à voir avec les usages collectifs de la langue dans la diglossie. Si le français l'emporte, c'est seulement en raison de la situation personnelle de l'auteur, et non d'une inégalité sociale. Emporté par l'ivresse vertigineuse du babélisme, l'écrivain finit par perdre le sentiment de sa propre identité.

Tzvetan Todorov fait état de la menace de schizophrénie qui pèse sur le sujet bilingue (Khatibi, 1985, p. 11-38). Fixé en France dans les années 1960, Todorov retrouve à l'occasion d'un congrès à Sofia sa langue maternelle, le bulgare. Ce retour aux sources s'accompagne d'un profond malaise intérieur dû à l'impossibilité toute physique à être français et bulgare à la fois, en raison d'une « incompatibilité » entre les langues : « la parole double s'avère une fois de plus impossible, et je me retrouve scindé en deux moitiés, aussi irréelles l'une que l'autre » (*op. cit.*, p. 23). Le bilinguisme ne peut être vécu que si les langues (et les visions du monde qu'elles portent) sont successives et non simultanées. Lorsque Todorov s'installe à Paris, il renonce en somme à sa langue maternelle, sauf dans certaines circonstances définies et temporaires. Dès lors qu'il retrouve la réalité bulgare, les deux faces du même sujet sont confrontées dans une coexistence qui ne peut être pacifique, si bien que le passé et le présent se télescopent. Le bilinguisme ne peut être ainsi vécu que selon une « stricte répartition des tâches » entre les langues, voire une « hiérarchie » – une diglossie –, sous peine d'un éclatement du sujet. Todorov, citant Bakhtine, appelle « polyphonie démesurée », cette tentation babélienne également décrite par le comparatiste Georges Steiner, dans *Après Babel* (1975) :

> Je n'ai pas le moindre souvenir d'une première langue. Autant que je puisse m'en rendre compte, je suis aussi à l'aise en anglais qu'en français ou en allemand […] Ma situation était celle de polyglotte, comme c'est aussi le cas des enfants du Val d'Aoste, du Pays basque, de certaines parties des Flandres, et de ceux qui parlent espagnol et guarani au Paraguay. Il était tout à fait courant que ma mère commence une phrase dans une langue pour la terminer dans une autre, et personne n'y prêtait attention. À la maison, les conversations se poursuivaient en plusieurs langues, non seulement au long des phrases ou expressions, mais d'un interlocuteur à l'autre. Il me fallait buter sur une interruption, être pris en sursaut de conscience, avant de me rendre compte que j'étais en train de répondre en français à une question posée en allemand ou en anglais, ou vice versa. […] Cette matrice polyglotte était bien autre chose que les hasards d'une situation familiale. Elle a orienté mon sentiment d'une identité personnelle, l'a marqué d'un paysage affectif touffu et intensément riche de l'humanisme juif d'Europe centrale. (Steiner, 1978, p. 116-118)

On peut sans doute être tantôt bulgare, tantôt français, mais difficilement l'un et l'autre ensemble. Cette réflexion souligne l'importance de l'espace (impossibilité de l'ubiquité) et, surtout, du temps, pour un écrivain en situation plurilingue. Le critique américain Edward Saïd, d'origine palestinienne, médite sur ce vertige des identités multiples nées d'une incertitude linguistique, au début de son récit autobiographique *Out of Place* (1999) :

> Le tourment de porter un tel nom [Edward W. Saïd] s'accompagnait d'un autre dilemme tout aussi embarrassant, celui de la langue. Je n'ai jamais su laquelle, de l'arabe ou de l'anglais, je parlais en premier, ni laquelle était vraiment, indiscutablement la mienne. Je sais en revanche, que les deux existent ensemble dans ma vie, l'une résonnant dans l'autre, parfois ironiquement, par-

fois avec nostalgie, et bien souvent l'une corrigeant ou commentant l'autre. Chacune peut totalement passer pour ma première langue, mais aucune ne l'est véritablement. J'associe cette instabilité primitive à ma mère, qui me parlait, je m'en souviens, autant en arabe qu'en anglais, même si elle m'écrivait toujours en anglais – une fois par semaine, toute sa vie durant, comme je le faisais moi-même pour répondre à ses lettres. (Saïd, 1999, p. 18)

Pour la francophonie, ce sentiment profond d'incertitude linguistique qui produit l'« intranquillité » et la « surconscience », est largement attesté à Montréal, à Beyrouth, à Tel-Aviv, à Douala ou à Alger, où l'on glisse constamment (et souvent inconsciemment) d'une langue à l'autre (alternance codique), quitte à les mêler dans la même phrase (mélange codique, pour la sociolinguistique). Pour qualifier les langues composites, les interlangues (voir *infra*, p. 136 *sq.*) qui naissent de ces interactions, on a inventé des mots-valises comme « franglais », « franbanais », « camefranc », etc. Le mélange des langues est inséparable de l'hybridité culturelle.

a – La diglossie (post)coloniale

Dans le contexte colonial ou postcolonial des francophonies (comme des anglophonies, des lusophonies ou des hispanophonies), c'est justement la dimension sociale de la langue qui importe. La diglossie suppose une distribution socialement inégale des langues, selon les circonstances. Ainsi du wolof, du peul ou du bambara dans l'Afrique coloniale, de l'arabe au Maghreb, ou du créole en Haïti et aux Antilles. C'est précisément à propos de la situation du français aux Antilles et à la Réunion que, dans une note de *Poétique de la Relation* (1989), Glissant donne une définition géopolitique de la diglossie : « J'appelle diglossie – notion apparue en linguistique mais déclarée non opératoire par les linguistes – la domination d'une langue sur une autre ou plusieurs autres, dans une même région » (Glissant, 1989, p. 132). La domination symbolique qui fixe les « cours » relatifs des langues implique des facteurs géographiques, sociaux et politiques concrets, déterminés par l'histoire.

• Le « drame linguistique »

Il faut revenir ici à l'essai fondateur d'Albert Memmi qui, dans un chapitre capital du *Portrait du colonisé*, dès 1957, décrit parfaitement les mécanismes politiques, sociaux et psychologiques de la domination dans le « bilinguisme colonial », après avoir analysé le rôle de l'école :

> Le colonisé n'est sauvé de l'analphabétisme que pour tomber dans le dualisme linguistique [...] La non-coïncidence entre la langue maternelle et la langue culturelle n'est pas propre au colonisé. Mais le bilinguisme colonial ne peut être assimilé à n'importe quel dualisme linguistique. La possession de deux langues n'est pas seulement celle de deux outils, c'est la participation à deux royaumes psychiques et culturels. Or ici, les deux univers symbolisés, portés par les deux langues, sont en conflit : ce sont ceux du colonisateur et du colonisé. (Memmi, 1973, p. 124)

Ce « dualisme » produit un « drame linguistique », que Memmi distingue de la diglossie, selon une conception sans doute trop étroite de la notion – mais peu importe. Memmi, qui a été lui-même élevé à Tunis sous le Protectorat, évoque sa situation de Juif tunisien et arabophone dans l'univers colonial, dans le roman autobiographique *La Statue de sel* (1953). Dans le *Portrait du colonisé*, il montre de manière définitive que le colonisé n'a pas d'autre choix que de renoncer à sa langue maternelle et d'adopter la langue imposée par l'école, l'administration et l'armée :

> Encore si le parler maternel permettait au moins une emprise actuelle sur la vie sociale, traversait les guichets des administrations ou ordonnait le trafic postal. Même pas. Toute la bureaucratie, toute la magistrature, toute la technicité n'entend et n'utilise que la langue du colonisateur, comme les bornes kilométriques, les panneaux de gares, les plaques des rues et les quittances. Muni de sa seule langue, le colonisé est un étranger dans son propre pays. (Memmi, 1973, p. 124)

Memmi va bien plus loin que la simple description clinique du « bilinguisme colonial ». Selon lui, le bilinguisme officiel dissimule en réalité un « dualisme », autre nom d'une diglossie dissimulée, dans laquelle la langue maternelle est profondément dépréciée aux yeux mêmes du colonisé. Les deux univers linguistiques sont non seulement distincts, mais en conflit, dans un rapport de forces naturellement inégal. Le colonisé intériorise ainsi le mépris du colonisateur pour sa langue maternelle, et c'est bien là tout son « drame » :

> Dans le conflit linguistique qui habite le colonisé, sa langue maternelle est l'humiliée, l'écrasée. Et ce mépris, objectivement fondé, il finit par le faire sien. De lui-même, il se met à écarter cette langue infirme, à la cacher aux yeux des étrangers, à ne paraître à l'aise que dans la langue du colonisateur. En bref, le bilinguisme colonial n'est ni une diglossie, où coexistent un idiome populaire et une langue de puriste, appartenant tous les deux au même univers affectif, ni une simple richesse polyglotte, qui bénéficie d'un clavier supplémentaire mais relativement neutre ; c'est un *drame linguistique*. (Memmi, 1973, p. 125)

Le colonisé n'a pas d'autre ressource que de se plier à la langue que lui impose le colonisateur à l'école, dans l'administration, dans la vie quotidienne. Il devient donc fatalement bilingue malgré lui. Le bilinguisme colonial représente un « drame » dans la mesure où la langue du colonisé est systématiquement dévalorisée par le colonisateur. Ce mépris est intériorisé (introjeté, disent les psychanalystes) par le colonisé, voué à une schizophrénie. Le bilingue colonial finit ainsi par détester sa propre langue maternelle autant que la langue de l'Autre, son maître, de sorte qu'il ne se sent à l'aise dans aucune langue et ne possède véritablement aucune des deux. On a souvent reproché à l'école de l'Algérie indépendante de former des « analphabètes bilingues » en arabe et en français. La formule vaut pour nombre de supposés bilingues victimes de l'éducation coloniale.

Dans *Entre-deux, l'origine en partage* (1991), le psychanalyste Daniel Sibony, lui-même d'origine marocaine, étudie les troubles psychiques liés à la double culture. Le psychiatre et théoricien martiniquais Frantz Fanon, connu pour son engagement dans la guerre d'Algérie et son manifeste tiers-mondiste *Les Damnés de la terre* (1961), préfacé par Sartre tout comme le *Portrait du colonisé*, analyse le « complexe d'infériorité » dans

Peau noire, masques blancs (1952). Il montre que, fantasmatiquement, les Antillais rêvent de se « blanchir » pour s'assimiler aux Blancs – non seulement par la couleur de la peau, mais aussi par la langue. De Césaire, qui maîtrisait à la perfection le français classique, on a pu dire qu'il était un « Nègre blanc », tant la langue est riche d'un « capital symbolique ». Si le thème de la folie revient de manière obsessionnelle dans les littératures d'Afrique subsaharienne, depuis les *Contes d'Amadou Koumba* de Birago Diop (1947) (voir Mouralis, 1993), c'est peut-être comme une métaphore du « drame colonial » de l'homme partagé entre deux cultures, c'est-à-dire entre deux langues, thème central de *L'Aventure ambiguë* (1961) du Sénégalais Cheikh Hamidou Kane. L'œuvre du poète Jean-Joseph Rabearivelo, méditation douloureuse de l'impossible unité des cultures (malgache et française), paraît illustrer l'analyse de Memmi. De la souffrance psychique causée par le bilinguisme et la « polyphonie démesurée » de l'individu déchiré témoigne la mort de Rabearivelo en 1937. Le poète met soigneusement en scène son suicide, il laisse un saisissant journal tenu jusqu'au moment où le poison commence à produire son effet :

> 14 heures 37 de mon horloge. L'effet de la quinine commence, bientôt dans un peu d'eau sucrée, je prendrai plus de 10 g de cyanure de potassium. [...] J'embrasse l'album familial. J'envoie un baiser aux livres de BAUDELAIRE, que j'ai dans l'autre chambre. – 15 heures 02. Je vais boire – c'est bu. MARY, enfants, à vous mes pensées – mes dernières. J'avale un peu de sucre. Je suffoque. Je vais m'étendre. (Rabearivelo, 1990, p. 120)

Certes, ce suicide est d'abord provoqué par la pauvreté, les désillusions sentimentales et, surtout, la disparition de sa fille, qu'il désire rejoindre (« déjà j'entends l'appel de ma fille », écrit-il dans un poème). Rabearivelo, « poète maudit », est victime des contradictions insolubles d'une double appartenance. Dans un tout autre contexte, Paul Celan, qui se jette dans la Seine en 1970, révèle la même impossibilité de vivre là dans « l'entre-deux ». Ces deux écrivains, à des époques et dans des contextes radicalement différents, font également état de leur incapacité à poursuivre une carrière littéraire et, surtout, une existence irrémédiablement vouée à la contradiction et au déchirement intérieur.

Le bilinguisme, formidable richesse, peut aussi se révéler destructeur. À propos de *Talismano*, roman d'Abdelwahab Meddeb où se croisent les langues, Khatibi évoque la folie qui guette l'écrivain francophone :

> Parler en langues est le récit de cette folie sous surveillance. Mais la situation peut se retourner et emporter l'écrivain maghrébin, le briser dans des actes d'affolement et de déraison. (Khatibi, 1983b, p. 190)

• Les langues de l'Afrique subsaharienne

Une situation plurilinguistique inégale prévaut en Afrique subsaharienne. La distinction entre langues premières africaines (peul, wolof, bambara, etc.), aujourd'hui reconnues comme nationales, et langue seconde (français, mais aussi anglais dans d'autres zones) recoupe largement la distinction entre l'oral et l'écrit, encore que le français soit aussi largement une langue parlée vernaculaire, surtout sous la forme « indigénisée », dans les villes. Cependant, les langues nationales ne sont guère utilisées dans le contexte écrit, où le français (ou l'anglais, selon les pays) domine malgré les politiques linguistiques de décolonisation de la langue conduites par exemple en Guinée par Sékou Touré, adversaire de la francophonie, qui a misé sur l'africanisation en promouvant un enseignement dans huit langues nationales, dont le peul et le malinké.

Dans le contexte des langues africaines, l'écrivain francophone se fait le collecteur, l'interprète et, en un sens, le transcripteur ou le traducteur des sagas, légendes et mythes ancestraux, perpétués oralement par les griots en langue nationale. Ainsi d'Amadou Hampaté Bâ, qui recueille et transcrit les récits initiatiques de la tradition peule du Mali (*Koumen*, 1961 ; *Kaidara*, 1969), dont il s'inspire pour son unique roman *L'Étrange destin de Wangrin* (1973), mais aussi pour son autobiographie *Amkoullel, l'enfant peul* (1991). Le rôle important des genres traditionnels du conte, de l'épopée, de la chanson populaire dans les littératures négro-africaines (caribéennes, également) et arabes de langue française s'explique largement par la vocation

CHAPITRE 3

« monumentale » de la littérature, qui a la charge de conserver et de diffuser le patrimoine poétique et religieux.

● Le créole dans la Caraïbe et l'océan Indien

« Le multilinguisme est une donnée de la Caraïbe » (Glissant, 1981, p. 356). Le « quimboiseur », une figure centrale du roman antillais, à la fois récitant, guérisseur et sage, transmet lui aussi les valeurs ancestrales et la tradition orale créole, de l'« oraliture », selon une expression des créolistes haïtiens reprise par Patrick Chamoiseau et Raphaël Confiant. Omniprésent dans les romans de Simone Schwarz-Bart (*Pluie et vente sur Télumée Miracle*, 1972) et d'Édouard Glissant (depuis *La Lézarde*, 1958), le « quimboiseur » est en somme le double de l'écrivain lui-même, comme le « marqueur de paroles » dans le roman de Chamoiseau, *Texaco*.

Toute la culture antillaise plurilingue, comme toutes les cultures de la Caraïbe, est traversée par une diglossie entre le créole, langue de ceux qui sont nés et ont été élevés aux Amériques, sans toutefois en être originaires – Européens blancs (et en particulier « békés »), Africains noirs, métis – et les langues européennes : français, anglais, espagnol, portugais, néerlandais, sans compter les langues des autres communautés – Coulis venus d'Asie, « Syriens », Chinois, etc. L'*Éloge de la créolité* (1989) souligne bien la richesse et la complexité de cette situation plurilingue :

> Notre richesse, à nous écrivains créoles, est de posséder plusieurs langues : le créole, français, anglais, portugais, espagnol, etc. Il s'agit maintenant d'accepter ce bilinguisme potentiel et de sortir des usages contraints que nous en avons. De ce terreau, faire lever sa parole. De ces langues, bâtir notre langage. Le créole, notre langue première à nous Antillais, Guyanais, Mascarins, est le véhicule originel de notre moi profond, de notre inconscient collectif, de notre génie populaire, elle demeure la rivière de notre créolité alluviale. Avec elle nous rêvons. Avec elle nous résistons et nous acceptons. Elle est nos pleurs, nos cris, nos exaltations. Elle irrigue chacun de nos gestes. Son étiolement n'a pas été une seule ruine linguistique, la seule chute d'une branche, mais le carême total d'un feuillage, l'agenouillement d'une

cathédrale. L'absence de considération pour la langue créole n'a pas été un simple silence de bouche mais une amputation culturelle. (Bernabé, Chamoiseau, Confiant, 1989, p. 43-44)

ENCADRÉ Nº 6

Dans la Caraïbe, le créole est un produit de la Traite et du système esclavagiste dans l'espace de la plantation, dédiée à l'exploitation de la canne à sucre, où des populations venues d'horizons différents doivent néanmoins communiquer. Né de la rencontre improbable de populations d'origine européenne et africaine, puis asiatique, langue hybride et en devenir, le créole s'inscrit dans un processus culturel plus général que Glissant nomme justement « créolisation ». Le créole est parlé dans la Caraïbe : Guyane, Antilles (Martinique, Guadeloupe, Sainte-Lucie), Haïti, où il a le statut de langue officielle depuis 1961, mais aussi, sous des formes différentes, dans l'océan Indien : Réunion, Maurice. L'influence, discutée par les créolistes, des langues africaines, mais aussi des langues amérindiennes et d'autres langues européennes sur le français populaire du XVIIIe siècle et les parlers de l'ouest de la France, a produit une langue hybride. Quoique parlé également par les *békés*, les blancs créoles nés dans les îles, descendants des propriétaires esclavagistes des grandes plantations de canne à sucre (pour communiquer avec leurs esclaves), le créole est associé à la condition des esclaves et de leurs descendants noirs ou « mulâtres ». Langue de l'humiliation, elle est traditionnellement dévalorisée par rapport au parler « Blanc-France », au français normé, langue d'écriture, qui constitue un fort « capital symbolique » (Bourdieu, 1982). Mais c'est cette origine même qui, à l'inverse, lui donne sa puissance de suggestion, et lui confère le prestige de la langue humiliée devenue langue de la révolte contre l'oppression coloniale. Du fait de la présence d'une très importante communauté haïtienne à Montréal, à New York et à Paris, le créole français sous ses diverses formes prend une dimension internationale, même s'il joue d'abord un rôle identitaire.

Dès 1952, tout en célébrant la Négritude césairienne, Frantz Fanon, psychiatre martiniquais et théoricien des luttes anticoloniales, remarque qu'« à l'école, le jeune Martiniquais apprend à mépriser le patois. On parle de créolismes » (Fanon, 1971, p. 15). Comme l'observe justement l'*Éloge de la créolité*, la richesse plurilingue des cultures créoles est devenue une diglossie : « Notre richesse bilingue refusée se maintint en douleur diglossique » (Bernabé, Chamoiseau, Confiant, 1989, p. 25). Traditionnellement, selon les préjugés de la raison occidentale, le créole, pourtant parlé par des millions d'individus dispersés entre la Caraïbe, les Amériques et l'océan Indien, est tenu pour un patois, et non pour une langue à part entière, faute de permettre l'abstraction et, partant, la connaissance (Glissant, 1981, p. 342-343). Aux Antilles, dans la vie courante, on glisse très facilement (et très rapidement) du français au créole, et réciproquement. Parlé en famille et dans la vie quotidienne, le créole se distingue par son oralité du français, paré du prestige de la langue savante, mais avec toutes les ambiguïtés et les ambivalences de la langue dominante. Appris à l'école, le français est certes nécessaire à la communication extérieure – avec les métropolitains, l'administration, etc. et, plus généralement, le monde entier, même si l'aire créolophone est importante. Le roman *Texaco* (1992) de Patrick Chamoiseau, qui oppose le français « Blanc-France » au parler créole ou métissé, met en scène le poète Césaire, réputé pour la richesse et la virtuosité de son français : « Dans sa bouche, la langue française semblait infinie et chaque mot entraînait des dizaines et des dizaines de mots avec un allant de rivière dévalante. » (Chamoiseau, 1992, p. 272). Aimé Césaire considère que le créole ne peut être pour lui une langue d'écriture :

> Je me demande si une telle œuvre était concevable en créole. Et puis, pour la rédiger en créole, il aurait fallu que les questions de base soient résolues. D'abord la question de la légitimité de la langue. Ensuite, qu'il y ait une grammaire, une orthographe. Le créole restait uniquement une langue orale qui d'ailleurs n'est toujours pas fixée. La jeune génération y réfléchit. Mais en ce temps-là, on n'y réfléchissait même pas. Écrite en créole, personne ne l'aurait comprise. Jusqu'à maintenant le créole se transcrit en français, selon des règles françaises. Or, du créole écrit à la française, *on ne le comprend pas*, il faut d'abord le lire à haute voix, pour le répercuter à l'oreille. (Leiner, 1978)

Césaire définit le créole comme « la langue de l'immédiateté, la langue du folklore, des sentiments, de l'intensité », selon le même paradigme que celui de la « raison hellène » et de l'« émotion nègre » mis en place par Senghor. Ces déclarations n'ont pas manqué de susciter des discussions, voire des polémiques dans les années 1980, durant lesquelles la culture créole est réhabilitée aux Antilles, grâce au thème de l'« antillanité » développé par Édouard Glissant (Glissant, 1981). Signataire avec Patrick Chamoiseau et Jean Bernabé de l'*Éloge de la créolité* (1989) dédié au « père » de la littérature antillaise, Raphaël Confiant adopte une attitude ambivalente à l'égard du père fondateur de la littérature antillaise. Certes, l'*Éloge de la créolité* s'efforce de dédouaner Césaire de son hostilité au créole :

> Nous voilà sommés d'affranchir Aimé Césaire de l'accusation – aux relents œdipiens – d'hostilité à la langue créole. Comprendre pourquoi, malgré le retour prôné « à la hideur désertée de nos plaies », Césaire n'allia pas densément le créole à une pratique scripturale forgée sur les enclumes de la langue française, c'est ce à quoi nous nous sommes engagés [...] Césaire un anticréole ? Non point, mais *un anté-créole*, si du moins un tel paradoxe peut être risqué. C'est la Négritude césairienne qui nous a ouvert le passage vers l'ici d'une Antillanité désormais postulable et elle-même en marche vers un autre degré d'authenticité qui restait à nommer. La Négritude césairienne est un baptême, l'acte primal de notre dignité retrouvée. Nous sommes à jamais fils d'Aimé Césaire. (Bernabé, Confiant, Chamoiseau, 1989, p. 17-18)

Les auteurs de l'*Éloge* suggèrent d'ailleurs avec finesse que la langue de Césaire « se révèle moins imperméable qu'on ne le croit généralement aux émanations créoles de ces maternelles profondeurs » (*op. cit.*, p. 21). Mais Confiant, lui-même romancier créolophone (ou plutôt de « graphie » créole), va plus loin dans l'analyse du déni du créole par l'auteur du *Cahier d'un retour au pays natal*. Le fils doit tuer le père, et Confiant règle ouvertement ses comptes avec le père de la Négritude dans l'essai intitulé *Aimé Césaire, une traversée paradoxale du siècle* (Confiant, 1992). Il considère le créole comme porteur d'une véritable vision du monde, opprimée par le colonisateur et déniée par le colonisé lui-même, qui intériorise le mépris de sa propre langue maternelle. Passé le combat en faveur de la Négritude, il s'agit désormais de réévaluer la langue et la culture créoles. La « créolité » est un mouvement de pensée et de création littéraire aujourd'hui pleinement reconnu dans le monde entier, grâce aux romans de Chamoiseau et de Confiant, en particulier. Mais le thème de la culture créole semble désormais l'emporter sur le débat linguistique, à l'heure de la mondialisation qui, de toute façon, emporte également le français.

Avec le créole, le problème se pose de la transcription d'une langue orale par nature. Il n'y a pas de *littérature* créole, il n'y a qu'une *oraliture*. Quel alphabet utiliser pour une transcription phonétique qui renvoie inévitablement à la graphie française ? Étant donné la difficulté à lire des textes créoles, à quel public s'adresse-t-on, sachant que les locuteurs du créole aux Antilles ne lisent guère, quand ils ne sont pas tout simplement illettrés ? Les tentatives littéraires menées par Confiant et quelques autres pour poursuivre l'entreprise de l'écrivain guyanais Alfred Parépou à la fin du XIXᵉ siècle (*Atipa*, 1885, premier roman en créole) se sont soldées par un échec, du moins à la Martinique et à la Guadeloupe, qui n'ont pas l'équivalent de Frankétienne, l'auteur de *Dézafi* (1975) pour Haïti (à qui l'*Éloge de la créolité* est d'ailleurs dédié). Mais le créole est avec le français la langue officielle d'Haïti depuis 1965.

Reste à « créoliser » le français grâce à des tournures calquées sur des expressions créoles, ou traduites mot à mot. Ce procédé a fait le succès des romans de Chamoiseau depuis *Solibo magnifique* (1988), jusqu'à *Texaco*, prix Goncourt 1992. Après une série de livres parus à Fort-de-France en langue créole, Confiant a dû renoncer au profit d'un français certes « créolisé », mais qui doit rester du français, sous peine de ne plus être compris. Avec *Eau de café* (1991), Confiant a amorcé une carrière d'écrivain francophone, qui rejoint celle de Chamoiseau, quoique dans un style différent. L'*Éloge de la créolité* affirme que « la langue créole n'est pas une langue moribonde » et cite l'exemple de Sonny Rupaire, Daniel Boukman, Joby Bernabé. Mais peu d'auteurs se sont fait connaître, en l'absence d'éditeurs. Force est donc d'admettre que l'écriture en créole paraît avoir échoué. Après avoir tenté d'être des écrivains strictement bilingues, faisant alterner la publication d'œuvres en créole (romans, pour Confiant, « théâtre-conté » pour Chamoiseau), ces auteurs sont revenus à l'unilinguisme, attestant une fois encore combien il est difficile d'être un écrivain bilingue, et donnant ainsi raison à Césaire. Chamoiseau ne confie-t-il pas que « l'écriture en français est un plaisir et en créole c'est un travail » (« La bicyclette créole ou la voiture française », *Le Monde*, novembre 1992) ? À l'heure de la « littérature-monde » qui désormais préoccupe les auteurs de l'*Éloge de la créolité* (voir *infra*, p. 213 *sq.*), le combat littéraire autour de la langue créole semble désormais un peu obsolète, malgré la mode de la créolité partout dans le monde. Vingt ans après sa publication, l'*Éloge de la créolité* s'impose comme un manifeste en faveur d'une « diversalité » qui concerne la culture créole au sens large, bien plus que la langue proprement dite. Le créole comme langue est en effet riche du plurilinguisme du « Tout-monde » rêvé par Glissant. « Notre Histoire, déclarent les auteurs de l'*Éloge*, est une tresse d'histoires. Nous avons goûté à toutes les langues, à toutes les parlures. » (*op. cit.*, p. 26)

- Québec : l'anglais, le français de France, le québécois, le joual

---

ENCADRÉ N° 7

Le concept de diglossie s'applique à la situation linguistique québécoise à plusieurs titres[1]. Bien que le français du Québec (mais également le français d'Acadie, et des autres provinces francophones : Ontario, Manitoba) ne puisse être comparé aux dialectes de l'allemand ou de l'arabe, il diffère pourtant assez du français normé (par la prononciation, le vocabulaire et parfois même la grammaire) pour constituer une variante très spécifique, surtout sous ses formes populaires ou régionales. Le français du Québec a pour base le français parisien du XVIIIe siècle, avec des influences des parlers du centre et de l'ouest de la France et de l'anglais. Les traits du français québécois, comme ceux de toutes les variations du français, tendent à s'accentuer dans les milieux populaires, par exemple dans la banlieue de Montréal, où est né le joual (voir *infra*).

Ces riches variations polyglossiques sont largement exploitées par les écrivains pour se forger une langue littéraire distincte du français parisien (ou supposé tel). Dès le XIXe siècle, comme le montre Lise Gauvin (Gauvin, 2000), la littérature canadienne française, avant de devenir littérature « québécoise », se consti-

---

1. Pour un tableau historique, sociologique, politique et littéraire complet des problèmes de langue au Québec, on se reportera à la somme remarquable publiée par le Conseil de la langue française (Plourde, Duval, Georgeault, 2000).

tue sur le mythe d'une « langue à soi » puisque, ainsi que le note
le poète Octave Crémazie dans une lettre très célèbre, qui obsède
critiques et écrivains, « ce qui manque au Canada, c'est d'avoir
une langue à lui ». Comment transformer la langue française
pour en faire une langue propre au Québec ? Comment « québé-
ciser » ou « indigéniser » le français, sans pour autant se priver de
la communication avec le monde que permet une langue internationale ?

Dans un entretien, le poète Gaston Miron, qui se définit
comme un « variant français », qualifie le rapport entre le français québécois et le français de « diglossie » : « On a tous une
certaine diglossie vis-à-vis de ce dialecte-là » (Gauvin, 1997).
Cependant, pour Miron comme pour le linguiste et poéticien
Henri Meschonnic, l'oralité, « mer immense de la langue parlée »
(*ibid.*, p. 61), n'est pas la « littérature orale ». Ainsi, « personne
ne peut se dire écrivain oral » (*ibid.*, p. 62). Il s'agit pour les
écrivains québécois de retranscrire les échos de cette oralité perdue. Ainsi que l'observe le poète Fernand Ouellette, le français
normé apparaît comme une langue seconde au Québec :

> Dès que j'ai commencé à écrire, je me suis rendu compte que
> j'étais un barbare, c'est-à-dire, selon l'acception étymologique,
> un étranger. Ma langue maternelle n'était pas le français, mais le
> franglais. Il me fallait apprendre le français presque comme une
> langue étrangère. Mes réflexes verbaux s'étaient nourris long-
> temps du franglais. Et mon comportement linguistique était, en
> bonne partie, déterminé par ces réflexes. (Cité par Gauvin, 1976)

Le français parisien appris à l'école résonne comme une
langue académique et snob, comme l'anglais d'Oxford aux États-
Unis.

Mais il existe justement une autre diglossie, entre le français
parisien (ou québécois) et l'anglais canadien (lui-même variant
de l'anglais). La revue d'avant-garde *Parti pris*, fondée en 1963,
qui joue un rôle majeur dans le débat politique et littéraire de la
révolution tranquille, dénonce l'hypocrisie du bilinguisme dans
la politique du gouvernement canadien, avant la mise en œuvre
de la fameuse loi 101, qui impose le français partout, lorsque le
Parti québécois arrive au pouvoir, contre le mythe irénique du
bilinguisme :

> Le bilinguisme est une situation sociale dans laquelle deux langues se côtoient naturellement et quotidiennement, la langue de la communauté économiquement et politiquement la plus forte devient la structure agressante en érodant et atteignant dans sa cohésion interne la langue de la communauté minoritaire. Bref, le bilinguisme est un fait social où l'intérêt pratique seul donne l'ascendant à une langue sur une autre. (Fernand Ouelette, cité par Gauvin, 2000, p. 37)

Le bilinguisme officiel de Montréal et du Canada en général apparaît comme une hypocrisie qui dissimule mal une véritable diglossie de fait. Gaston Miron n'a jamais cessé de dénoncer le mensonge hypocrite du bilinguisme canadien, qualifiant les Québécois d'« unilingues sous-bilingues ». Dans le « Monologue de l'aliénation délirante », dont le propos et le vocabulaire même sont manifestement inspirés du *Portait du colonisé* de Memmi, Miron donne des exemples frappants de l'« écheveau inextricable » des « phrases mixtes ». Loin d'un authentique bilinguisme, la diglossie québécoise produit des énoncés en « franglais », pour reprendre les termes fameux d'Étiemble :

> Y est-il flush lui... c'est un blood man... watch out à mon seat cover... c'est un testament de bon deal...

> Voici me voici l'unilingue sous-bilingue voilà comment tout commence à se mêler à s'embrouiller c'est l'écheveau inextricable

> Je m'en vas à la grocerie... pitche-moi la balle... toé scarm d'icitte... y t'en runn un coup...

> Voici me voici l'homme du langage pavlovien les réflexes conditionnés bien huilés et voici les affiches qui me bombardent voici les phrases mixtes qui me sillonnent le cerveau verdoyant [...]. (Miron, 1999, p. 117)

Englué dans une « situation d'infériorisation collective » (Miron, 1999, p. 133), le bilinguisme n'est selon Miron qu'un « dualisme linguistique » (*ibid.*, p. 127), expression directement empruntée à Memmi. Dès lors qu'un Québécois accepte de parler anglais pour répondre aux exigences économiques et sociales, il est voué à perdre sa propre langue et à s'« assimiler », tant les termes de l'échange paraissent inégaux. Pour Miron, comme pour ses amis de *Parti Pris* et des Éditions de L'Hexagone, qui ont joué un rôle décisif dans le mouvement littéraire et politique en faveur de la québécité, cette situation est bien une « dépendance coloniale ». Proches de Memmi, de Kateb, de Fanon, de Césaire et de toutes les luttes « Tiers-mondistes » des années 1960-1970, les intellectuels québécois voient dans la diglossie l'expression de l'« aliénation linguistique » qui frappe un peuple opprimé, situation décrite par Memmi dans le *Portrait du colonisé* (1957). Miron, tout en célébrant les particularités du français québécois, récuse la contamination de l'anglais et ce qu'il appelle le « traduidu », qui est la marque même de « l'aliénation délirante ».

Les intellectuels de *Parti pris*, devenus éditeurs, solidaires des luttes tiers-mondistes, se définissent donc comme des colonisés et se rapprochent de la négritude césairienne et des Black Panthers américains. Pierre Vallières, membre actif du Front de Libération du Québec, publie en 1967 une autobiographie retentissante, intitulée de manière très provocatrice (et qui paraîtrait aujourd'hui politiquement incorrecte en raison de la comparaison avec les Afro-Américains) : *Nègres blancs d'Amérique. Autobiographie « précoce » d'un terroriste québécois* (1967). C'est ainsi que dans le Québec de la Révolution tranquille des années 1960, le français peut être assimilé au *Black English* des Noirs américains. Dans un poème-manifeste intitulé *Speak White* (1974), Michèle Lalonde applique ironiquement aux francophones du Canada l'insulte lancée aux Noirs américains (voir Gauvin, 2004) : « Speak white ! ». Parler « noir », c'est parler la langue humiliée des ouvriers francophones de l'est de Montréal, qui travaillent dans les usines possédées par les riches industriels anglophones de Westmount. Une fois encore, la langue apparaît comme l'expression des rapports de domination – et pas seulement de « domination symbolique ».

Le Québécois est ainsi par nature « schizophrène » selon Jacques Godbout, l'auteur de *Salut, Galarneau !,* « parce qu'il tente de vivre simultanément les deux pôles d'une personnalité où tantôt l'anglais, tantôt le français domine (Canadien il se voit dans les yeux du Français et Français il se voit dans les yeux du Canadien) » (Godbout, 1995). Sa seule chance est d'« accepter l'aliénation mentale comme un état de fait », et de l'écrire.

> ENCADRÉ N° 8
>
> D'autres croient reconnaître dans le croisement avec l'anglais, dans le franglais montréalais, une langue tierce : le « joual » (prononciation déformée du mot « cheval »). Né du contact du français québécois marqué par de nombreux particularismes et de l'anglais, le joual est parlé dans les banlieues ouvrières des villes du Québec, comme une sorte de « créole » franglais (J. Godbout), qu'une prononciation méconnaissable du français rend incompréhensible à un étranger. On est ainsi obligé de sous-titrer certains dialogues de films situés à Montréal. Comme pour le créole, la transformation du français et de ses formes régionales, ici au contact de l'anglais, est si profonde, notamment au plan phonique, qu'on assiste à la naissance d'un langage distinct, à défaut de constituer une langue à part entière, du fait d'une diffusion restreinte. Le joual, à la différence du « canayen », le français des anciens Canadiens, n'est ni un patois, ni un dialecte, mais plutôt un sociolecte en devenir, emporté par un processus de créolisation qui pourrait être l'ultime étape de l'anglicisation du français.

Dans les années 1970, le joual a fait l'objet d'une querelle non seulement littéraire, mais idéologique et politique. L'enjeu de langue, pour quelques écrivains radicaux comme Jacques Renaud, qui publie *Le Cassé* (1964) en joual, est bien l'identité même de la culture et de la « nation » québécoises. Expression de l'aliénation du peuple québécois, opprimé par les anglophones et méprisé par les Français, et d'une sous-culture assumée comme telle, le joual est revendiqué par des intellectuels qui entendent marquer leur solidarité avec le peuple. En 1974, Victor Lévy-Beaulieu, romancier et bientôt éditeur publie un manifeste pour le joual « Moman, popa, l'joual pis moué ! », dans la revue *Maintenant* :

> d'abord, jvas donner ma définition du joual : pou moué, c'te langue-là ça comprend toute, même le français – le joual, çé toute c'qui peut s'dire au moment où j'le dis pis d'la façon que j'le dis, çé toute c'que j'écris au moment où j'l'écris pis d'la façon que j'l'écris toute définition autre que c't'elle-là du joual, ça vaut pas d'la marde, cé du lichage de cul d'mouche pis d'la mathématique pour savouère combien çé qu'tu peux assire d'anges dessus une tête d'épingle – [...] ambiguïté du mot joual qui est dev'nu péjoratif, qui voulait pu rien dire que l'mauvais voisinage de l'anglais, que l'déflaboxement d'une parole, qu'un rap'tisse-

ment du réel, d'la possession – et pis qu'l'aliénation des quartiers ouvriers du grand Morial. (Lévy-Beaulieu, 1974)

Michel Tremblay fait scandale avec *Les Belles-sœurs*, pièce représentée en 1968, avec des dialogues en joual. Écrire en joual, c'est ainsi se démarquer de la norme du français châtié, se « décoloniser » de la France tout en proclamant à la face du monde l'oppression anglo-saxonne. Très vite, cette position « engagée » s'est figée en une idéologie qui identifie la culture québécoise à l'écriture joualisante. Ce dogmatisme n'a pas manqué de susciter de violentes polémiques en retour. Miron et d'autres écrivains pourtant engagés revendiquent le droit d'écrire dans une langue totalement libre, sans pour autant renoncer au combat québécois. Ils reconnaissent bien volontiers un usage réaliste du joual au théâtre et dans les dialogues de romans, mais récusent l'idéologie d'une langue identitaire. Jacques Godbout est l'un de ceux qui réagissent le plus vivement au manifeste de Lévy-Beaulieu :

> Qu'est-ce que le joual donc ? Peu importe qui baptisa ainsi le franglais de Montréal [...], il reste qu'aujourd'hui ce mot décrit, dans la pensée populaire, le langage populaire. Le joual, ce n'est plus le nom commun qui dit la dislocation du français des champs au contact de l'anglais des villes. Le joual est devenu une appellation contrôlée de l'un des niveaux de langage, à la disposition de l'écrivain québécois comme tous les autres niveaux langagiers. Il faut être aussi arriviste que le jeune romancier Victor Lévy-Beaulieu pour faire du joual une affaire, et ouvrir un magasin joual en affirmant que les articles vendus dans les autres boutiques ne sont pas québécois. Quand on ne peut pas faire la différence entre le joual écrit et l'idéologie jouale, comme le dit P. Vadeboncœur, on est un sot. (Godbout, 1975, p. 183)

Après le double échec aux référendums de 1980 et de 1995 pour l'indépendance, ces polémiques paraissent bien éloignées. Montréal, deuxième métropole francophone après Paris, s'est imposée comme une mégapole cosmopolite, une « cosmopolis » (Robin, 2008) qui rivalise avec Toronto et New York. *Les Belles-sœurs* entre-temps est devenue une pièce classique du répertoire québécois.

b – Le plurilinguisme dans le monde arabe

• Le berbère, l'arabe et le français en Algérie

Au Maghreb, la multiplicité des langues tient à l'histoire même des colonisations successives, depuis l'Antiquité.

ENCADRÉ N° 9

Les écrivains francophones du monde arabe en général sont d'emblée confrontés à une diglossie entre le dialecte, parlé à la maison et dans la vie quotidienne hors du domicile familial, et l'arabe littéral, appris à l'école et réservé à la lecture et à l'écriture. Tout arabophone, par cette diglossie essentielle, est quelque peu bilingue, à des degrés divers, même s'il ne connaît pas de langue étrangère à son pays. Lorsque la différence entre le dialecte et la langue écrite se creuse, comme dans certaines régions du Maroc ou d'Algérie, ce sont presque deux langues distinctes qui se trouvent mises en présence et même en concurrence. Le dialecte est relativement proche de l'arabe littéral en Syrie, au Liban, et encore en Égypte, malgré des prononciations et des accents spécifiques et des variations lexicales. Les dialectes orientaux (et surtout l'égyptien), qui sont dominants, tendent à s'imposer à travers le monde arabe tout entier comme une langue standardisée par les médias, la chanson, le cinéma, la télévision.

L'Algérie berbère, comme la Tunisie, a reçu de multiples langues au fil des invasions ou conquêtes dont elle a fait l'objet successivement : le phénicien, le latin, l'arabe, le judéo-espagnol, le turc, le français (sans parler de l'espagnol, de l'italien et de la *lingua franca* parlée dans les ports). Ces langues, certes imposées, appartiennent bien au patrimoine d'une Algérie plurielle. Les seules langues autochtones *stricto sensu* sont berbères, comme le kabyle en Kabylie, le chaoui dans les Aurès, à l'est, le tamachek chez les Touaregs, au Sud. L'arabe classique (ou supposé tel) n'est en réalité pas moins « étranger » que le français, puisqu'il a été importé de la péninsule arabique au VIIe siècle. Le latin et le turc ont disparu, bien qu'ils aient laissé des traces en français et en arabe, par exemple.

Au nom d'une idéologie jacobine panarabe (voir Benrabah, 1999), inspirée du baasisme du Proche-Orient, le FLN a décrété une arabisation massive du pays, sans pour autant parvenir à effacer le français et le berbère. Enseigné à l'école dans des conditions peu favorables par des professeurs originaires d'Égypte, de Syrie ou d'Irak totalement étrangers au pays, l'arabe classique est mal maîtrisé par la population. Langue réservée à l'écriture et aux discours solennels, il tire sa noblesse de son origine littéraire et surtout religieuse, comme langue du Coran. La langue utilisée par les clercs, les oulémas et une élite de lettrés est donc complètement coupée de l'arabe populaire, dialectal, parlé dans la rue – une langue morte, en somme. La réislamisation du pays, dans les années 1980, a certes donné une nouvelle légitimité à l'arabe classique mais, à la différence de la Tunisie, l'Algérie n'est guère réputée pour l'enseignement de l'arabe classique.

Kateb Yacine fait observer avec véhémence que l'arabe classique est pour lui une langue non moins étrangère que le français, peut-être même davantage, puisque sa langue maternelle, comme pour l'ensemble du peuple algérien, c'est l'arabe dialectal parlé à Alger, Oran ou Tlemcen. Pour Kateb, l'arabe classique est la langue du pouvoir et de la religion, comme une sorte de « latin ». Il condamne donc le canon de l'arabe écrit et réhabilite le dialecte qui, suspect aux yeux des religieux aussi bien que du pouvoir, devient un enjeu esthétique et politique majeur non seulement pour l'Algérie mais pour l'ensemble du monde arabe. Il compose en dialecte des pièces qu'il représente avec sa troupe itinérante, comme *Mohamed prends ta valise*, entre 1972 et 1975, lorsqu'il retourne en Algérie après l'indépendance. Kateb transgresse ainsi un tabou majeur (puisque écrire en dialecte est traditionnellement considéré non seulement comme ignoble, mais impie) pour mieux se rapprocher du peuple algérien. Même l'arabe moderne « standard » importé du Machrek résonne encore comme une langue « étrangère » aux oreilles du peuple algérien, dont la langue maternelle est un dialecte (algérois, oranais, etc.) de l'arabe, ou une langue berbère. Tout en critiquant le mot « francophonie », Kateb ne cesse donc de se battre pour la diversité des langues et pour la reconnaissance du français et du kabyle comme langues de l'Algérie, au même titre que l'arabe. Il défend ainsi une Algérie multinationale et plurilingue : « Plus il y aura de dimensions, mieux ça vaudra ! Parce que, de toute façon, nous aurons toujours des langues communes ». Kateb n'a de cesse de dénoncer ce qu'il appelle le « mythe » de

l'arabité au Maghreb : « Nous sommes africains […] Le Maghreb
arabe et tout ça, c'est des inventions, de l'idéologie ; et c'est fait
pour nous détourner de l'Afrique » (entretien donné à Tassadit
Yacine dans *Awwal*, en 1992 *in* Kateb, 1994, p. 109). Mais cette
déclaration, à replacer dans le contexte du mouvement berbère
et d'une pensée panafricaine, ne doit pas faire oublier la question
inlassablement posée par les deux premières générations d'écrivains du Maghreb, depuis les années 1950 : comment peut-on
être un écrivain arabe *et* de langue française, ou *malgré* la langue
française ? Khatibi y répond à sa manière par l'idée d'« écrire en
langues », mais aussi « penser en langues » (Khatibi, 1983b).
Cette question peut sembler datée à l'heure de la mondialisation
et des « écritures migrantes ». Le problème de l'identité, ou plutôt des identités, ne se pose certes plus du tout dans les mêmes
termes que dans les années 1960. Il paraît aujourd'hui difficile de
contester l'« algérianité » d'un Jean Sénac, mort assassiné après
avoir été accusé par les autorités de pervertir la jeunesse. Pied-
noir comme Camus, catholique, francophone et « de graphie
française », Sénac se définissait lui-même comme « citoyen de
lumière » d'une Algérie rêvée cosmopolite. Mais cette question
de l'identité n'en continue pas moins de rester présente à tous
les esprits, comme en témoignent encore les polémiques autour
des relations de Camus avec l'Algérie, à l'occasion du cinquan-
tième anniversaire de sa disparition, en 2010.

Assia Djebar, née à Cherchell, près de l'ancienne Césarée,
dans une famille d'origine berbère, peut elle aussi légitimement
revendiquer son « plurilinguisme ». À maintes reprises, Djebar
dessine la carte des langues en Algérie et, en historienne, les
inscrit dans la continuité avec l'Antiquité, tout comme Kateb
Yacine. Mais, à la différence de Kateb, c'est du point de vue des
femmes qu'elle écrit cette histoire, ajoutant le « langage du
corps » au « triangle » des langues dans *L'Amour, la fantasia* (1985) :

> Nous disposons de quatre langues pour exprimer notre désir,
> avant d'ahaner : le français pour l'écriture secrète, l'arabe pour
> nos soupirs vers Dieu étouffés, le libyco-berbère quand nous
> imaginons retrouver la plus ancienne de nos idoles mère. La
> quatrième langue, pour toutes, jeunes ou vieilles, cloîtrées ou à

demi émancipées, demeure celle du corps que le regard des voisins, des cousins, prétend rendre sourd et aveugle, puisqu'ils ne peuvent plus tout à fait l'incarcérer ; le corps qui, dans les transes, les danses ou les vociférations, par accès d'espoir ou de désespoir, s'insurge, cherche en analphabète la destination, sur quel rivage, de son message d'amour. (Djebar, 1985, p. 254-255)

Chacune de ces langues ouvre le champ des possibles fiction-nels. Par exemple, la langue « libyque », le berbère, est associée à la mémoire de l'esclave révolté Jugurtha, dont Jean Amrouche fait l'archétype du héros nord-africain dans son essai *L'Éternel Jugurtha* (1946). Jugurtha est la figure centrale de *Vaste est la prison* (1995), dont le titre lui-même est emprunté à une chanson berbère. Jean Amrouche, poète et journaliste de langue et de nationalité françaises, est né dans une famille berbérophone de Kabylie. Formé par les Pères Blancs, envoyé à l'École normale supérieure de Saint-Cloud, il est devenu professeur de français et a publié les deux recueils fondateurs de la poésie algérienne : *Cendres* (1934), *Étoile secrète* (1937). Jean, comme sa sœur, la chanteuse Marguerite Taos Amrouche, reste toute sa vie hanté par sa langue maternelle kabyle, et par le clivage entre l'oral et l'écrit, qu'il tente de combler en perpétuant la mémoire de la culture ancestrale transmise par leur mère, en publiant dans une édition bilingue la transcription et la traduction des *Chants ber-bères de Kabylie* (1937). Le romancier Mouloud Mammeri, socio-logue, est l'un des premiers spécialistes des études berbères. Son roman *La Colline oubliée* (1952), qui évoque la confrontation des traditions ancestrales avec le monde moderne, selon un thème omniprésent dans les littératures du Maghreb et d'Afrique subsa-harienne de la « première génération » après les indépendances, porte le témoignage d'une culture en voie de disparition.

La diglossie, comme on l'a vu, correspond à une spécialisa-tion des langues, selon des fonctions liées à l'oralité et à l'écri-ture. Jean Amrouche oppose l'écriture en français à l'oralité berbère : « Je ne peux pleurer qu'en kabyle ». Son attitude à l'égard des langues repose sur les mêmes postulats que ceux de Césaire à propos du créole, même s'il déclare un amour filial pour le kabyle. Liant indissolublement la langue et la culture berbères au sentiment, à l'affect, Amrouche assimile la langue française à « l'esprit », à la « raison » et à la pensée héritée des Lumières : « La France est l'esprit de mon âme, l'Algérie est l'âme de mon esprit [...] Tout ce qui constitue la subtile mécanique de notre appareil pensant, c'est à des maîtres français que je le dois » (cité dans *Jean Amrouche, L'Éternel Jugurtha*, 1985, p. 78). La dichotomie entre l'« âme » et l'« esprit » reprend en quelque sorte l'opposition pascalienne entre le cœur et la raison. Chez Djebar, d'origine kabyle elle aussi, le thème des larmes revient de manière obsessionnelle. La petite fille verse des larmes muettes au début du « roman » autobiographique *Nulle part dans la maison de mon père* (2007), après la lecture de *Sans Famille* d'Hector Malot, comme il se doit, mais aussi après la nouvelle de la mort de la grand-mère paternelle. À la fin du récit, la course suicidaire vers le tramway, aspiration à se fondre dans le tout de la mer et du paysage algérois, fait écho à ces scènes de pleurs. On pleure beaucoup dans les chansons de Kabylie réunies par les Amrouche, et dans les poèmes de Jean, *Cendres* et *Étoile secrète*, qui inspirent *Vaste est la prison*. Amrouche et Djebar reviennent à la langue de l'origine, à une relation intime à la famille et à l'enfance. Mais chez Djebar cet âge d'or de l'enfance s'arrête brutalement, avec les larmes elles-mêmes. C'est cette tendresse, inséparable de la Kabylie, qui permet à l'enfant de participer au monde. Désormais, elle est privée de la médiation de la grand-mère qui, dans *L'Amour, la fantasia*, réchauffe ses pieds dans le lit qu'elles partagent, en les serrant dans ses mains. La narratrice enfant contemple désormais le spectacle du monde à distance, « comme en retrait ». La mort de la grand-mère est le traumatisme fondateur de l'œuvre tout entière, qui réitère les mêmes scènes (les jambes nues à bicyclette, les lettres d'amour, la course vers le tramway). La relation au monde sensible est « gelée », selon une expression qui revient fréquemment, le regard se retourne vers lui-même. Ce « regard en dedans », né de l'impossible deuil de la grand-mère paternelle, conditionne le rapport à la langue, aux langues, et donc au monde, sous le signe du « deuil de l'origine », de la langue perdue dont parle Régine Robin à propos du yiddish (Robin, 1994). Simplement, à la différence du yiddish, irrémédiablement disparu dans les Camps, le kabyle reste bien vivant malgré l'arabisation de l'Algérie.

Dépossédés de leur langue maternelle par l'école française, Mouloud Feraoun, Mohammed Dib, Kateb Yacine et la première génération des écrivains algériens dans les années 1950 continuent à utiliser le dialecte dans la vie courante, tandis qu'ils doivent se résigner à écrire en français, par défaut. L'écriture en français n'est donc nullement un choix, elle résulte de contraintes historiques, d'un arrachement dans la violence, à la langue maternelle – l'arabe bien sûr, mais aussi le berbère. À la fin du *Polygone étoilé* (1966), Kateb Yacine décrit cette « seconde rupture du cordon ombilical ». Le père, pourtant lettré arabe, mais soucieux que son fils réussisse dans la vie, décide d'envoyer son fils à l'école française :

> Jamais je n'ai cessé, même aux jours de succès près de l'institutrice, de ressentir au fond de moi cette seconde rupture du lien ombilical, cet exil intérieur qui ne rapprochait plus l'écolier de sa mère que pour les arracher, chaque fois un peu plus, au murmure du sang, aux frémissements réprobateurs d'une langue bannie, secrètement, d'un même accord, aussitôt brisé que conclu… Ainsi avais-je perdu tout à la fois ma mère et son langage, les seuls trésors inaliénables et pourtant aliénés ! (Kateb, 1997, p. 181-182)

L'enfant est désormais cruellement séparé de sa culture maternelle. Leïla Sebbar, également élevée en Algérie à l'école française, évoque cette « dépossession » (Berque, 1964) dans un récit autobiographique bouleversant. Dans *Je ne parle pas la langue de mon père* (2003), elle met à son tour en scène la rupture tragique avec le milieu familial. Fille d'un instituteur algérien marié à une Française et *fellagha*, Leïla Sebbar entretient un rapport complexe et ambivalent avec la langue française – une langue que son père, instituteur à l'école de la République, doit enseigner mais qui n'est pas plus la sienne que pour Derrida. La petite fille, élevée dans l'enceinte de l'école française, où l'arabe est interdit, « ne parle pas la langue de [s]on père ».

c – Le complexe de Caliban

Le rapport à la langue française, dans ce contexte, ne peut être que dialectique. Par un retour prévisible de l'Histoire, la langue, « arme » prise dans le « butin » de guerre, est renvoyée comme un boomerang au colonisateur : « Écrire en français, c'est presque, sur un plan beaucoup plus élevé, arracher le fusil des mains d'un parachutiste ! ça a la même valeur ! » (Kateb, 1994, p. 56). Dans cet entretien donné par Kateb en 1962 au lendemain de l'indépendance, la comparaison est évidemment bien plus qu'une simple figure de rhétorique. Puisque la langue du colonisateur, par laquelle passe le commandement militaire et l'autorité administrative, n'exerce pas seulement une domination symbolique sur les esprits, mais aussi sur les corps, elle peut en retour devenir un instrument de libération matérielle aussi bien que symbolique. Bien plus tard, après 1962, Kateb revient sur la langue dans les mêmes termes :

> La connaissance d'une langue est aussi une arme. Prenez l'exemple de la guerre d'Algérie. Si nous l'avons gagnée, c'est que nous connaissions la langue des Français, qui, eux, ignoraient la nôtre. Nous avons utilisé la langue française pour défendre notre propre cause. Tôt ou tard, une langue se retourne contre ceux qui l'utilisent comme un moyen d'oppression. (Kateb, 1994, p. 96)

Envoyé à l'école française et ainsi jeté « dans la gueule du loup », le petit enfant algérien éduqué en français et devenu écrivain, c'est-à-dire *fellagha* par la langue, « retourne » l'arme de destruction contre le colonisateur. Loin de faire obstacle à la constitution de l'identité nationale algérienne, comme le prétend un nationalisme aveugle, la langue française le favorise. On peut même dire qu'elle le suscite dans une relation dialectique que Kateb formule de manière saisissante : « J'écris en français pour dire aux Français que je ne suis pas français » (*ibid.*, p. 132).

C'est la même dialectique qui préside à tous les combats contre le colonialisme. Dès 1948, dans « Orphée noir » publié en préface à *l'Anthologie de la nouvelle poésie nègre et malgache de langue française de Senghor*, Sartre lance des imprécations prophétiques contre le colonialisme :

> Qu'est-ce que vous espériez, quand vous ôtiez le bâillon qui fermait ces bouches noires ? Qu'elles allaient entonner vos louanges ? Ces têtes que nos pères avaient courbées jusqu'à terre par la force, pensiez-vous, quand elles se relèveraient, lire l'adoration dans leurs yeux ? [...] Ce qui risque de freiner dangereusement l'effort des noirs pour rejeter notre tutelle, c'est que les annonciateurs de la négritude sont contraints de rédiger en français leur évangile. Dispersés par la traite aux quatre coins du monde, les noirs n'ont pas de langue qui leur soit commune ; pour inciter les opprimés à s'unir, ils doivent avoir recours aux mots de l'oppresseur. C'est le français qui fournit au chantre noir la plus large audience parmi les noirs, au moins dans les limites de la colonisation française. (Sartre, 1948, p. IX et XVIII)

Loin d'être « l'éternel médiateur », le poète noir est voué à une négativité qui retourne la langue contre elle-même dans un grand « autodafé du langage » :

> Et comme les mots sont des idées, quand le nègre déclare en français qu'il rejette la culture française, il prend d'une main ce qu'il repousse de l'autre, il installe en lui, comme une broyeuse, l'appareil-à-penser de l'ennemi. (*Ibid.*, p. XVIII)

Frantz Fanon, connaissant la culture antillaise de l'intérieur, contredit Sartre, pourtant préfacier des *Damnés de la terre* : « l'Antillais aime bien parler français », le poète noir antillais n'éprouve pas le besoin, selon lui, de retourner la langue française contre elle-même (Fanon, 1957, p. 23). Rêvant de se « blanchir », l'écrivain antillais de la génération de Césaire est fasciné par la langue française : « le Noir antillais sera d'autant plus blanc, c'est-à-dire se rapprochera d'autant plus du véritable homme, qu'il aura fait sienne la langue française. » (Fanon, 1952, p. 14).

C'est en français que les écrivains algériens des années 1950 dénoncent l'oppression du peuple algérien par la France. Comme Césaire dans le *Discours sur le colonialisme* (1955), ils écrivent à destination du public français, des romans publiés à Paris, chez des éditeurs français (les Éditions du Seuil, en particulier, qui jouent un rôle important dans les luttes pour la décolonisation et, plus tard, pour la diffusion des littératures du Maghreb et d'Afrique). Le poète marocain Abdellatif Laâbi parle quant à lui de « mauvais sort » et il évoque le « plaisir ludique et sensuel » à dominer ainsi le Minotaure :

> Certes, le français m'a été imposé au départ. On me l'a jeté comme un mauvais sort, et cette contrainte m'a voué à une longue traversée du désert, à de durs déchirements. J'ai donc entrepris sur cette langue un véritable travail d'exorciste et j'ai fini par réexpédier le mauvais sort à son envoyeur. (Laâbi, 1985, p. 48)

L'héritage des Lumières et de la Révolution permet d'exercer une fonction critique et politique, dont la première et principale cible est d'abord la colonisation, mais aussi les archaïsmes et les hypocrisies des valeurs traditionnelles – comme dans *Le Passé simple* (1954) du romancier marocain Driss Chraïbi, qui règle ses comptes avec l'autorité patriarcale : par ses origines laïques et les valeurs progressistes qu'il véhicule, le français peut dire ce que l'arabe, langue sacrée de l'islam, est supposé ne pas pouvoir dire. Chez les auteurs maghrébins, surtout chez ceux de la première génération, la « liberté » du français à l'égard de tous les interdits politiques, sociaux, moraux et religieux est un thème répandu, pour ne pas dire obligé. Selon Laâbi, le français permet en effet de « décarcasser la langue de sa gangue théologique, faire sauter le verrou des tabous, créer et créer sans cesse pour dire le monde que nous vivons » (*op. cit.*, p. 64). Le mythe classique de la « clarté » et de l'« universalité » de la langue française, langue de la raison selon le *Discours sur l'universalité de la langue française* de Rivarol, continue ainsi à nourrir une représentation idéalisée de la langue française.

Bien avant les empires du XIXe siècle, Shakespeare a déjà montré le retournement dialectique de la langue dans *La Tempête* (1611), une pièce souvent lue comme une allégorie de la colonisation (Ashcroft, 2009, p. 16). Shakespeare, qui se réfère à l'expansion européenne vers le Nouveau Monde, met en scène ce qu'on pourrait appeler le « complexe de Caliban ». Selon *Psychologie de la colonisation* (1950) d'Octave Mannoni, le colonisé désire être colonisé, thèse violemment critiquée par Césaire dans le *Discours sur le colonialisme* (1955). Mannoni évoque ainsi le « complexe de Prospero ». Prospero, duc légitime de Milan doué de pouvoirs de sorcellerie, mais trompé par son propre frère qui usurpe le pouvoir, doit s'exiler et s'échoue sur une île avec sa fille Miranda. Selon le paradigme bien connu de la « rencontre coloniale » (Hulme, 1986), Prospero et Miranda doivent cohabiter avec Ariel, un esprit aérien, et avec le « sauvage » Caliban, à qui il donne significativement un nom proche de « cannibale ». Caliban représente les bas instincts de l'animalité, qui le vouent à être réduit en esclavage. Guidé par un noble idéal humaniste, amateur des arts, Prospero colonise l'île et ses habitants au nom de la civilisation, pour ce qu'il croit être le Bien de l'humanité. C'est par le pouvoir de nommer, par la puissance du langage, que Prospero exerce sa domination matérielle et symbolique. Le « mauvais sort » dont parle Laâbi est d'ailleurs peut-être une allusion au magicien Prospero. C'est justement la langue apprise de Prospero qui permet à Caliban de s'émanciper. Dans une scène fameuse (I, 2), s'adressant à Prospero et à Miranda, Caliban souligne que, grâce à la langue, il peut désormais « maudire » son maître :

> You taught me language; and my profit on't
> Is, I know how to curse. The red plague rid you
> For learning me your language.

La Tempête, maintes fois réécrite en anglais et en français (Césaire, *Une Tempête*, 1971), fait de la langue l'instrument principal de la colonisation, selon une thématique également centrale dans l'histoire de Robinson Crusoé, au XVIIIe siècle. Vendredi, paradigme du colonisé, est un descendant direct de Caliban, comme le montre bien la réflexion du romancier sud-africain J.M. Coetzee à propos du langage, dans sa réécriture postcoloniale du roman de Daniel Defoe, *Foe* (1986). Mais cette même langue est aussi l'instrument de la libération, de la décolonisation.

C'est donc également en français, et au nom des valeurs de liberté, d'égalité et de fraternité portées par la langue française elle-même, que l'esclave émancipé Toussaint Louverture, éduqué par un maître « négrophile », comme on disait alors, s'adresse aux autorités françaises contre lesquelles les Noirs de Saint-Domingue se sont révoltés :

> Je suis Toussaint Louverture, mon nom s'est peut-être fait connaître jusqu'à vous. Je veux que la Liberté et que l'Égalité règnent à Saint-Domingue. Je travaille à les faire exister. Unissez-vous à nous, Frères, et combattez avec nous pour la même cause.

Et c'est encore en français que Dessalines proclame l'acte d'indépendance de l'île de Saint-Domingue, désormais appelée Haïti de son nom indien, le 1er janvier 1804 :

> Ce n'est pas assez d'avoir expulsé de votre pays les barbares qui l'ont ensanglanté depuis deux siècles ; ce n'est pas assez d'avoir mis un frein aux factions toujours renaissantes qui se jouaient tour à tour du fantôme de liberté que la France exposait à vos yeux : il faut, par un dernier acte d'autorité nationale, assurer à jamais l'empire de la liberté dans le pays qui nous a vu naître ; il faut ravir au gouvernement inhumain qui tient depuis long-temps nos esprits dans la torpeur la plus humiliante, tout espoir de nous réasservir, il faut enfin vivre indépendants ou mourir. Indépendance ou la mort… que ces mots sacrés nous rallient, et qu'ils soient le signal des combats et de notre réunion. […] Paix à nos voisins ; mais anathème au nom français, haine éternelle à la France : voilà notre cri.

Les « Jacobins noirs » (James (1938), 2008) font la révolution à Saint-Domingue au nom des valeurs universelles de la Révolu-tion française que la France elle-même a trahie. À ce « cri », « anathème au nom français » poussé par les Haïtiens, répond le « cri » de Césaire en faveur de la « négritude », en 1939.

d – « Complicité de tendresse » (Stétié) au Machrek

C'est l'Histoire et non la nature intrinsèque de la langue qui conditionne son usage par Caliban, comme le montrent bien les images attachées à l'arabe, du Maghreb au Machrek qui, lui, ne connaît pas le retournement dialectique. Quoique la question du dialecte semble moins cruciale au Proche-Orient, où l'écart est moins grand, la diglossie pèse néanmoins sur le choix d'une langue d'écriture. La plupart des écrivains égyptiens, par exemple, sont marqués par une diglossie entre le dialecte (cairote ou alexandrin) parlé et le français écrit. L'arabe littéral n'entre pas directement en ligne de compte puisque aucun écrivain francophone égyptien n'écrit en arabe, à l'exception d'articles de journaux, entretiens ou manifestes (Georges Henein, par exemple, mais dont l'œuvre est en français). Le romancier Albert Cossery, élevé en milieu arabophone, mais formé chez les Frères des Écoles chrétiennes, puis au Lycée français du Caire, ne maîtrise pas suffisamment l'arabe littéral pour l'écrire. C'est en français qu'il campe le décor de quartiers populaires où ses personnages ne sont pourtant aucunement censés parler français. Telle est la situation de la plupart des écrivains francophones égyptiens. C'est donc plutôt parmi les écrivains égyptiens de langue arabe qu'il faut rechercher d'authentiques bilingues, comme Taha Hussein, le père fondateur de la littérature arabe contemporaine, qui étudie à la Sorbonne, épouse une française et fréquente les milieux littéraires parisiens (c'est Gide qui le fait traduire et connaître en France, grâce au *Livre des jours*). On peut encore citer Tewfik El-Hakim, dramaturge et romancier, connu en France pour *Un Substitut de campagne en Égypte* (1940), véritable récit ethnographique, dont la traduction a justement été éditée chez Plon dans la collection « Terre humaine » en 1993.

Le rapport aux langues dans les pays francophones du Machrek (Liban, Syrie, où la francophonie renaît timidement, Égypte) se présente de manière beaucoup moins conflictuelle qu'au Maghreb. À Beyrouth, à Alexandrie et dans une moindre mesure au Caire, c'est dans la polyphonie des langues : arabe, turc, grec, arménien, hébreu, anglais, italien, qu'une littérature de langue française a pu s'épanouir, à partir du XIXe siècle.

En Égypte, comme l'observe Andrée Chedid, le français a joué le rôle d'une langue alternative à l'égard de l'anglais, langue du Protectorat britannique instauré en 1882, une année après l'occupation de la Tunisie par la France. Bien que la culture française nourrisse leur engagement politique, les écrivains du Machrek n'éprouvent pas le besoin de se retourner contre elle. La langue française au Proche-Orient, qui n'a jamais été la rivale de l'arabe, est plutôt considérée comme une « seconde mère » d'adoption, conciliable avec la langue maternelle. Des affinités profondes avec la culture française témoignent les grandes figures de la littérature libanaise depuis le XIXe siècle, au premier rang desquelles le poète et dramaturge Georges Schehadé, né dans l'Alexandrie cosmopolite de Cavafy et de Durrell, installé à Beyrouth, puis à Paris. L'Orient imaginaire et mythique de son théâtre et de sa poésie, loin du panarabisme et des idéologies nationalistes, ouvre sur un universel rêvé en français.

ENCADRÉ N° 10

La diffusion de la langue française, qui remonte aux Capitulations établies au Liban au XVIe siècle avec les Ottomans, relayée au XIXe siècle par le développement d'un enseignement français confessionnel, puis laïc, est largement le fruit d'un consensus qui n'exclut en aucune façon la langue arabe et sa littérature. La présence française, pourtant très ancienne, n'y est donc pas directement assimilable à une colonisation *stricto sensu*, même si la langue française a pénétré en Orient à la faveur des Croisades. Hormis l'expédition d'Égypte, décidée par le Directoire et conduite par Bonaparte (1798-1801), et le Mandat sur la Syrie et le Liban confié à la France par la SDN après la Première Guerre mondiale (1923-1944), la France, à la différence par exemple de la Grande-Bretagne en Égypte, en Irak ou en Palestine, n'a jamais été durablement une puissance coloniale au Proche-Orient, ce qui a permis au français de jouer le rôle d'une langue alternative. Au moment de l'affrontement entre les « blocs » américain et soviétique, la France a même souvent été perçue comme un pays « non aligné ».

Au Machrek, écrire en français plutôt qu'en arabe résulte d'un libre choix, à moins de considérer qu'une maîtrise insuffisante de l'arabe résulte de l'histoire elle-même (politique étrangère de la France, enseignement, prestige symbolique du français, influence des Ottomans francophiles, etc.). Salah Stétié, à propos de cette décision librement consentie d'« épouser la langue de *l'Autre* », précisément parce qu'elle est autre, évoque une « complicité de tendresse » (*Archer aveugle*, 1985), qu'il faut opposer à la violence sacrificielle qui hante les francophonies du Maghreb et de l'Algérie, en particulier. Si l'imaginaire œdipien y structure toujours la représentation des langues, c'est sous le signe non plus du viol mais bien de l'union amoureuse librement consentie. Alors que Memmi relate dans *Agar* (1955) l'échec d'un mariage mixte, Stétié file la métaphore de l'amante française devenue épouse légitime. Le choix du français est dicté non pas par le poids de l'Histoire coloniale, mais par la passion amoureuse, par « l'Amour de la langue », auquel il consacre un chapitre d'*Archer aveugle* (1985), un essai placé sous le double signe de Cupidon et du bouddhisme zen. Adopter la langue de l'Autre ne signifie en effet en aucune façon renoncer à son identité arabo-musulmane (au sens large, puisque nombre d'écrivains du Machrek sont chrétiens), mais plutôt s'enrichir du dialogue entre les cultures en devenant un « porteur de feu », selon la belle formule de Stétié, qui s'applique d'ailleurs à son œuvre propre de poète, essayiste et traducteur, « passeur » entre l'Orient et l'Occident (Stétié, 1972). Même lorsqu'ils émigrent ou sont contraints à l'exil, ces écrivains libanais ou égyptiens restent pour la plupart profondément attachés à leur identité nationale, tout en s'ouvrant sur le monde en français. Salah Stétié a d'ailleurs été ambassadeur du Liban à l'UNESCO et à La Haye. Albert Cossery, installé à Paris au lendemain de la guerre, défend son « égyptianité ». Andrée Chedid, bien que naturalisée française, reste très proche de la culture de l'Égypte et du Liban.

Comme ceux du Maghreb (on pense à Driss Chraïbi ou à Aziz Chouaki), les écrivains francophones du Machrek ne manquent pas de recueillir les échos de l'arabe dialectal, qui résonne dans les romans du Libanais Farjallah Haïk ou de l'Égyptien Albert Cossery, dont l'humour ravageur, la truculence et le réalisme cru sont proches de l'univers du grand romancier de langue arabe Naguib Mahfouz, prix Nobel 1988. Il s'agit pour eux aussi d'« écrire l'arabe en français » dans ce que Khatibi appelle quant à lui le « palimpseste » du texte bilingue (Khatibi, 1983b, p. 200). L'humanisme des romans historiques d'Amin Maalouf, depuis *Léon l'Africain* (1986) jusqu'au *Périple de Baldassare* (2000), illustre bien ce croisement syncrétique des langues et des cultures sur le pourtour méditerranéen, dans les anciennes provinces de l'Empire ottoman, que résume bien l'identité plurielle et cosmopolite du Liban. À ces identités ouvertes, à ces appartenances multiples s'opposent les « identités meurtrières » dont Maalouf condamne les méfaits dans un

Proche-Orient éclaté et en proie à la guerre (Maalouf, 1998). C'est encore en français que sont dénoncées les atrocités de la guerre civile libanaise. La génération des écrivains de 1975 est porteuse de la violence du conflit israélo-arabe, comme le montre bien le roman du journaliste Selim Nassib, *Fou de Beyrouth* (1992).

CHAPITRE 3

→ QUATRIÈME CHAPITRE

Plurilinguisme et traduction

1. Passeurs de cultures
2. Autotraduction et réécriture
3. Traduction et création francophone

Dans les univers plurilingues, la traduction occupe bien entendu une place centrale. Dans l'Europe renaissante, marquée par les langues anciennes (grec, latin, hébreu) et modernes (italien, espagnol, français, anglais), mais aussi dans l'Europe romantique, la traduction fait l'objet de réflexions critiques qui conduisent aux langues et aux littératures nationales. L'expression privilégiée du bilinguisme (même inégal) est la traduction, et il est naturel que les écrivains francophones, atteints de « surconscience » (*supra*, p. 84 *sq.*), y réfléchissent de manière plus aiguë encore.

❶ Passeurs de cultures

Par leur situation plurilingue, les écrivains francophones sont bien placés pour jouer le rôle décisif de « passeurs » ou de médiateurs entre les langues et les cultures. Le français, langue internationale de traduction, donne accès aux cultures du monde, ainsi que le note l'écrivain d'origine togolaise Kossi Efoui, qui voit dans le français un « espace de traduction ». C'est en traduction, en effet, que les francophones d'Afrique subsaharienne découvrent les classiques de la littérature russe, allemande ou espagnole. Ainsi que l'observe Abdourrahme Waberi, c'est en hébreu, langue pourtant « adverse », que le palestinien Mahmoud Darwich découvre, très jeune, les tragédies grecques et les poètes Federico Garcia Lorca, Paul Éluard et Pablo Neruda : « la langue de l'occupant recèle des privilèges insoupçonnés » (Waberi, 2006, p. 106).

De l'anglais vers le français, Alain Mabanckou a traduit l'écrivain nigérian Uzodinma Iweala, auteur de *Bêtes sans patrie*

(2008), roman consacré aux enfants soldats, qui mêle l'anglais du Nigeria au *pidgin English*. Parmi de nombreux écrivains francophones et traducteurs, il faut s'arrêter sur le cas exemplaire du poète d'origine suisse, Philippe Jaccottet, qui porte à son comble l'art de la traduction littéraire, comme son maître, le poète Gustave Roud. Traducteur comme celui-ci de Hölderlin, mais aussi de Musil et de Rilke pour l'allemand, d'Ungaretti pour l'italien, de Gongora pour l'espagnol, de Mandelstam pour le russe, d'Homère pour le grec ancien, il contribue puissamment aux échanges littéraires, tandis que sa poétique elle-même, marquée par l'influence des littératures germaniques, atteste bien la place irréductible de l'écrivain romand, au carrefour de la latinité et de la germanité. Roud et Jaccottet s'inscrivent dans une lignée ancienne de poètes-traducteurs, illustrée en Belgique flamande par l'œuvre de Maurice Maeterlinck, l'auteur de la pièce *Pelléas et Mélisande* dont Debussy a tiré l'opéra, qui a traduit au début du xxᵉ siècle le mystique Ruysbroeck l'Admirable, du flamand et surtout, *Les Disciples à Saïs* de Novalis, de l'allemand. Originaire d'Europe centrale, carrefour des cultures, le poète francophone (et français) Lorand Gaspar, né en Transylvanie, alors hongroise (roumaine, aujourd'hui), apparaît comme un exemple privilégié d'un plurilinguisme fécond (hongrois, allemand, français, anglais et, plus tard, grec moderne, hébreu, arabe) qui s'exprime par la traduction. Le poète fait de la langue française son lieu d'élection, grâce aux traductions : Rilke, Janos Pilinszki du hongrois, Séféris du grec, D.H. Lawrence de l'anglais. Il faut à cette occasion rappeler le rôle historique des écrivains traducteurs du français : Stefan George, Rilke et Celan, qui ont fait connaître Baudelaire, Mallarmé et Valéry au monde germanique.

Dans le monde arabe, la poétique de la traduction n'est pas moins importante pour la création francophone. Le poète marocain Abdellatif Laâbi fait connaître la poésie de la « résistance » palestinienne au public français (Mahmoud Darwish, Samih Al-Qassim), tandis qu'il écrit son œuvre propre en français. Par ses conférences, articles et interventions en arabe, mais aussi par les traductions de son œuvre, il s'inscrit pleinement dans le champ littéraire arabe. Le poète et essayiste libanais Salah Stétié, authentiquement bilingue, évoque les figures de ces « passeurs » que sont les orientalistes français Louis Massignon et Jacques Berque, mais aussi les critiques Gabriel Bounoure et Jean Grenier, qui lui ont permis de découvrir la poésie française contemporaine (Jouve, Michaux, Char) et de devenir lui-même un poète de langue française. Il s'efforce pour sa part de perpétuer ce dialogue entre les cultures par ses essais, mais aussi par des traductions du poète irakien Badr Chaker Es-Sayyâb.

❷ Autotraduction et réécriture

La traduction est le terrain naturel de l'écrivain francophone plurilingue, qui va jusqu'à s'autotraduire, ou du moins contrôler la traduction de son œuvre dans une langue étrangère. Julien Green, qui traduit la poésie de Péguy, est en outre le traducteur en anglais de l'ensemble de son œuvre propre, romans, journaux et essais. *Le Langage et ses doubles* (1985), publié en édition bilingue, propose une méditation sur la traduction de la Bible et sur le bilinguisme.

Aussi l'écrivain plurilingue, surtout lorsque le français est également pour lui une langue d'écriture, peut-il même être tenté de devenir son propre traducteur, afin de maîtriser parfaitement le processus de la traduction. Abdellatif Laâbi pratique ainsi l'autotraduction pour combler l'écart entre les cultures française et arabo-musulmane :

> En traduisant moi-même en arabe mes œuvres ou en les faisant traduire, mais toujours en participant à leur traduction, je me suis fixé pour tâche de les rendre au public auquel elles étaient d'abord destinées et à l'aire culturelle qui est leur véritable génitrice. J'ai également voulu prouver que l'« exil linguistique » n'est pas une fatalité lorsque la motivation et la volonté de le mettre en échec existent. Je me sens mieux maintenant. La diffusion de mes écrits au Maroc et dans le reste du monde arabe m'a fait pleinement réintégrer ma « légitimité » en tant qu'écrivain arabe. je peux même dire que je suis actuellement davantage lu en arabe qu'en français alors même que mes œuvres n'ont pas encore toutes été traduites […], je suis intégré dans la problématique littéraire arabe dans la mesure où mes œuvres

CHAPITRE 4

sont jugées, critiquées ou appréciées en tant que textes arabes, indépendamment de leur version originale. (Laâbi, 1985)

ENCADRÉ N° 11

Aux limites de la francophonie, l'exemple de Saint-John Perse paraît également significatif. Né à la Guadeloupe dans une famille de *békés*, Alexis Léger ne peut pourtant guère être considéré comme un écrivain francophone au sens habituel du terme, mais il représente aujourd'hui une figure majeure dans toutes les discussions sur la créolité, étant lui-même un « Créole ». Se voulant écrivain français ouvert sur l'universel, il pose par ses origines des questions qui concernent directement la francophonie dans l'espace de la Caraïbe. Saint-John Perse a été confronté dès l'enfance à une situation plurilingue qui implique, outre le français, le créole, l'anglais et l'espagnol. Antillais à part entière, et reconnu comme tel par Édouard Glissant, Saint-John Perse conserve une part de la mémoire créole (Gallagher, 1998). Devenu le poète Saint-John Perse, Alexis Léger s'établit dans la langue française avec un souci puriste de porter cette langue au plus haut niveau du style, par l'exaltation du mot rare et savant. Mais Perse, qui a grandi à Pau dans des milieux cosmopolites anglophiles et séjourné à Oxford durant ses années d'études, éprouve également une véritable fascination pour l'anglais. *Anabase* (1924) est traduit en anglais par T.S. Eliot et en italien par Ungaretti. Rilke s'est même essayé à une traduction allemande, avant d'y renoncer. Saint-John Perse médite sur la traduction anglaise d'Eliot, qu'il reprend minutieusement. Exilé aux États-Unis, où il demeure bien au-delà du temps de la guerre, il participe à une entreprise sans précédent de traduction de son œuvre. Lorsque la Fondation Bollingen entreprend la publication d'une traduction de l'ensemble de l'œuvre, dans les années 1950, le poète s'associe-t-il étroitement à cette entreprise, en choisissant lui-même ses traducteurs (son ami le poète Archibald Macleish, notamment), avec qui il collabore étroitement (voir Levillain, 1987). Saint-John Perse, qui corrige de sa main, devient ainsi son propre traducteur. Ou plutôt, il réécrit ses poèmes en anglais, préparant en langue anglaise un livre de poésie avant même sa publication française. Cette situation paraît d'autant plus intéressante que *Vents* définit le poète comme « bilingue ». Le bilinguisme associe le « langage essentiel » de la poésie au « langage brut ». Plus littéralement, il mêle l'anglais et le français, mais aussi le créole entendu dans la petite enfance.

Les exemples d'autotraducteurs sont nombreux – du poète cubain Ruben Dario, disciple de Mallarmé, à Kundera, en passant par Beckett. L'autotraduction va nécessairement au-delà d'une simple transposition. Il s'agit bien d'une recréation, d'une réécriture conditionnée par le changement de destinataire imaginaire, puisque l'écriture varie selon qu'elle s'adresse à des compatriotes ou à des étrangers. Les versions ainsi obtenues doivent être tenues pour deux états d'un même texte, et peut-être même pour deux textes différents. Le dramaturge suédois Strindberg, qui a toujours rêvé de conquérir la scène parisienne, lieu de consécration obligé, traduit le drame *Père* en 1887. Strindberg envoie sa traduction à Zola, qui la reçoit favorablement (la lettre est reprise en guise de préface dans l'édition parue en français à Stockholm). Il poursuit donc son entreprise en composant, directement en français cette fois, des récits autobiographiques (*Le Plaidoyer d'un fou*, 1895). Par l'autotraduction Strindberg se fait connaître dans son propre pays. L'écrivain change alors totalement de « destinataire imaginaire ». Julien Green, exilé aux États-Unis, entreprend de raconter ses souvenirs en français, puis décide de passer à l'anglais, en traduisant lui-même l'ouvrage ainsi commencé. Mais il doit bien se rendre à l'évidence : « Je m'aperçus que j'écrivais un autre livre, un livre d'un ton si complètement différent du texte français que tout l'éclairage du sujet était transformé » (Green, 1985, p. 183). Samuel Beckett, lui aussi, fait l'expérience d'une recréation alors qu'il s'engage dans la traduction de son premier roman, *Murphy*, publiée chez Bordas en 1947. Il poursuit l'entreprise de manière systématique pour l'ensemble de ses œuvres (à l'exception de *Watt*, confié à Ludovic et Agnès Janvier, et de *Tous ceux qui tombent*, confié à Robert Pinget), notamment pour *En attendant Godot* (1952), destiné au public londonien. Il collabore pour *Molloy* (1951) avec le traducteur Bowles. Celui-ci remarque que, pour Beckett, « il ne faut pas seulement "traduire" ; il faut écrire un nouveau livre dans la nouvelle langue. Car la transposition du langage entraîne une transposition de la pensée, parfois même de l'action » (voir Blair, 1979, p. 395). Beckett n'est d'ailleurs pas du tout satisfait de sa traduction de *Fin de partie* (1957) qui, dit-il, « perd de la force en anglais » : « toute l'acuité a disparu, et le rythme » (Blair, p. 430). Et c'est l'autotraduction, dont la lourde tâche semble dévorer la liberté de Beckett, qui le conduit logiquement à composer ses premiers récits en français : *Mercier et Camier*,

CHAPITRE 4

Premier amour, L'Expulsé, en 1946. Le romancier tchèque Milan Kundera, installé en France depuis 1975, examine de près les traductions de *La Plaisanterie* dans les langues qu'il connaît (allemand, anglais, français, notamment). Il s'aperçoit, stupéfait, que certains traducteurs, ignorant le tchèque, traduisent d'après la version anglaise, et que d'autres n'hésitent pas à sauter des passages, à paraphraser ou à réécrire. La trahison est d'autant plus préjudiciable à l'œuvre que, censurée et interdite de publication à Prague, celle-ci n'a pas de public tchèque. Kundera écrit en quelque sorte pour ses traducteurs. Il prend donc la décision de vérifier et de corriger toutes les traductions, afin d'en proposer une édition « définitive » revue par l'auteur. La traduction française prend alors à ses yeux la même valeur que l'original tchèque. *La Plaisanterie, L'Insoutenable légèreté de l'être* ou *L'Immortalité* sont donc des réécritures ou des recréations en version française de l'œuvre originale, bien plus que de simples traductions. Kundera accomplit donc *a posteriori* un travail comparable à celui de Beckett, autotraducteur. Et, très logiquement, il en vient à écrire directement en français – d'abord des essais, puis des romans, comme *La Lenteur* (1995), *L'Identité* (1998), *L'Ignorance* (2003).

ENCADRÉ N° 12

L'œuvre poétique du poète malgache Jean-Joseph Rabearivelo va plus loin encore. L'expérience de la traduction est au cœur de la démarche poétique de Rabearivelo qui, influencé par les Parnassiens, puis par Baudelaire et les symbolistes, s'efforce de les faire connaître en malgache. Il traduit des poèmes de Baudelaire, de Rimbaud, de Laforgue, de Verlaine, de Max Elskamp, de Valéry mais aussi de Rilke, Whitman, Tagore. Inversement, il traduit des auteurs malgaches anciens ou contemporains (*Les Vieilles Chansons des pays d'Imerina,* 1939 [posthume]), qu'il défend ardemment, témoignant de son attachement à l'identité mérina, source de la culture malgache. Lorsqu'il publie ses recueils *Presque songes* (1934) et *Traduit de la nuit* (1935) à Tunis, dans les « Cahiers de Barbarie » animés par Jean Amrouche et Armand Guibert, il les accompagne du sous-titre : « poèmes transcrits du hova par l'auteur » (le hova étant la langue écrite des anciens souverains mérinas venus des hauts-plateaux). Mais si l'influence de la littérature traditionnelle est évidente, et en particulier celle des fameux *hain-tenys* autrefois révélés par Jean Paulhan, qui associent l'énigme à une forme orale, ce n'en sont pas moins des œuvres de Rabearivelo. Est-ce à dire qu'elles ont été composées d'abord en malgache, puis traduites en français ? Il semble plutôt que le poète ait composé les deux versions à peu près ensemble, selon un processus de cocréation tout à fait original, bien plus que de transposition, comme le montre l'étude génétique des manuscrits entreprise par une équipe de l'ITEM au CNRS pour la publication des œuvres complètes. Rabearivelo fait ainsi l'expérience-limite d'une double écriture véritablement bilingue, bien qu'il réaffirme l'unité en somme métaphysique de la poésie : « Je ne crois pas au bilinguisme en poésie… La poésie c'est le langage dans son unicité fatale » (cité dans *Jean-Joseph Rabearivelo cet inconnu*, 1989, p. 79).

❸ Traduction et création francophone

Comme le montre l'entreprise inédite de Rabearivelo, la traduction littéraire, dans son principe même, entretient des affinités profondes avec l'écriture dans une langue seconde. Traduire, c'est tenter de restituer l'« étrangeté » de la langue d'origine sans pour autant sortir du code de la langue-cible (le français, en l'occurrence). Ainsi, toute traduction est un compromis. Il s'agit d'éviter aussi bien l'appropriation ethnocentrique qui réduit l'altérité du texte traduit, que la transcription littérale, qui défie la structure de la langue d'arrivée.

ENCADRÉ N° 13

La traduction, en somme, « déterritorialise » (Deleuze, Guattari, 1975) la langue-cible en faisant résonner l'écho de la langue traduite, et en introduisant de l'hétérolinguisme dans un texte supposé homogène. Cet hétérolinguisme déstabilise une langue-cible soumise à la précarité et à « l'intranquillité », obligeant là encore l'écrivain-traducteur « surconscient », et son lecteur, à « penser la langue ». Ce « décentrement » de la langue française à l'œuvre dans la traduction littéraire est un processus de création à part entière. Deleuze, citant la lecture de Dante par Mandelstam, affirme que la littérature fait « bégayer » la langue. De ce « bégaiement », qui n'est pas le bilinguisme ou le « multilinguisme », ajoute-t-il, des écrivains comme Kafka ou Beckett, donnent l'écho parce qu'ils « minorent » la langue, inventant « un usage mineur de la langue

> majeure ». Autant dire, conclut Deleuze, qu'« un grand écrivain est tou-
> jours comme un étranger dans la langue où il s'exprime, même si c'est
> sa langue natale [...]. C'est un étranger dans sa propre langue : il ne
> mélange pas une autre langue à sa langue, il taille dans sa langue une
> langue étrangère et qui ne préexiste pas. Faire crier, faire bégayer, bal-
> butier, murmurer la langue elle-même ». Quel plus beau compliment
> que celui d'un critique disant des *Sept piliers de la sagesse* : « Ce n'est
> pas de l'anglais. Lawrence faisait trébucher l'anglais pour en extraire
> musique et visions d'Arabie. » (Deleuze, 1993, p. 138-139)

Deleuze n'affirme pas que Beckett fait entendre l'anglais
« sous » le français, Kafka le yiddish « sous » l'allemand, puisque
le français et l'allemand sont aussi leurs langues. La littérature
crée une langue tierce, radicalement étrangère aux langues exis-
tantes, maternelles ou secondes – une « bilangue ». C'est en effet
dans le même sens que Khatibi lit dans le roman maghrébin un
« palimpseste » bilingue dans lequel chaque langue « fait signe à
l'autre » (Khatibi, 1983b, p. 186). Antoine Berman, lui-même traducteur de profession, commente dans les mêmes termes les
œuvres d'écrivains « étrangers » comme Beckett :

> [Elles] ont été écrites en français par des « étrangers », et portent
> la marque de cette étrangeté dans leur langue et leur théma-
> tique [...]. Parfois semblables au français des Français de France,
> leur langue en est séparée par un abîme plus ou moins sensible,
> comme celui qui sépare notre français de celui de *Guerre et paix*
> et de *La Montagne magique*. Ce français étranger entretient un
> rapport étroit avec celui de la traduction. Dans un cas, on a des
> étrangers écrivant en français et donc imprimant le sceau de leur
> étrangeté à notre langue ; dans l'autre, on a des œuvres étran-
> gères réécrites en français, venant habiter notre langue et donc,
> elle aussi, la marquer de leur étrangeté. (Berman, 1984, p. 18)

La même remarque s'applique, bien entendu, aux autres
langues : l'anglais impeccable de Conrad ou de Nabokov, quoiqu'irréprochable (ou peut-être justement parce qu'irréprochable)
résonne étrangement aux oreilles d'un anglophone de langue
maternelle. La virtuosité éblouissante et un peu affectée de
Conrad, qui a appris l'anglais tardivement, la richesse de son
vocabulaire résonnent comme un défi lancé à la langue et à ses
locuteurs. Conrad paraît rivaliser avec les Anglais ou, comme

l'observe Cioran à propos de son propre changement de langue, avec les « indigènes ».

L'écriture francophone (ou anglophone) prolonge ainsi la traduction littéraire, qui est déjà en elle-même une forme de création. D'ailleurs, les littératures francophones postcoloniales sont parfois présentées comme des littératures « traduites », comme si elles acclimataient au français un contenu, un référent d'abord représenté dans et par la langue maternelle – arabe, berbère, wolof, sérère, créole... Khatibi, on l'a vu, considère les littératures maghrébines comme un grand « récit de traduction ». Du coup, il faut s'interroger sur le degré de fidélité de cette « traduction ». Malek Haddad, qui appartient à la première génération des romanciers algériens de langue française, constate ainsi qu'« il n'y a qu'une correspondance approximative entre notre pensée d'Arabes et notre vocabulaire de Français » (Haddad, 1961, p. 33). Penser en arabe (ou dans une quelconque langue non européenne) et « traduire » cette pensée en français, tel serait le mécanisme des écritures francophones du monde arabe (de l'Afrique et d'ailleurs), avec toutes les distorsions et les malentendus que crée l'écart linguistique, qui ouvre sur la béance de l'intraduisible. Cette conception paraît hautement discutable puisqu'elle revient à dénier l'impossibilité d'écrire sans médiation dans une langue seconde, c'est-à-dire de voir et de penser directement le monde dans la langue adoptée. La langue première, porteuse d'une « vision du monde » structurante, resterait la forme indépassable dans laquelle le monde est appréhendé. Il n'est évidemment pas possible d'entrer ici dans une discussion philosophique héritée de Wilhelm von Humboldt qui, en définitive, concerne le langage comme « forme symbolique » par laquelle le monde est « découpé ». Pour appuyer la thèse de Haddad, rappelons que Walter Benjamin montre dans l'essai capital « La tâche du traducteur » (Benjamin, 2000) qu'en définitive tout écrivain, quelle que soit sa langue, est le traducteur d'un monde littéralement intraduisible, celui de l'expérience. Toute traduction, et donc toute écriture, est par nature infidèle, faute d'une langue (ou d'un monde) qui en serait le référent transcendant. Il y a donc malgré tout un fondement philosophique au lieu commun de l'écriture comme traduction, qui rend justice au rôle déterminant de la langue « maternelle » dans la constitution du sujet et dans sa perception du monde. Simplement, cette perception est dynamique, et elle évolue au gré, notamment, du changement de langue, à la faveur de l'émigration et de l'exil, par exemple. Faut-il croire que Conrad continue à « voir » le monde à travers les catégories du polonais, sa langue maternelle, et Nabokov du russe ? De toute manière, chaque écrivain s'invente « une langue à soi », comme écrit Assia Djebar, citant Virginia Woolf (voir « Le mythe d'une langue à soi », Gauvin, 2000).

a – L'interlangue

De l'idée que l'écrivain francophone serait un traducteur, même lorsqu'il écrit directement en français, procède la notion d'interlangue souvent utilisée pour analyser les textes europhones (Ashcroft, Griffiths, Tiffin, 1989, p. 66-68 et Moura, 1999, p. 81). La notion a été forgée dans le cadre de la didactique pour désigner la langue intermédiaire entre la langue première et la langue-cible durant son apprentissage. Cette langue en devenir associe des formes et des structures de la langue-cible, correctes et incorrectes. L'interlangue, comme la traduction elle-même, correspond assez bien à ce que la théorie coloniale appelle le « tiers-espace » (Bhabha, 2007), culture « hybride » de transition entre la culture européenne et la culture « indigène », comme une tentative de réappropriation de la langue coloniale. L'interlangue est en somme une langue tierce. L'*Éloge de la créolité* (1989) consacre des analyses de cette interlangue qui se développe aux Antilles en la comparant à l'évolution du latin vulgaire vers les langues romanes :

> Le français dit « français-banane » qui est au français standard ce que le latin macaronique est au latin classique, constitue, à n'en pas douter, ce que l'interlangue recèle de plus stéréotypé, et par quoi, irrésistiblement, elle donne dans le comique. (Bernabé, Chamoiseau, Confiant, 1989, p. 49)

L'*Éloge de la créolité* interprète très justement le culte césai-rien de la langue française comme une réaction puriste à ces formes dégradées, abâtardies de l'interlangue :

> À Césaire, une instinctive méfiance de la bâtardise dicta souvent d'ailleurs l'usage du français le plus culte, symétrique magnifié d'un créole impossible parce qu'encore à inventer en sa facture littéraire. (*Ibid.*, p. 49)

Le thème de la bâtardise, à lui seul, appellerait de très longs développements, puisqu'il fonde la plupart des discours sur la langue d'écriture, de Khatibi à Stétié. Jean Amrouche en a donné une formulation décisive :

> Le colonisé a reçu le bienfait de la langue de la civilisation dont il n'est pas l'héritier légitime. Et par conséquent il est une sorte de bâtard. Il y a une nécessité du bâtard, car l'héritier légitime, héri-tier de plein droit, reste dans l'inconscience et ne connaît pas la valeur des héritages. Le bâtard, lui, exclu de l'héritage, est obligé de reconquérir à la force du poignet ; réintégrant par la force sa qualité d'héritier, il a été capable de connaître et d'apprécier dans toute sa plénitude la valeur de l'héritage. (Amrouche, 1960)

La critique anglophone utilise la notion d'interlangue pour qualifier le « rotten English » du roman d'Amos Tutuola, *The Palm-Wine Drinkard* (1952), un anglais « pourri » et « indigé-nisé » (Zabus, 1991) par le yoruba. Les auteurs de l'Afrique fran-cophone ont recours à des procédés comparables, qui donnent le sentiment que le récit est traduit mot à mot des langues afri-caines. Ainsi du romancier ivoirien Ahmadou Kourouma, dans *Les Soleils des indépendances* (1970), dont Moura analyse les emprunts, lexicaux et syntaxiques à la langue malinké (Moura, 1994, p. 96-102). Mais, à la formule « écrire le malinké en fran-çais », Kourouma réagit très subtilement en faisant valoir qu'il ne s'agit pas de traduire la langue, mais de restituer la pensée :

> Il s'agit de refaire le cheminement, de retrouver comment on raisonne en malinké. Dans chaque langue, il y a une façon de voir les choses et de se retrouver dans cette façon de voir. [...] Pour avoir vécu longtemps hors de mon pays, je n'arrivais plus à penser en malinké. Je ne pouvais plus retrouver en moi-même comment le Malinké pense, comment il perçoit ce qui lui arrive. Traduire le malinké en français serait très facile. Tous les Malinkés

auraient pu le faire. Mais écrire comme moi je l'ai fait, demande beaucoup de travail : il faut trouver le mot, la succession de mots, c'est-à-dire la manière de présenter les mots pour retrouver la pensée. Et cela exige de longues recherches. (Kourouma, « Traduire l'intraduisible », *in* Gauvin, 1997, p. 155-156)

Mais peut-on dissocier la « pensée » de la langue ? Peut-on croire qu'Ahmadou Kourouma pense en malinké, puis écrit en français ? Le mécanisme de reconstitution de la langue et de la pensée par l'interlangue, qui n'a rien à voir avec la traduction mimétique, est bien une réécriture par le travail de la fiction – fiction de langues. Car l'écrivain francophone (ou anglophone) doit composer avec une convention fondamentale du genre romanesque, contraire à toute vraisemblance, mais néanmoins acceptée par le lecteur, qui « suspend volontairement son incrédulité », selon la formule célèbre de Coleridge : le narrateur, les personnages, supposés s'exprimer dans leur langue natale, parlent néanmoins français (ou du moins en français). Les personnages d'Ousmane Socé sont censés parler wolof, ceux de Mouloud Mammeri, kabyle, ceux de Djebar, arabe, ceux de Chamoiseau, créole, etc. Le texte ne peut jamais produire qu'un « effet » de polyphonie ou d'hétérolinguisme, par la représentation des langues sur le mode de la fiction. Seul varie le degré de vraisemblance dans l'illusion mimétique, selon la capacité des auteurs à recréer, à l'intérieur de la langue française, la langue « autre » et de faire ainsi résonner le français comme une langue « étrangère ». L'écriture doit donc s'approcher de cette réalité étrangère qui échappe aux Français, feindre (Searle, 1982) une énonciation étrangère, tout en maintenant le code de la langue française. La diglossie est une énonciation dédoublée (ou démultipliée), « diphonique » (polyphonique) en quelque sorte. L'auteur doit trouver un compromis entre le français et les langues parlées par ses personnages, qu'il s'efforce en somme de mimer par des procédés stylistiques de substitution, dans une « tierce » langue analogique qui recourt aux procédés bien connus de l'énonciation multiple.

Pour cette ouverture polyphonique du texte, l'écrivain peut, à un stade élémentaire, se contenter de juxtaposer des voix clairement démarquées par les procédés grammaticaux et typographiques de l'énonciation. Le texte français inclut des citations d'autres langues (ou de dialectes) au discours direct, selon les procédés de l'hétérolinguisme (Moura, 1994 ; Grutmann, 1997). L'effet de polyphonie se manifeste de manière privilégiée au théâtre, où les personnages sont caractérisés par leur « parlure » et, surtout, dans les genres narratifs en prose. Les parties dialoguées, les monologues constituent le lieu privilégié de l'insertion, dans le récit en langue française, d'éléments hétérogènes empruntés à d'autres voix. Mais on les trouve également en poésie, comme dans la chanson « Marieke » de Jacques Brel, où le français et le flamand s'entrelacent amoureusement, ou dans les poèmes de Lorand Gaspar, qui citent des énoncés en arabe ou en hébreu (*Sol absolu*, 1972). Mais, à trop vouloir généraliser ce procédé, l'auteur risque de ne plus être compris. La citation ne peut donc être que ponctuelle et doit s'accompagner de sa traduction dans le paratexte, entre parenthèses ou en notes. Les romanciers antillais, par exemple, n'hésitent pas à insérer dans les dialogues des répliques en créole, qu'ils traduisent parfois :

> Si Marraine faisait la sieste et qu'un client réclamait qu'on vînt le servir, elle glapissait à la volée : « Wonm pa ni ! Sik pa ni ! Loyon pa rété ! Ponmté pa menm palé ! » (Du rhum y'a pas ! Du sucre y'a pas ! Des oignons y'en a plus ! Des pommes de terre, n'en parlons même pas !). (Confiant, 1991, p. 54-55)

L'irruption du créole, qui pose le délicat problème de sa transcription, est clairement signalée par les indices du discours direct (verbe de parole, deux-points, guillemets) et la traduction française est donnée entre parenthèses, de sorte que les voix restent bien séparées. Il arrive parfois que la langue maternelle affleure seulement à travers des chansons (chansons créoles dans *La Tragédie du Roi Christophe* de Césaire), des formules de politesse, des interjections, des insultes, ou des expressions lexicalisées (proverbes, formules rituelles, etc.).

b – Francopolyphonies

Les procédés de l'hétérolinguisme dont relève cette polyphonie énonciative sont largement répandus. Thomas Mann introduit des dialogues en français dans *La Montagne magique*, l'écrivain francophone mêle des énoncés de différentes langues, comme des dialogues en anglais, en créole, etc. De même que le poète américain Ezra Pound, qui construit ses *Cantos* sur des citations empruntées à toutes les langues, Abdelwahab Meddeb, dans *Talismano* (1979), construit le récit-poème sur une mosaïque de citations empruntées aux soufis arabes aussi bien qu'à Dante ou à des poètes occidentaux. Le texte français se pose alors comme un commentaire ou une amplification rhétorique des citations arabes, qui servent d'intertexte. La langue maternelle peut ainsi devenir la matrice de l'œuvre française, surtout lorsque la citation est placée en exergue, comme dans la section « Par-delà Éros », des *Chants d'ombre* (1945) de Senghor, fondée sur deux vers d'un poème sérère, accompagnés de leur traduction :

> Kâ na Mâyâi féla-x-am :
> Kaso faé nyapôgma dyègânum
>
> *Oui, tout ce qui est de Mâyaï me plaît*
> *La prison que je recherchais, je l'ai.* (Senghor, 1964, p. 38)

Le problème central des textes francophones réside dans leur cohérence linguistique, garante de leur intelligibilité. L'alternance codique, le glissement d'une langue à l'autre devient rapidement fastidieux pour le lecteur francophone. Afin de ménager un compromis qui laisse résonner la voix de l'autre tout en préservant le code du français, l'écrivain peut se contenter de glisser quelques syntagmes empruntés à la langue des personnages ou à sa langue natale. L'emprunt, souvent motivé par un référent inconnu de la culture française, paraît intraduisible. La perception de l'emprunt, et par là l'écart stylistique né de l'hétérolinguisme, dépend alors de la familiarité du public avec les réalités « exotiques » ainsi évoquées. La critique a du reste largement insisté, ces dernières années, sur l'importance du public pour les littératures francophones (voir par exemple Beniamino, 1999, p. 302-312 et Gauvin, 2007). Les lecteurs français des premiers romans maghrébins, africains ou antillais ont en somme tout à attendre de la description des lieux, des décors et des coutumes traditionnelles. D'où le tour didactique et descriptif d'œuvres qui ont toujours une portée référentielle. Selon que les romans québécois sont publiés à Montréal, Bruxelles, Genève ou Paris, ils ne visent pas le même public, et la fonction de l'emprunt s'en trouve profondément changée.

Typographiquement, ces emprunts se distinguent souvent par des italiques ou des guillemets qui soulignent leur « étrangeté », c'est-à-dire une énonciation hétérolingue. Cette technique est déjà utilisée dans *Karim* (1935) d'Osmane Soucé, sous-titré « roman sénégalais ». Dans les premiers romans africains, l'auteur dresse volontiers un inventaire des objets qui composent l'univers de ses personnages, multipliant les mots empruntés à d'autres langues (ici le wolof), ou traduits littéralement entre guillemets :

> Ses compagnons habituels, comme toujours, devaient servir d'« état-major ». À la maison, il endossa son plus beau boubou, s'arma, en outre, de son diali, de griots réputés bons chanteurs et beaux diseurs. C'était par un soir velouté d'un doux clair de lune. Les boubous blancs, bien parfumés, faisaient un grand bel effet […] La bataille, le « diamalé » traditionnel commença : sous les doigts agiles des guitaristes, les khalams s'étaient animés. On joua en chœur le « Tara », un air que mille générations de Sénégalais avaient entendu, mais qui n'avait pas perdu son charme. (Socé, 1935)

Les mots désignant des référents africains : vêtements, instruments de musique, objets de culte, coutumes, etc. sont mis en relief par des guillemets, comme pour en signaler la singularité au lecteur européen auquel le livre est destiné, démarquant ainsi les discours français et wolof. Lorsque les mots empruntés ne sont pas traduits, ils font souvent l'objet de gloses, de commentaires, d'explications, quelquefois entre parenthèses, ou ils sont tout simplement intégrés au corps de la phrase. Des appels de notes attirent l'attention sur la définition ou la glose donnée en note de bas de page, ou à la fin de l'ouvrage, dans un lexique. C'est au paratexte, de manière plus générale, qu'est assignée la fonction métalinguistique. Le paratexte rend le texte lisible au lecteur français. La vocation documentaire, ethnographique de la fiction, ou du poème, se trouve ainsi clairement affichée, comme dans le roman de Mouloud Mammeri, *La Colline oubliée* (1952), qui donne une description des mœurs et coutumes de la

Kabylie ancestrale. Dans le « récit haïtien » de Jacques Roumain : *Gouverneurs de la rosée* (1944), le titre renvoie poétiquement à une expression créole directement transposée (*Mèt larouzé*, qui désigne la personne responsable de l'irrigation). Le procédé présuppose une certaine distance entre le public et l'univers représenté.

L'introduction de cette voix hétérogène s'accompagne souvent d'une valeur qu'on pourrait qualifier de connotative. Par les guillemets ou l'italique, l'énonciateur se désolidarise en quelque sorte de la réalité qu'il représente pour signifier (ou feindre) une connivence avec le lecteur français, dont il adopte (ou feint d'adopter) le point de vue. Peu importe, dès lors, que l'auteur ne soit pas natif du lieu, puisqu'il s'agit de produire un effet de dépaysement par les moyens de la fiction, comme le montrent les premiers récits francophones jusqu'aux années 1950, avant l'émergence des littératures nationales. Juste avant de partir pour l'Ouest canadien, où il meurt accidentellement en 1913, le romancier français Louis Hémon envoie le manuscrit de *Maria Chapdelaine, récit du Canada français* au journal parisien *Le Temps*, qui le publie en feuilleton en janvier-février 1914. Le roman est publié avec un grand succès par Bernard Grasset, l'éditeur de Ramuz, en 1921, et il a souvent été réédité depuis lors. Entre-temps une édition légèrement expurgée a paru à Montréal, chez Lefebvre, en 1916. Paradoxalement, c'est dans cette édition montréalaise (Lefebvre, 1916) que les termes « canadiens » ont été systématiquement mis en relief par la typographie, comme pour souligner, à l'usage des lecteurs canadiens, la distance entre le français standard et les québécismes (voir l'édition critique établie au Québec : Hémon, 1994). La réception québécoise est dominée par une lecture conservatrice de ce « roman de la terre » qui associe la langue française aux valeurs familiales et religieuses de la « race » canadienne-française. La langue parlée, ainsi que le note Godbout dans un article (Godbout, 1975), « vient, comme le breton, ou le provençal, épicer les descriptions romanesques faites, *bien sûr*, en bon français », selon un point de vue exotique destiné à produire un « effet de réel » par un surcroît de couleur locale. Les mots d'emprunt ne sont destinés qu'à marquer, en somme, la dominante du français littéraire et à assurer le triomphe de la norme parisienne.

Dans le cas d'Ousmane Socé ou de Mouloud Mammeri, ce sont des auteurs qui considèrent leur propre culture, avec le recul que permet la langue française. Les guillemets sont la marque d'une double appartenance, née de la condition plurilingue des francophones. En s'exprimant en français, pour un public français ou francophone, ils se rendent littéralement étrangers à eux-mêmes, comme porte-parole des valeurs européennes auxquelles ils sont assimilés. Ainsi, d'un point de vue strictement pragmatique (et non pas idéologique, bien entendu), les premiers textes francophones ne diffèrent guère, du moins par leur fonctionnement, des romans exotiques à la manière de Pierre Loti ou de Pierre Benoît, qui introduisent le parler indigène comme un élément de couleur locale, un « effet de réel » (Barthes) destiné à séduire ou à instruire le lecteur. D'où, parfois, la valeur de « distinction », ou de « condescendance » que peut facilement prendre le procédé (voir Herschberg Pierrot, 1993, p. 101-102).

L'insertion de « fragments de langue maternelle », pour reprendre un titre du psychanalyste Jacques Hassoun, reste un procédé artificiel. Ainsi que l'observe Denise Brahimi (Brahimi, 1991), qui compare deux romans antillais : *Chronique des sept misères* (1986) de Patrick Chamoiseau et *Pluie et vent sur Télumée Miracle* (1972) de Simone Schwarz-Bart, il ne suffit pas de mêler le créole au français pour inventer une langue nouvelle. Lorsqu'il fait parler les « djobeurs » (portefaix) de Fort-de-France sur le mode de la citation au discours direct, loin de parvenir à un métissage, Chamoiseau accuse au contraire le contraste entre le parler populaire créole et le français littéraire dans lequel la narration est présentée. Point de polyphonie, ici, mais en somme un parallélisme des voix qui révèle la double appartenance de l'auteur, à la fois intellectuel parisien et familier du peuple antillais.

Pour que la fiction d'une langue synthétique paraisse vraisemblable au lecteur, il faut que les voix se fondent. L'auteur doit inventer un style qui soit aussi une vision du monde, là où Chamoiseau (du moins dans *Chronique des sept misères*, puisque les romans suivants poussent plus loin la « créolisation » du français) semble juxtaposer deux points de vue irréconciliables sur le monde. La « créolité » du texte francophone ne peut naître de la simple association d'énoncés hétérolingues, si authentiques soient-ils (les « djobeurs » parlent vraiment créole). Il y faut encore la création, par l'imagination verbale et la fiction, d'une hybridité qui relève du style et non plus seulement de la langue. Ainsi, *Pluie et vent sur Télumée Miracle* donne peut-être plus intensément un écho profond du créole, parce que le récit émane entièrement (et pas seulement d'un point de vue narratologique) de la narratrice Télumée, qui entretient un rapport immédiat et physique avec les mythes et légendes de l'imaginaire antillais. Nourri de cette vision du monde, le style de Simone Schwarz-Bart retrouve l'intrication des langues française et créole qui traversent la Caraïbe.

De la même manière, quoique dans un contexte non colonial, les romans de Ramuz sont infiniment plus proches du parler paysan que les romans rustiques ou régionalistes français (Pesquidoux, Genevoix, Pourrat), qui mettent en scène de manière supposée réaliste la langue du « terroir ». Ramuz, justement, ne fait pas appel au patois, ni même aux régionalismes. Au prix d'un fâcheux malentendu, la critique française a longtemps considéré Ramuz comme un écrivain régionaliste, alors même que son propos est explicitement universel et son écriture d'une modernité ignorée du roman paysan. Ramuz tente de reconstituer par l'imagination une parole paysanne qui, précisément, est faite de silence, et de restituer par la seule force du style le mystère sacré des forces cosmiques. Sa démarche n'est nullement celle d'un ethnographe qui recueillerait fables, légendes, dits d'une parole immémoriale (même s'il s'en inspire). Ramuz est un créateur, il invente, comme dit Claudel, un « grand style paysan » qui transcende l'anecdote. Les données historiques, géographiques et linguistiques servent à recréer une vision du monde immédiate, affranchie de l'intellect, sur le mode de la participation affective. Cette vision est portée par les paysans, au contact des forces de la nature. Ramuz est bien plus proche de Giono et de Faulkner que de Pourrat, en ce sens. Une démarche fondée sur l'imagination créatrice paraît la seule garantie de l'« authenticité », notion de toute manière suspecte. La « langue-geste » de *La Grande Peur dans la mon-tagne* (1926) ou de *Derborence* (1934), que Ramuz oppose à la « langue-signe » du discours de la civilisation et de la tradition littéraire du « bien écrire », suffit à elle seule à faire entendre tous les patois, tous les dialectes de Suisse et du monde entier. C'est également par le style que, à la même époque, Céline parvient à restituer l'oralité du langage populaire des faubourgs parisiens, et non par l'enregistrement de données objectives (voir Meizoz, 1997).

On retient ici l'exemple classique de *Batouala* (Prix Goncourt 1921), de René Maran. Fonctionnaire guyanais envoyé en Afrique équatoriale, René Maran entend s'écarter des stéréotypes racistes du roman colonial en adoptant, pour la première fois, le point de vue des Noirs eux-mêmes. D'où l'indication générique en guise de sous-titre qui sonne comme une critique de l'exotisme : « véritable roman nègre ». Dans sa préface, qui dénonce le désastre de la colonisation avant le *Voyage au Congo* de Gide (1927), Maran défend le projet d'un roman objectif fait, dit-il, d'« observation impersonnelle » et débarrassé des jugements de valeurs ethnocentriques. Pour ce faire, le récit est focalisé sur Batouala, chef d'une ethnie de l'Oubangui-Chari, dont le point de vue se mêle à celui du narrateur omniscient et à celui de quelques autres personnages. Enfui de sa tribu, accusé d'avoir laissé mourir son père, Batouala est finalement tué par un des siens. Dans la mesure où le récit passe essentiellement par la conscience de Batouala, la narration fait largement appel, outre au discours direct, au discours indirect libre, qui subjectivise constamment les événements dans d'incessants glissements du passé simple narratif à l'imparfait de l'indirect libre, qui introduit le lecteur dans la conscience du personnage :

> Batouala s'accouda sur sa natte. Il n'y avait plus moyen de continuer à dormir. Tout se liguait contre son repos. Le brouillard s'insinuait peu à peu dans sa case. Il avait faim. Le jour croissait. (Maran, 1979, p. 23)

René Maran fait ainsi alterner de longs passages au discours direct, où il tente de restituer un certain effet d'oralité, et des énoncés à l'indirect libre, et plus rarement des énoncés narratifs

CHAPITRE 4

purs. Certes, cette polyphonie n'est jamais qu'une fiction, et les langues africaines que sont censés parler les personnages y sont imitées sur le mode du « comme si ». En outre, on reste encore très loin du « magma » verbal des monologues intérieurs des romans contemporains. Mais Maran sonde le plus loin possible la conscience de ses personnages, avant Kateb Yacine, grâce à la fiction d'une histoire racontée du point de vue d'un Africain, comme le fait un peu plus tôt Victor Segalen pour les Polynésiens avec *Les Immémoriaux* (1907), focalisé sur l'aède Térii, et qui s'efforce de restituer la langue polynésienne en français. À la différence de la plupart des romans africains qui suivront, les mots « indigènes » ne sont qu'exceptionnellement signalés par des guillemets ou des italiques, comme pour mieux plonger le lecteur dans la réalité africaine. Pas plus que Ramuz, René Maran n'est un ethnographe qui recueille la parole de l'Afrique traditionnelle, comme le fait plus tard Hampâté Bâ au Mali. *Batouala* forge, en français, une image analogique du discours africain, et par là invente un style « africain ».

D'abord influencé par le roman réaliste et naturaliste du siècle dernier, le roman francophone des années 1920-1950, sous l'influence de Joyce, de Faulkner (*Nedjma* de Kateb Yacine, 1956) et du Nouveau roman, combine le discours indirect libre avec le monologue intérieur pour représenter le « flux de conscience ». Ramuz est de ce point de vue un moderniste, en particulier dans le « cycle valaisan » (*La Grande Peur dans la montagne, Derborence, Jean-Luc persécuté, Farinet ou la fausse monnaie*, etc.), où il utilise l'indirect libre pour plonger dans la conscience des montagnards confrontés à la menace des forces de la nature. Ramuz restitue ainsi la pensée informulée, voire informulable, de ceux qui n'ont pas accès à la parole. Bien entendu, ces techniques des avant-gardes dans les années 1920 deviennent courantes dans le roman d'après-guerre, aussi bien au Québec (dans *Prochain épisode* (1965) d'Hubert Aquin, parmi tant d'autres exemples), qu'au Maghreb (*Les Terrasses d'Orsol* (1985) de Mohammed Dib), ou ailleurs.

En adoptant le point de vue de personnages supposés allophones grâce à l'indirect libre, l'auteur est amené en somme à adapter ou à traduire leurs propos en français, selon les conventions de la fiction. La traduction peut ainsi être considérée comme une forme de polyphonie fictive, dans la mesure où elle tente de faire entrer le signifié et, autant que faire se peut, le signifiant étranger, dans le moule de la langue française. Le caractère littéral de la traduction est censé connoter l'« étrangeté » des personnages, et fournir au lecteur une image des structures de la langue natale. Le narrateur « feint » de parler la langue de ses personnages, tout en restant intelligible au lecteur français, qui éprouve le sentiment troublant d'un français calqué littéralement sur une autre langue, tant par le vocabulaire que par la syntaxe elle-même. La même technique s'applique à la poésie, même en l'absence de fiction. La poétesse libanaise Nadia Tueni avoue tenter d'« écrire l'arabe en français », afin de laisser affleurer sa langue maternelle et, par là, de préserver son identité arabo-musulmane. Telle est l'impression qui se dégage à la lecture des dialogues du romancier libanais Farjallah Haïk (*L'Envers de Caïn*, 1955) ou de l'égyptien Albert Cossery, qui semblent littéralement traduits de l'arabe dialectal, alors même que le récit est conduit en français standard. Le lecteur francophone, même s'il ne connaît pas l'arabe, ne peut s'empêcher d'entendre « sous » le français, la résonance d'une autre langue :

> Que dis-tu ? Fils de chien ! Une lettre pour moi ? Quel est donc ce maquereau qui s'amuse à m'écrire ? Tu peux la garder ta sale lettre ou la donner à ta mère. Je n'en veux pas. Tu te moques de moi, facteur du diable ! […] – Par Allah ! Hanafi mon frère, je ne me moque pas de toi ! C'est bien une lettre à ton nom. Et une lettre recommandée encore […]. (Cossery, 1990, p. 11)

Tueni, Haïk ou Cossery possèdent suffisamment le français pour que ces arabismes puissent être tenus pour volontaires. Mais il arrive aussi que le dépaysement surgisse, comme par défaut, d'une maîtrise insuffisante du français, après un changement de langue. Strindberg, malgré les relectures d'amis français, continue à penser en suédois et à se traduire dans un français assez maladroit. La prééminence du présent dans la narration d'*Inferno* (1897) tient à ce que Strindberg utilise mal la richesse, toute française, de l'emploi des temps, ignorée du suédois, qui privilégie le présent historique. De la même manière, la *Salomé*

(1893) d'Oscar Wilde, pourtant corrigée par son ami Pierre Louÿs, est émaillée d'anglicismes dont le style naïf n'est peut-être pas entièrement concerté :

> SALOMÉ – Tes cheveux sont horribles. Ils sont couverts de boue et de poussière. On dirait une couronne d'épines qu'on a placée sur ton front. On dirait un nœud de serpents qu'on a placé sur ton front. On dirait un nœud de serpents noirs qui se tortillent autour de ton cou. Je n'aime pas tes cheveux… C'est de ta bouche que je suis amoureuse, Iokanaan. Ta bouche est comme une bande d'écarlate sur une tour d'ivoire. Les fleurs de grenade, qui fleurissent dans les jardins de Tyr et sont plus rouges que les roses, ne sont pas aussi rouges […]. (Wilde, 1992)

Selon Claudel, en poésie, « ce sont les mots de tous les jours, et ce ne sont point les mêmes ! » (« La Muse qui est la grâce » (1907), *Cinq grandes odes*). Il en est de même, pour le lecteur français, de la langue utilisée par les écrivains francophones, qui est certes le français, mais pas tout à fait le *même* français. Sans parler des variations dialectales et sociolectales d'un pays à l'autre, le français résonne comme une langue étrangère, on l'a vu avec Deleuze, Berman et Millet. Ces déplacements et ces décentrements ne mettent pas en question le code linguistique, mais ils l'infléchissent, le transforment de l'intérieur, en faisant entendre d'autres voix, qui creusent un écart. La perception de cet écart, qui est le style lui-même, intensifie la « surconscience linguistique ». Les phénomènes d'hétérolinguisme et plus généralement de polyphonie, loin de menacer l'intégrité de la langue (comme l'affirment les puristes), lui redonnent corps. À travers les écritures polyphoniques de la francophonie, les « francopolyphonies », la « langue-signe » tend vers la « langue-geste » inventée par Ramuz. Les écrivains francophones luttent ainsi contre l'automatisation des signes et la standardisation de la langue.

L'entreprise n'est certes pas sans risque. Par la conscience aiguë des variations linguistiques, par le « sentiment de la langue » (Millet, 1993) exacerbé par la condition plurilingue, par le désir de s'inscrire dans le moule de la langue française avec son propre patrimoine individuel et national, les écrivains francophones sont parfois guettés par le maniérisme qui naît d'une attention trop scrupuleuse portée au matériau verbal dans l'état de « surconscience ». La remarque s'applique à ceux qui ont changé de langue : au style français de Strindberg, de Wilde (plus encore qu'anglais), de Rilke qui, selon Philippe Jaccottet, « n'échappe pas toujours au risque évident que, sur ce *nouveau registre, moins grave, le subtil devienne ingénieux, le délicat mièvre, le léger futile* » (Rilke, 1978, p. 12). Cette préciosité, sans doute également à l'œuvre dans l'anglais de Conrad et de Nabokov, pourrait tenir au fait que, employant de manière un peu livresque une langue apprise tardivement, ces écrivains n'y sont pas dans leur élément naturel. Mais elle ne paraît guère s'appliquer aux écrivains de traditions francophones.

→ CINQUIÈME CHAPITRE

Littératures francophones et identités nationales à l'heure de la mondialisation

Les littératures francophones (comme d'ailleurs les littératures anglophones) posent de passionnants mais redoutables problèmes théoriques quant à l'idée de la différence culturelle. S'il y a quelque légitimité à continuer, envers et contre tout, à utiliser les termes fatalement réducteurs et essentialisants de « littératures francophones », c'est en raison des identités culturelles que les œuvres expriment, ou plutôt produisent. Le problème des identités, envisagé au niveau des communautés, des peuples, des nations, des États-nations, fonde tous les travaux sur les littératures francophones, postcoloniales ou non, au point de devenir un lieu commun. Mais, au-delà de la banalité, il s'agit tout de même bien de se demander ce qui rapproche, mais aussi sépare Kateb Yacine d'Hubert Aquin, Gaston Miron d'Aimé Césaire, Sony Labou Tansi d'Abdelkébir Khatibi. Est-il légitime, en effet, de distinguer les littératures « francophones » non seulement de la littérature « française », mais encore des littératures du monde ? Qu'y a-t-il de commun aux littératures de l'Algérie, de l'Afrique subsaharienne, des Antilles, du Québec, de la Belgique, de la Suisse ? Les textes dits « francophones » ont-ils une véritable spécificité par leur situation historique et culturelle, par les sujets qu'ils abordent, les réalités qu'ils représentent, la langue et les styles qu'ils mettent en œuvre ? Ces textes relèvent-ils d'imaginaires différents ?

❶ Des appartenances culturelles aux identités nationales

La question de l'identité culturelle, « ensemble des traits culturels propres à un groupe ethnique qui lui confèrent son individualité, mais aussi le sentiment d'appartenance d'un individu à ce groupe » (Beniamino, Gauvin, 2005, p. 96) est au centre des sciences sociales, et notamment de l'anthropologie (voir par exemple Lévi-Strauss, 1977, ou encore Todorov, 1982). Parmi ces traits, la langue joue un rôle déterminant, même si, dans de nombreux cas, elle s'efface derrière l'origine ethnique, la religion, la classe sociale, la famille, etc.

La notion d'identité elle-même doit être maniée avec précaution. Devenue avec l'altérité un cliché des études francophones depuis les années 1960 et de la théorie postcoloniale depuis les années 1980, elle présuppose une conception « fixiste » de la culture. La pensée de l'identité est toujours guettée par le risque de l'essentialisme, comme le montre Edward W. Saïd dans *Culture et impérialisme* (2000). Glissant et Chamoiseau, dans leur récent manifeste en faveur de la « Relation », s'opposent aux « racines » et à la « fixité identitaire » (Chamoiseau, Glissant, 2007). Paul Ricœur, dans *Soi-même comme un autre* (1990), lui préfère la notion d'ipséité, qui fait place au devenir, à la transformation. Mieux vaut donc mettre le mot au pluriel, comme y incite Amartya Sen, prix Nobel d'économie, afin de relativiser la notion. Dans *Identité et violence* (2006), il conclut que toute identité est intrinsèquement porteuse de violence et de mort.

a – Appartenances multiples : l'exemple du Liban

C'est la même thèse que défend le romancier libanais Amin Maalouf dans l'essai *Les Identités meurtrières* (1998). Émigré durant la guerre civile d'un pays en proie à la violence intercommunautaire et au fondamentalisme religieux, Maalouf parle d'expérience. On ne peut réduire un individu ou un groupe à une identité unique, chacun a des appartenances multiples et concurrentes, parfois même contradictoires, mais qui font toute la complexité et la richesse du sujet. Maalouf défend ainsi l'idée d'une identité plurielle, composite, caractéristique de l'histoire libanaise :

> Depuis que j'ai quitté le Liban en 1976 pour m'installer en France, que de fois m'a-t-on demandé, avec les meilleures intentions du

monde, si je me sentais « plutôt français » ou « plutôt libanais ».
Je réponds invariablement : « L'un et l'autre ! » Non par quelque
souci d'équilibre ou d'équité, mais parce qu'en répondant diffé-
remment, je mentirais. Ce qui fait que je suis moi-même et pas
un autre, c'est que je suis ainsi à la lisière de deux pays, de deux
ou trois langues, de plusieurs traditions culturelles. C'est précisément cela qui définit mon identité. Serais-je plus authentique si je
m'amputais d'une partie de moi-même ? […] Moitié français,
donc, et moitié libanais ? Pas du tout ! L'identité ne se comparti-
mente pas, elle ne se répartit pas, elle ne se répartit ni par moitiés, ni par tiers, ni par plages cloisonnées. Je n'ai pas plusieurs
identités, j'en ai une seule, faite de tous les éléments qui l'ont
façonnée, selon un « dosage » particulier qui n'est jamais le
même d'une personne à l'autre. (Maalouf, 1998, p. 7-8)

La conception républicaine de la nation à la française comme
« plébiscite de tous les jours » (Renan, 1992) ne permet guère de
comprendre la complexité du sentiment d'appartenance nationale au Proche-Orient, d'où vient Maalouf, fondé sur les « origines » (Maalouf, 2004). Ce sentiment repose largement sur
l'appartenance ethnique, la naissance et la filiation, mais aussi sur
la religion (la gestion des affaires relevant du droit de la famille
confiée aux autorités religieuses des différentes communautés). Il
est souvent difficile de séparer l'identité ethnique de l'identité
linguistique (arabe/kurde en Irak, turc/kurde en Turquie), et de
l'identité religieuse (sunnite/chiite, maronite/grec catholique,
etc.). L'individu se définit d'abord par son appartenance à une
communauté confessionnelle. Certes, la fierté nationale et le sentiment patriotique sont exaltés par les symboles (drapeaux,
chants patriotiques), mais dans la vie quotidienne, c'est l'appartenance confessionnelle qui détermine le mode de vie, les valeurs,
le vote, de sorte que l'identité nationale paraît, elle, plus abstraite : on est d'abord natif de tel ou tel village de la Montagne,
de tel ou tel clan, qui se trouve du côté sunnite, chiite, druze,
maronite, grec catholique. L'organisation confessionnelle de la
société, officialisée par la constitution libanaise, doit elle-même
être réinscrite dans l'histoire ancienne de l'Empire ottoman,
avant l'émergence des nationalités. Les ressortissants de l'Empire
se distinguaient alors par leur appartenance à une communauté
confessionnelle, majoritaire ou minoritaire. Le statut de « pro-

tégés » (*dhimmi*) s'appliquait aux juifs et aux chrétiens. La chute et le démembrement de l'Empire ottoman à la fin de la Première Guerre mondiale ont été suivis de la domination britannique et française, puis de la naissance des États-nations modernes sous la forme de protectorats européens : Égypte, Syrie-Liban, Irak, mais aussi Palestine avant la création d'Israël en 1947. Mais le critère confessionnel, renforcé par la référence aux origines de l'Islam et au califat, dont les Ottomans se présentaient comme les héritiers, a perduré.

Le paradoxe, c'est que la prise de conscience de la nationalité libanaise au XIXe siècle, sous le joug ottoman, s'effectue à Paris et en français et non en arabe, grâce à la presse et surtout à la littérature. Dans le drame *Antar*, représenté à l'Odéon en 1910, Chékri Ganem met en scène de manière allégorique la résistance des Arabes à l'occupation turque, en représentant le héros de l'époque anté-islamique qui a fédéré les tribus arabes. Le français remplit ainsi une fonction nationale dans la constitution de l'identité libanaise. Plus tard, dans les années 1920, la *Revue Phénicienne* autour du poète Charles Corm, ressource le nationalisme libanais aux origines antiques phéniciennes. Dans la « chanson de geste » *La Montagne inspirée* (qui rappelle évidemment *La Colline inspirée* de Barrès), en 1934, après avoir déploré l'agonie du peuple libanais, Charles Corm invite ses compatriotes à renouer avec leurs origines phéniciennes, à retrouver « l'âme » de la patrie perdue. La poésie libanaise illustrée dans les années 1920 par la *Revue Phénicienne* de Charles Corm, se construit sur la « carte postale » des Monts Liban enneigés, avec leur mythique forêt de cèdres, la vallée de la Kadisha où se sont retranchées les communautés maronites persécutées par les Turcs, les villes antiques (Byblos, Tyr et Sidon). Le « phénicisme », qui enracine le cèdre de la culture libanaise moderne dans une civilisation prestigieuse, met cependant entre parenthèses l'histoire du Liban arabe et musulman. Le Liban moderne, selon eux, appartient à une Méditerranée dont le monde chrétien serait le principal héritier. Là encore, Corm et ses proches se réfèrent à Barrès et, dans une moindre mesure, à Maurras. Mais la Tunisie de Bourguiba a également recours au mythe phénicien (repris par Fawzi Mellah dans le roman historique *Elissa, la reine vagabonde*, en 1988). L'Égypte de Nasser, elle, se réfère au mythe pharaonique. Aujourd'hui encore, la splendeur des civilisations antiques du Proche-Orient continue à hanter des écrivains à la recherche d'une origine, comme Andrée Chedid dans *Nefertiti et le rêve d'Akhenaton* (1981), ou Myriam Antaki, dans *Les Caravanes du soleil* (1991), ou plus récemment dans *Souviens-toi de Palmyre* (2003), où elle évoque la reine Zénobie de Syrie.

La réflexion d'Amin Maalouf analysée à partir de son origine libanaise peut être étendue. Elle s'applique aux écrivains non seulement francophones, mais aussi anglophones et à tous les écrivains aux appartenances multiples, qui vivent et écrivent entre deux ou plusieurs cultures. Edward Saïd, palestinien protestant, anglophone, élevé au Caire et installé au États-Unis, formule des réflexions tout à fait comparables dans le magnifique récit auto-biographique *À contre-sens* (*Out of Place*, 2000), comme on l'a vu. Après le 11 septembre, professeur américain, il est néanmoins suspect du fait de ses origines palestiniennes, surtout lorsqu'il traite du Proche-Orient. Intellectuel palestinien engagé, il est soupçonné de trahison comme universitaire américain.

b – « Communauté imaginée » (B. Anderson) et lieu imaginaire

L'ensemble des différences culturelles compose l'identité nationale, qu'il est évidemment impossible d'étudier ici de manière approfondie. Comme l'affirme très justement Michel Beniamino, « un ouvrage tout entier pourrait, et d'ailleurs devrait, être consacré à la question nationale dans les littératures franco-phones » (Beniamino, 1999, p. 260). Le problème de l'identité nationale est au cœur de tous les travaux de la théorie postcolo-niale, même si Wole Soyinka aime rappeler la formule déjà ancienne de C.L.R. James : « l'État-nation, comme idéal, appar-tient au siècle passé » (Soyinka, 1988, p. 137). Cette manière de penser la littérature en termes nationaux peut paraître datée, elle est un produit de l'histoire du xixe siècle, qui fait suite à l'idéal universaliste et intemporel d'une « République des Lettres ». Le penseur marxiste d'origine indienne Aijaz Ahmad, l'un des princi-paux critiques (dans tous les sens du terme) de la théorie postcoloniale, discute ainsi longuement les implications idéologiques de la question nationale dans son ouvrage classique *In Theory – Classes, Nations, Literatures* (1992).

ENCADRÉ N° 14

Sans toutefois entrer dans les débats complexes entre les historiens, sociologues, politologues et anthropologues, on peut insister sur le sentiment d'appartenance qui fonde la conscience nationale. Le sociologue allemand Norbert Elias montre que l'État-nation reste le cadre de référence dans lequel les individus se situent. Les liens entre l'individu et la communauté nationale se tissent à travers la langue, l'histoire et ses récits, l'art, etc. (Elias, 1990 ; voir également les analyses de Jurt, 2007, p. 9-33). Pierre Bourdieu, quant à lui, souligne le rôle décisif de l'école dans la transmission d'une « religion civique » qui institue une « culture nationale légitime » (Bourdieu, 1994, cité par Jurt, 2007, p. 10). On peut également se référer à la thèse de l'historien britannique Benedict Anderson, qui voit dans la nation une « communauté imaginaire », ou plutôt « imaginée » (*imagined community*) : « une communauté politique imaginaire, imaginée comme intrinsèquement limitée et souveraine ». Anderson précise qu'« elle est imaginaire parce que même les membres de la plus petite des nations ne connaîtront jamais la plupart de leurs concitoyens », comme du reste toute communauté puisque, « en vérité, au-delà des villages primordiaux où le face-à-face est de règle (et encore…), il n'est de communauté qu'imaginée. Les communautés ne se distinguent, non par leur fausseté ou leur authenticité, mais par le style dans lequel elles sont imaginées ». (Anderson, 2002, p. 19-20)

Le sentiment d'appartenir à une « communauté imaginée » est d'abord lié aux lieux, qui constituent l'ancrage identitaire des écrivains francophones, comme de tout sujet. Il est significatif que les grands thèmes débattus par les critiques et les théoriciens postcoloniaux : enracinement, déplacement, migration, déterritorialisation, etc. mettent en mouvement des métaphores spatiales (le mot métaphore ayant lui-même une signification spatiale). Certes, le « lieu » doit être pris dans le sens large et abstrait que lui donne, en anglais, Homi Bhabha dans l'expression « lieux de la culture » (*location of culture*), qui fait référence aux « positions du sujet » et aux « espaces interstitiels » dans lesquels « s'articulent les différences culturelles » (Bhabha, 2007, p. 30).

Mais le lieu doit d'abord être compris dans son sens géographique le plus concret. Le motif des cartes qui accompagnent les voyages des explorateurs joue d'ailleurs un rôle important dans les récits postcoloniaux. Mais « la carte n'est pas le territoire », et c'est d'un lieu vécu qu'il s'agit : un paysage, puisqu'il est perçu et représenté par un sujet. Le sentiment d'appartenance – être d'un pays, d'une région, d'une ville – suppose un ancrage imaginaire dans un paysage que l'écrivain se donne, paysage « originel » en quelque sorte. Le romancier Olivier Rolin étudie le rôle de ces paysages littéraires dans l'œuvre d'Hemingway, de Nabokov, de Michaux ou de Borgès (Rolin, 1999). Certes, ces paysages sont d'abord les lieux « natals », « lieux de mémoire » qui marquent de manière indélébile les premiers âges de la vie, comme en témoignent les innombrables récits autobiographiques francophones qui commencent par camper le décor de l'entrée dans la vie et dans la littérature. Mais ce sont aussi des paysages que l'écrivain se choisit, ou parfois même s'invente, qui n'ont plus rien à voir avec l'origine, avec laquelle il faut rompre. Conrad, Nabokov, Beckett, Cendrars, Michaux, Cioran font ainsi « le deuil de l'origine » (Robin, 2003). Nombre de romanciers du Maghreb, par exemple, se sont affranchis de leur « lieu d'écriture » d'origine pour évoquer des pays nordiques, comme Mohammed Dib dans sa trilogie nordique : *Neiges de marbre* (1990), *Le Désert sans détour* (1992), *L'Infante maure* (1994), Abdelkébir Khatibi dans *Un été à Stockholm* (1990), ou encore Driss Chraïbi, dans la série « policière » consacrée à l'inspecteur Ali, déclinée parodiquement à la manière des romans populaires (*L'Inspecteur à Trinity College* (1995) se passe à Cambridge, par exemple). Inversement Franck Venaille, né à Paris dans le 14e arrondissement, se forge par l'imagination poétique une identité flamande dans le grand poème *La Descente de l'Escaut* (1995). Devient-il un poète « belge » du seul fait qu'il évoque des lieux décrits par Hugo Claus, Verhaeren ou Maeterlinck, qu'il cite abondamment ? Et le surréaliste Paul Nougé, qui fait peu d'allusions aux paysages réels de Belgique, en est-il pour autant moins « belge » ? La même remarque pourrait être faite non seulement à propos de Michaux, de Cendrars, mais aussi de Schehadé, de Jabès, et de bien d'autres qui inscrivent leur paysage dans l'universel, hors de tout lieu identifiable.

La référence au paysage biographique n'est pas un critère suffisant (voire pas un critère du tout) de définition de l'identité nationale. Même s'il reste sans doute hanté par les paysages de son enfance, l'écrivain s'invente son lieu propre, sa « chambre à soi » en même temps que sa langue.

• Description et exotisme

Quelle que soit la nature de ce lieu, il en appelle la description systématique, mobilisant les savoirs : géologie, botanique, zoologie, mais aussi urbanisme, architecture, technologie, économie, etc. Dans leur phase de constitution en littératures « nationales », les littératures francophones prennent une forme descriptive et didactique, comme s'il s'agissait de dresser un état des lieux, de cartographier le territoire, d'inventorier le réel, dans une perspective encyclopédique. Les littératures francophones émergentes, qui suivent des chronologies variables d'une aire à l'autre, ont ainsi une dimension topographique. Dans *Topographie idéale pour une agression caractérisée* (1975), le romancier algérien Rachid Boudjedra relate la rencontre d'un immigré avec l'espace labyrinthique du métro parisien. Régine Robin, émigrée à Montréal, parcourt systématiquement le réseau du métro, plan en main, à Paris, Londres, Montréal, New York ou Tokyo, et décrit les paysages urbains qu'elle traverse (*Mégapolis*, 2008). La topographie est néanmoins toujours menacée par les clichés de l'exotisme, qui représente le territoire à travers le regard de l'autre, le voyageur ou le colon venu de France (ou de la métropole) (voir Moura, 1992, 2003). Qu'attend donc le lecteur métropolitain de la Martinique, sinon justement les mornes, la mangrove, les palétuviers, les orchidées, qui font l'imaginaire poétique de Césaire aussi bien que de Breton ? Les littératures francophones ne risquent-elles pas de s'apparenter aux « Feuilles de route » (Cendrars) des écrivains-voyageurs ? L'un des thèmes majeurs des poétiques francophones est donc la critique de l'exotisme. Khatibi et Glissant se réfèrent volontiers au poète français Victor Segalen. Marin breton au long cours, tout comme Pierre Loti qu'il déteste, Segalen a suivi les traces de Gauguin jusqu'en Polynésie. Dans son premier roman, *Les Immémoriaux*

(1907), il relate l'arrivée des marins britanniques du point de vue des Maoris, par la voix de l'aède Térii. Segalen a appris la langue et s'efforce d'en restituer les échos par un remarquable travail de « maorisation » du français. Segalen est surtout connu pour son intérêt pour la Chine, où il séjourne longuement comme archéologue, et d'où il rapporte les poèmes de *Stèles* (1912) et les romans du cycle chinois, comme *René Leys* (1922). Segalen est un adversaire déclaré de Pierre Loti, l'auteur d'*Aziyadé* (1879) alors très à la mode. Dans des notes publiées après sa mort mystérieuse dans la forêt bretonne, Segalen laisse un *Traité du Divers*, qui refuse l'exotisme comme assimilation du Divers par la vision occidentale, pour exalter la différence culturelle. Le véritable « Exote » est celui qui sait préserver le Divers dans son altérité même. Cette notion du Divers est au cœur de la poétique de Glissant.

c – Le retour des identités nationales

La part de l'imaginaire dans la conscience nationale permet de mieux comprendre le rôle essentiel que joue la culture, et en particulier la littérature. Frantz Fanon consacre deux chapitres célèbres des *Damnés de la terre* (1961) à la question nationale dans les luttes contre le colonialisme, en rapportant la politique à la culture. Dans « Mésaventures de la conscience nationale », à la veille de l'indépendance de l'Algérie, il montre avec une intuition prophétique comment la bourgeoisie qui supplante l'ancien colonisateur confisque le pouvoir et les richesses à son profit. Au chapitre suivant, « Sur la culture nationale », Fanon théorise les rapports entre la conscience nationale et la littérature, dans une perspective marxiste. Fanon développe le thème trotskyste de la Révolution permanente, dans laquelle la culture est directement impliquée. La littérature et la culture participent en effet à la constitution d'une identité nationale décolonisée.

> La culture nationale est l'ensemble des efforts faits par un peuple sur le plan de la pensée pour décrire, justifier et chanter l'action à travers laquelle le peuple s'est constitué et s'est maintenu. La culture nationale dans les pays sous-développés doit donc se

situer au centre même de la lutte de libération que mènent ces pays. (Fanon, 1998, p. 281)

La littérature nationale, que Fanon appelle également littérature de combat ou littérature révolutionnaire, est la troisième (et dernière, pour Fanon, qui publie son essai-manifeste en 1961) étape d'une dialectique révolutionnaire de l'émancipation. Après une phase « assimilationniste » dans laquelle, soucieux de se faire reconnaître par « l'occupant », le colonisé puise son inspiration dans les modèles européens, puis une phase régressive de remémoration des valeurs ancestrales, la culture nationale proclame haut et fort son identité, en réaction aux valeurs occidentales (Fanon, 1998, p. 268).

Cette dialectique, qui a inspiré les mouvements révolutionnaires tiers-mondistes, continue à nourrir la pensée postcoloniale, quoique l'approche marxiste soit aujourd'hui largement critiquée. La pensée de Fanon a au moins le mérite de révéler l'actualité de la problématique nationale à l'ère de la mondialisation et de la « littérature-monde ». « Libérer la langue de son pacte avec la nation » exigent par exemple les signataires du manifeste (Rouaud, Le Bris, 2007, p. 47) : cette formule à elle seule montre que la pensée dialectique a encore de beaux jours devant elle (Le Bris, il est vrai, a dirigé *La Cause du peuple*, journal du maoïsme français après mai 1968). Les auteurs du manifeste *Pour une littérature-monde* relancent la dialectique de l'Histoire arrêtée en 1961, à la veille de l'indépendance de l'Algérie pour laquelle Fanon a combattu, mais qu'il n'a pas connue. Le contexte tiers-mondiste dans lequel s'inscrit la pensée de Fanon, mais aussi de Memmi, de Césaire, de Sartre semble aujourd'hui révolu. Pourtant la question des littératures nationales, elle, reste d'actualité dans les études postcoloniales et francophones. Malgré une « diasporisation de la littérature » (Gafaïti, 2005), la notion d'identité nationale, héritée du XIXe siècle, qu'on pourrait croire effacée par la « mondialisation », connaît même une nouvelle actualité. Dans la vie politique française, les controverses autour de la mémoire coloniale installent à nouveau la notion d'identité nationale au centre du débat. La création d'un « ministère de l'Immigration, de l'Identité nationale et du Codéveloppement », en juin 2007, et le débat ouvert à l'automne 2009 par le ministre suscitent de nombreuses polémiques. L'expression « identité nationale », associée au mot « immigration », provoque une vive réaction des historiens, des anthropologues, mais aussi des écrivains.

Dans l'appel au « Tout-monde » lancé dans une tribune de *L'Humanité* le 4 septembre 2007, Édouard Glissant et Patrick Chamoiseau défendent l'« identité relation », inspirée de la pensée rhizomatique de Deleuze, qu'ils opposent à l'« identité racine unique », pour dénoncer la création de ce qu'ils appellent un « ministère-mur ». Dans une tribune du *Monde*, le philosophe Yves Charles Zarka les invite en retour à ne pas confondre le « cosmopolitisme » et la « mondialisation économique » et, surtout, le « politique » et le « cosmopolitique ». Ce « ministère-mur » est évidemment dangereux, mais la notion de frontière ne doit pas pour autant être abandonnée car elle permet la reconnaissance mutuelle des peuples : « Un monde sans frontières serait un désert, homogène, lisse, sur lequel vivrait une humanité nomade faite d'individus identiques, sans différences. » Pour qu'il y ait une « politique de l'hospitalité » et non de « l'hostilité », encore faut-il qu'il existe des « unités juridico-politiques sur des territoires », des frontières entre les États.

❷ L'« invention » des littératures nationales en français

Le reproche est souvent adressé aux théories postcoloniales d'adopter un point de vue surplombant qui nivelle les différences, au mépris des situations socio-historiques, sous la catégorie large et incertaine du « colonial » et du « postcolonial ». Terry Eagleton, théoricien marxiste de la littérature, accuse les études postcoloniales de perdre de vue la notion de classe sociale (Eagleton, 2003). L'Algérie française a une histoire, et par conséquent une littérature bien différentes de celles de l'Inde, même si des similitudes, voire des constantes peuvent être dégagées, selon une démarche comparatiste à porter au crédit de ces mêmes théories postcoloniales.

À l'inverse, les études francophones dans la tradition universitaire française privilégient plutôt une approche historique, voire historienne. Cette approche, réticente aux perspectives théoriques et aux vastes synthèses, est beaucoup plus analytique. Les historiens de la littérature du Québec, de la Suisse, de la Belgique, de l'Afrique subsaharienne, du Maghreb s'attachent aux spécificités de chacune de leurs littératures. Mais, comme l'entreprise d'Auguste Viatte d'une *Histoire comparée des littératures francophones* (Viatte, 1980) n'a pas eu de suite, ces histoires sont restées parallèles, malgré quelques rares tentatives de croisement. La plupart des manuels, introductions ou synthèses disponibles en langue française sont en effet construits sur les partages entre les grandes aires de la francophonie (Afrique subsaharienne, Caraïbe, océan Indien, Maghreb, etc.), à l'image des enseignements et des (rares) équipes de recherche dans le domaine, spécialisés dans telle ou telle aire (à l'exception des approches comparatistes propres à l'université française). Et à l'intérieur de ces grandes aires continuent à prévaloir les préoccupations liées aux littératures nationales, à leur formation et à leur développement, au détriment des perspectives comparatistes transversales.

Les théories postcoloniales anglo-saxonnes s'intéressent de près à l'émergence des littératures nationales au moment de l'expansion de l'Empire britannique (voir par exemple les travaux d'Elleke Boehmer, 1995, 1998). Les études francophones, en revanche, ont parfois tendance à négliger l'histoire antérieure au xxᵉ siècle, au motif que la notion de francophonie ne s'impose qu'après 1960. Contre une idéologie « présentiste », une véritable archéologie des littératures dites francophones s'impose donc. Il faut faire retour au xixᵉ siècle, durant lequel triomphe l'idée d'un État-nation fondé sur des critères ethnico-linguistiques.

Après l'expansion européenne vers les Amériques et l'Asie, à partir du xviᵉ siècle, l'Afrique est devenue une nouvelle terre de colonisation. À la fin du xixᵉ siècle, c'est en Afrique que le processus impérialiste a été relancé. C'est au moment où les puissances européennes se partagent l'Afrique que naît, comme on l'a vu, l'idée géopolitique de la francophonie, qui triomphera dans les années 1960. Comme l'a très bien montré en son temps Auguste Viatte, la Suisse, la Belgique, le Canada français et la Louisiane, Haïti, le Liban comptent déjà au XIXe siècle une production assez abondante pour avoir une existence propre et constituer progressivement un champ littéraire autonome, avec quelques œuvres majeures, même si celles-ci ne peuvent guère rivaliser avec les œuvres de l'Empire britannique, à la fin du XIXe siècle et au tournant du XXe siècle (Kipling, Conrad, Forster). La Suisse, la Belgique et le Canada sont dès le XIXe siècle les laboratoires des francophonies modernes. La périodisation : 1830-1910 établie par Daniel Maggetti (Maggetti, 1995) pour une Suisse « française » à la recherche d'une identité « romande », s'applique largement à l'ensemble des littératures francophones. Il en est de même pour l'*Histoire de la littérature belge 1830-2000,* qui s'arrête à des événements marquants pour l'histoire littéraire en Belgique et privilégie l'année 1867, date de publication de *La Légende d'Uelenspiegel*, « autour de la difficile naissance d'une littérature nationale », ou l'année 1937 et la publication du manifeste du « groupe du Lundi », qui révèle les « enjeux nationaux et internationaux de la question littéraire » (Bertrand, Biron, Denis, Grutman, 2003). Ce n'est que bien plus tard en effet, vers 1930, que les colonies françaises d'Afrique du Nord, d'Afrique-Occidentale, d'Afrique-Équatoriale, des Antilles et du Pacifique posent la question de leur propre identité, en prélude aux luttes pour l'indépendance. Les francophonies du XXe siècle sont en quelque sorte les héritières postcoloniales des nationalismes européens nés après 1848. Selon des chronologies et des rythmes différents, dans la seconde moitié du XIXe siècle, ces littératures qu'on ne peut encore appeler francophones, posent les problèmes de langue et d'identité qui sont toujours au cœur de la réflexion contemporaine, comme le montre le récent manifeste en faveur d'une « littérature-monde » en français, ou les polémiques autour de la création du musée des Arts premiers du quai Branly.

CHAPITRE 5

a – Langue et nation

ENCADRÉ Nº 15

Selon une réflexion conduite par Herder à la fin du XVIIIe siècle, puis par Humboldt et les romantiques allemands, la nation se pense *dans* et *par* la langue, expression du « génie des peuples ». L'appartenance à la nation, ainsi déterminée par l'histoire, s'inscrit dans une généalogie des « races » et des « langues », pour utiliser le vocabulaire de l'époque. C'est non seulement par la langue, mais par la littérature, que se constitue la nation, conçue de manière organique. Le « génie des langues » et « l'esprit des peuples » fondent ainsi l'idée de littérature nationale dans la seconde moitié du XIXe siècle, après les révolutions de 1848. La littérature allemande, qui s'affirme avec Goethe et Schiller dans la seconde moitié du XVIIIe siècle, est elle-même inséparable du processus de la germanisation (*Verdeutschung*), qui remonte à la traduction de la Bible par Luther. La langue française, au contraire, légitime sa suprématie dans l'Europe des Lumières par son « universalité », qui tient à la « clarté » que lui donne l'ordre de la « raison », selon l'argument central développé par Rivarol, qui gagne le concours de l'Académie de Berlin avec le *Discours sur l'universalité de la langue française*, en 1783. Dans tous les cas, la prise de conscience de l'appartenance à une « communauté » qui selon Benedict Anderson fait « l'imaginaire national », est étroitement liée à un sentiment de la langue qui mêle l'intime et le collectif dans l'« imaginaire des langues ». Langue, littérature et nation constituent une « triade » essentielle pour la compréhension de l'histoire culturelle.

Le contexte des grandes langues européennes dominantes – anglais, français, espagnol, portugais, allemand dans une moindre mesure – pose des problèmes finalement plus complexes que ceux des langues « nationales » qui s'imposent dans l'Europe du XIXe siècle, avec l'essor des nationalismes dans les Empires austro-hongrois, russe et ottoman. Pour fonder une littérature nationale polonaise, tchèque, bulgare autonomes, il suffit (si l'on peut dire) d'écrire dans l'une des langues nationales, des œuvres suffisamment importantes et réussies pour être reconnues comme fondatrices – par exemple une épopée, alors justement qualifiée de nationale. Mickiewicz, avec *Pan Tadeusz* (1834), est ainsi l'un des fondateurs de la littérature polonaise.

Le thème de la langue revient tout naturellement dans le manifeste pour une « littérature-monde ». Au cœur du débat, en effet, se trouve la francophonie comme catégorie littéraire et politique, récusée pour ses relents de colonialisme, selon une argumentation qui, pour l'essentiel, date des années 1960. Certes, après Deleuze, les auteurs veulent « déterritorialiser » la langue française en l'affranchissant de l'identité nationale. Mais il n'empêche que c'est encore et toujours d'une « littérature-monde *en français* » qu'il s'agit, selon une expression qui, en un sens, pourrait apparaître comme un oxymore. Les signataires ne dénoncent-ils pas le mythe de l'universalité du français ? La « littérature-monde » ne devrait-elle pas s'affirmer résolument multilingue ? À limiter ainsi le champ littéraire au français, langue internationale mais que l'histoire rapporte inévitablement à ses origines européennes (France, Suisse, Belgique), on ne saurait éviter de poser la question nationale, comme pour l'anglais, l'espagnol, et le portugais, toutes langues d'empire.

Au xixᵉ et au début du xxᵉ siècle, Paris, capitale de la « République mondiale des Lettres » (Casanova, 1999) mais aussi d'un vaste empire colonial, exerce encore une domination sans partage sur les pays de langue française. Faire carrière dans la littérature signifie vivre à Paris, ou du moins y publier. Pour un Hugo en exil, ou un Baudelaire séjournant à Bruxelles, on ne compte plus le nombre d'écrivains européens francophones installés à Paris. Autour de Mallarmé, de Flaubert, de Zola se regroupent des écrivains et des artistes venus de l'Europe entière, ou d'ailleurs, qui adoptent le français. Comment, dès lors, être soi-même ? Étudiant le champ littéraire en Belgique au tournant du siècle, Pierre Bourdieu peut ainsi demander, non sans provocation : « Existe-t-il une littérature belge ? » (Bourdieu, 1985, p. 4). Comment écrire une littérature « mineure » en langue « majeure » (Bertrand, Gauvin, 2003) ? Comment la « périphérie » peut-elle exister par rapport au « centre » ? Comment peut-on être francophone sans être pour autant français ? Toutes ces questions mettent en évidence les apories d'une définition ethnico-linguistique de la « communauté imaginée » de la nation. Comme on l'a vu, dès 1867, le poète canadien français Octave Crémazie avait formulé

clairement les données du problème, en interrogeant le lien organique entre la nation et la langue :

> Ce qui manque au Canada, c'est d'avoir une langue à lui. Si nous
> parlions iroquois ou huron, notre littérature vivrait. Malheureuse-
> ment nous parlons et écrivons d'une assez piteuse façon, il est vrai,
> la langue de Bossuet ou de Racine. Nous avons beau dire et beau
> faire, nous ne serons toujours, au point de vue littéraire, qu'une
> simple colonie ; et quand bien même le Canada deviendrait un
> pays indépendant et ferait briller son drapeau au soleil des nations,
> nous n'en demeurerions pas moins de simples colons littéraires.
> Voyez la Belgique, qui parle la même langue que nous. Est-ce qu'il
> y a une littérature belge ? (Crémazie (1867), 2006, p. 130)

• « Existe-t-il une littérature belge » ?

Il est significatif que Crémazie retienne précisément l'exemple
de la Belgique. Peut-être avait-il connaissance des débats qui,
depuis la création du royaume de Belgique en 1830, divisent le
pays sur sa littérature. À la faveur d'une représentation de l'opéra
La Muette de Portici qui met en scène le soulèvement des
Napolitains contre les Espagnols, une insurrection populaire
chasse l'armée hollandaise en 1830. La Belgique est ainsi née
d'une révolution nationale et populaire contre les Pays-Bas, dont
elle se sépare pour devenir une monarchie constitutionnelle en
1831. Enserré entre la Hollande, la France, la Grande-Bretagne et
l'Allemagne, et divisé par les langues (le flamand, le français, l'allemand, sans parler des dialectes, comme le wallon), le nouveau
royaume a du mal à se forger une conscience nationale, même s'il
possède des habitudes et des valeurs communes. Quelques
semaines avant 1830, durant l'été, la *Revue belge* avait publié un
article de Pierre Claes formulant des « Conjectures sur l'avenir
littéraire de la Belgique ». Avant même que la Belgique n'existe
comme État-nation, son identité littéraire apparaît comme hautement problématique : « À quoi servirait-il de le déguiser ? Il n'y a
pas de littérature belge ; nous n'avons pas de littérature nationale :
patriotisme à part, il faut être franc » (Claes cité par Bertrand,
Biron, Denis, Grutman, 2003, p. 25). L'un des arguments avancé,
outre l'exiguïté du territoire et donc le petit nombre des lecteurs,

est la langue. Le pays n'a pas de langue propre et même pas de langue commune. La littérature flamande, elle, possède au moins sa langue, mais il ne saurait être question que celle-ci soit la langue du royaume, tant il est vrai que les élites flamandes elles-mêmes sont francisées au XIXe siècle, comme suffit à le montrer la fortune des écrivains flamands, souvent bilingues, mais écrivant en français – Verhaeren, Maeterlinck, Rodenbach, Elskamp, Van Lerberghe... Dans ce contexte, il faut attendre 1867 pour que Charles De Coster publie un récit mythique, à partir duquel naît véritablement une littérature « belge » de langue française. De Coster, qui s'inspire du roman historique et de l'épopée tout à la fois, relate dans un style héroï-comique d'inspiration rabelaisienne les hauts faits de Till l'Espiègle, figure populaire de la littérature allemande, et devenu le héros de la résistance flamande à l'occupation espagnole au XVIe siècle : *La Légende et les aventures héroïques, joyeuses et glorieuses d'Ulenspiegel et de Lamme Goedzak au pays de Flandres et ailleurs* (1867). Célébrant l'épopée des « pays de Flandre », comme l'indique le sous-titre, De Coster donne au tout nouveau royaume de Belgique son livre fondateur, qui inscrit l'idée nationale dans la dérision et la truculence. La revue *La Jeune Belgique*, fondée en 1881, accueille des poètes parnassiens comme Iwan Gilkin et Albert Giraud et des romanciers naturalistes comme Camille Lemonnier et Georges Eekhoud, qui lient la modernité littéraire aux luttes sociales de l'époque et aux préoccupations « nationales ». Edmond Picard popularise alors l'idée d'une « âme belge », au croisement du monde latin et du monde germanique, et réactive le mythe flamand. La poésie belge de langue française se construit une identité distincte de celle de la poésie française sur la représentation du « plat pays ». Avec ses brumes (ou au contraire le vent qui balaie la plaine enneigée), ses intérieurs bourgeois, le silence de ses béguinages, sortis tout droit de la peinture de Breughel ou des paysagistes hollandais, elle s'inscrit dans une tradition qui se veut « flamande ». C'est, paradoxalement, par cette « nordicité » flamande que s'affirme la spécificité belge. Mais la poésie, comme le roman naturaliste à la même époque, représente également les usines et les maisons de brique rouge, qui marquent un engagement social et politique aux côtés du mouvement ouvrier et du socialisme. Ainsi, dès le XIXe siècle, le paysage nordique contribue puissamment à l'identité de poètes belges flamands de langue française, comme Maeterlinck, Elskamp et surtout Verhaeren :

> La plaine, au loin, est uniforme et morne
> Et l'étendue est vide et grise
> Et novembre qui se précise
> Bat l'infini, d'une aile grise. (« Les fièvres », *Les Campagnes hallucinées*, 1893)

Mais l'existence d'une littérature « belge » continue à être discutée au XXe siècle. En 1937, un groupe d'écrivains (bruxellois, wallons et flamands) réunis autour de Franz Hellens, l'auteur de *Mélusine* (1920), déclare que l'idée d'une « littérature nationale » est une « erreur radicale ». Condamnant le repli « régionaliste » qui accompagne la quête identitaire, ces écrivains proclament résolument leur appartenance aux « lettres françaises ». Au déni de la littérature belge, Pierre Mertens, le romancier des *Bons offices* (1974) et des *Éblouissements* (prix Médicis 1987) et le sociologue Claude Javeau répondent par la « belgitude », un mot inspiré de la « négritude », dans *L'Autre Belgique*, un numéro très remarqué des *Nouvelles littéraires*, en 1976. En 1980, le poète et critique Jacques Sojcher dirige quant à lui un numéro de la revue de l'Université libre de Bruxelles intitulé, « La Belgique malgré tout », dont la couverture reproduit une planche de Tintin représentant le capitaine Haddock. Après des générations de doutes et d'interrogations sur un « pays incertain », pour reprendre un titre du Québécois Jacques Ferron qui s'appliquerait parfaitement à la Belgique, la littérature belge, certes timidement, retrouve une actualité. Pour Sojcher, il y a tout de même « une réalité belge *qui ne saurait être une identité* » (Bertrand, Biron, Denis, Grutman, 2003, p. 490). Ainsi, Pierre Bourdieu, qui s'interroge sur l'existence d'un champ littéraire autonome en Belgique (Bourdieu, 1985), ne fait que reprendre en sociologue, et de manière provocatrice, une question qu'écrivains et critiques ne cessent de poser en Belgique depuis la création du Royaume, en 1830. L'attraction dans le champ littéraire français, c'est-à-dire parisien, est si grande que les écrivains francophones de Belgique ont du mal à exister par eux-mêmes. Mais la situation de la littérature est profondément liée à celle du pays lui-même, que le conflit linguistique menace toujours d'éclatement.

Le paysage porte déjà en soi des identités culturelles qui ne sont plus seulement individuelles, mais collectives. Le lieu natal, et *a fortiori* celui qu'on s'invente, est riche de déterminations locales, régionales, et en un sens nationales. Ce n'est donc que par une volonté esthétique, mais aussi politique, que peuvent naître en français des littératures nationales autonomes, ou en voie d'« autonomisation » par rapport au « champ littéraire » français – par un *acte de style,* si l'on entend par là le libre choix de genres, de formes et de procédés qui marquent la spécificité d'une écriture nationale en français, distincte de la littérature dite « française ».

• De l'« Helvétisme » à la littérature « romande »

La réflexion sur la culture nationale de la Suisse, qui est une confédération de cantons fondée sur un pacte qui remonte à 1291, s'oriente traditionnellement dans deux directions opposées. Bien que beaucoup plus ancienne que le royaume de Belgique, et dotée d'une unité nationale forte, la Confédération reste néanmoins divisée par les débats sur la culture. À l'idée fédéraliste d'une culture nationale helvétique, certains « ultrafédéralistes » opposent l'identité irréductible de chaque canton. Selon une logique « culturaliste », d'autres voient dans la langue le fondement de toute culture, ce qui revient à opposer une Suisse « française » à une Suisse « allemande », par exemple, et donc également à récuser l'existence d'une culture nationale. La question d'une littérature « nationale » remonte à la deuxième moitié du XVIIIe siècle, au mouvement que, plus tard, l'historien Gonzague de Reynold, appellera l'« Helvétisme » (Reynold, 1912). Le patricien bernois de langue française Béat de Muralt, dans ses *Lettres sur les Anglais et les Français* (1728), distinguait déjà des traits nationaux européens susceptibles de dégager la définition d'une identité spécifiquement helvétique, par-delà la diversité des langues (allemand, français, italien, romanche). L'identité de la Confédération helvétique, toutes langues confondues, passe ainsi par l'imaginaire alpestre, depuis les poèmes descriptifs d'Albrecht von Haller, *Die Alpen* (1729), qui ont connu un succès phénoménal en Suisse comme à l'étranger. Traduits en français, ces poèmes ont largement contribué au mythe d'une Suisse protégée par ses hautes montagnes, peuplée de bergers et de paysans aux mœurs innocentes – nouvelle Arcadie, dont on retrouve les clichés au fil du XIXᵉ siècle dans une poésie soucieuse de se constituer en poésie « romande ». L'utopie de Clarens développée par Rousseau dans *La Nouvelle Héloïse* (1754) a largement contribué à diffuser ce mythe de l'idylle suisse à travers l'Europe. Le paysage de montagne est tellement constitutif de l'imaginaire national suisse, après Haller et Rousseau, que les poètes du XXᵉ siècle ont même dû s'en détacher pour échapper au cliché, comme l'observe finement Claire Jaquier (Jaquier, Francillon, Pasquali, 1991). Gustave Roud, l'un des poètes majeurs du XXᵉ siècle, compose ainsi avec humour un *Petit Traité de la marche en plaine* (1932) pour fuir les cimes de Ramuz ou la « Haute Route » de Maurice Chappaz, et s'affranchir du sublime alpestre de ses prédécesseurs :

> Il y a une mystique de l'Alpe. Le ciel me garde d'en médire ! Après tout, si tant d'humains envient le sort de l'araignée et, suspendus à leur corde, se balancent tout l'été au « vent des cimes » - peu importe. [...] De risibles textes nous laissent sceptiques sur l'efficace d'une telle transfiguration. Sur la pointe des quatre mille mètres, l'homme des glaciers sublimes, confondant la grandeur et l'ombre, s'émerveille bonnement du dédale de sommets qui l'entourent. Il s'efforce d'ordonner un chaotique vocabulaire qu'annule la seule phrase pure d'une colline. (Roud, 1978, p. 99-100)

Ces critères de l'Helvétisme qui, en principe, s'appliquent à la Confédération, ont été repris par les penseurs francophones pour caractériser la littérature de la Suisse romande, qui comprend les cantons francophones (Genève, Vaud, Neuchâtel, Jura), bilingues ou partiellement francophones (Valais, Fribourg, sans oublier Berne, la capitale de la Confédération, elle-même largement francophone). La notion de littérature *romande* s'applique ainsi à la littérature de langue française. Cette dénomination, qui s'est imposée à la critique dans les années 1960, résulte de l'héritage politique et littéraire du XIXᵉ siècle et des revendications des francophones, minoritaires dans une Confédération dominée par les germanophones. En 1849, au début d'une dissertation intitulée *Du mouvement littéraire dans la Suisse romane et de son avenir*

(Amiel, 2006) et rédigée juste après la promulgation de la constitution de la Confédération helvétique, le philosophe et diariste
Amiel, qui a suivi les cours de Hegel en Allemagne, affirme que
« la littérature est la vie nationale en tant que manifestée par la
parole écrite ». Né à Genève, Amiel se propose donc d'étudier
l'expression de la vie nationale de la Confédération, à travers la
littérature qu'il appelle « romane », qui inclut la littérature en italien et en romanche. Mais c'est surtout le français qui importe
pour cette littérature, bientôt qualifiée de « romande ».

L'identité littéraire romande ne peut se penser que par rapport à la littérature française, dont elle doit se démarquer. La
réflexion artistique et politique des artistes, écrivains et critiques
à Lausanne dans les années 1910-1930 prélude aux interrogations contemporaines sur les identités culturelles et nationales.
Une distinction essentielle – « décalage fécond », écrit Jean
Starobinski à propos de Rousseau (Starobinski, 1971, p. 393) est
ainsi établie par Ramuz entre les « Français de France » et les
« Français de langue et par la langue seulement », dans une lettre
à son éditeur parisien Bernard Grasset, en 1924 :

> Vous êtes des Français de France, nous des Français de langue et
> par la langue seulement. Nous sommes à la fois liés avec vous par
> une étroite parenté (la plus forte, à vrai dire, la plus authentique, la
> plus durable, la plus profonde des parentés), et étrangers à vous
> pour de nombreuses autres raisons. Quand je vais à Paris, j'ai
> besoin d'un passeport [...] Vous voyez, nous sommes « à cheval »,
> c'est-à-dire dans une situation bien douloureuse et incommode
> [...] Nous avons dépendu de la Bourgogne, puis de la Savoie, puis
> de Berne, quand ces pays constituaient autant d'États indépen-
> dants ; nous avons eu des ducs au temps où les ducs étaient encore
> des souverains ; – nous n'avons jamais été les sujets d'un roi, je
> veux dire, en l'espèce, des rois de France. (Ramuz, 1992, p. 32-34)

Dans une perspective inspirée de Barrès (Viatte, 1981),
Charles-Ferdinand Ramuz et son ami Charles-Albert Cingria,
l'auteur de *Florides helvètes* (1944), avec qui il fonde *La Voile
latine*, puis les *Cahiers vaudois* en 1914, donnent à la langue la
primauté sur la nationalité, qu'ils jugent trop abstraite. Contre le
caractère artificiel et parfois même arbitraire des frontières du
pays « légal », ils exaltent la langue pour définir le pays « réel » :

« Tout pays où *naturellement* l'on parle français – je veux dire non seulement l'élite, les "optimates", mais le petit peuple – fait partie de la France réelle » (Cingria, 1967, p. 100). Cingria et Ramuz perpétuent ainsi une conception organique de la nation héritée de Herder et du romantisme allemand, transmise par Amiel et relayée par Barrès et Maurras, à travers l'idée d'une « race » française. Jusqu'aux années 1930 (et parfois même au-delà), le mot « race » hérité de la pensée du XIXe siècle, est couramment utilisé. Ramuz lui-même intitule l'un de ses plus beaux romans *La Séparation des races* (1922). Il y relate l'affrontement tribal de deux villages que sépare la frontière des langues (le français et l'allemand), sur les versants opposés d'un col, dans la montagne. Inspirés par les nationalismes européens, nombre de francophones, au début du XXe siècle, rêvent d'une *Romandie* regroupant les cantons totalement ou partiellement franco-phones au sein de la Confédération, pour faire contrepoids à la domination alémanique. L'idée d'une littérature « romande » résulte de ce rêve conservateur d'une *Romandie*. Mais, à la diffé-rence du Canada français, l'existence politique de la Romandie demeure problématique (Maggetti, 1995).

L'identité romande est ainsi dirigée contre l'Helvétisme qui tente de dégager une culture et une littérature communes à la Confédération, par-delà la différence des langues. Dans une lettre fameuse à Denis de Rougemont, parue dans la revue *Esprit* (alors dirigée par le critique Albert Béguin) en 1937, Ramuz défend la thèse selon laquelle la Confédération helvétique ne serait qu'une alliance défensive et « passive » d'intérêts, sans véri-table unité nationale et, surtout, sans culture nationale propre. Edmond Gilliard, qui a été l'un des principaux artisans du projet de renouvellement de la littérature romande aux côtés de Ramuz et de Cingria, publie dans les années 1920 un pamphlet intitulé *De l'usage du mot national et, en particulier, de son sens dans l'expression « littérature nationale »*. S'élevant contre l'idée (et le projet) « helvétiste » d'une « littérature nationale » suisse par-delà les distinctions de langues, il conclut à l'absurdité du concept, étant donné que la Suisse est partagée entre trois langues (pour ne pas parler du romanche), et que le « suisse » n'existe pas comme langue :

> Ce qu'on appelle littérature nationale, en France, c'est la littérature française, l'ensemble des productions littéraires de la nation qui parle le français. Il n'y a qu'à remplacer français par italien, anglais, allemand, portugais, arabe ou chinois, la convenance des termes subsiste, et l'évidence des rapports. Essayez avec le mot *suisse* : la littérature nationale, en Suisse, c'est la littérature « suisse », l'ensemble des productions littéraires de la nation qui parle le… ? Assurément cela ne va plus […] Si nous parlons de littérature nationale, c'est que nous n'osons parler, nous ne pouvons parler de littérature suisse. (Gilliard, 1965, p. 36-37)

Gilliard, après d'autres, pose les mêmes questions que Pierre Claes pour la Belgique, à plus d'un siècle de distance. Ramuz, de son côté, oppose à la littérature « nationale » un projet plus modeste, du moins en apparence, dans le manifeste *Raison d'être,* publié dans la première livraison des *Cahiers vaudois* en 1914 :

> Laissons de côté toute prétention à une « littérature nationale » : c'est à la fois trop et pas assez prétendre. Trop, parce qu'il n'y a de littérature, dite nationale, que quand il y a une langue nationale et que nous n'avons pas de langue à nous ; pas assez, parce qu'il semble que, ce par quoi nous prétendons alors nous distinguer, ce sont nos simples différences extérieures.

Ramuz cherche à se réenraciner dans le particulier pour mieux retrouver l'universel, à renouer avec le pays d'origine pour s'affranchir des modèles parisiens et être soi-même. Mais à une différenciation fondée sur la politique, la religion ou la morale et, pour tout dire, étrangère à la littérature en tant que telle, Ramuz oppose un « grand style paysan », comme Claudel l'a bien noté. Ce style est national – au sens romand – dans le sens où il est adéquat au « pays » (et non pas, bien entendu, à l'entité politico-administrative qui fait la Confédération) :

> Mais qu'il existe, une fois, grâce à nous, un livre, un chapitre, une simple phrase, qui n'aient pu être écrits qu'ici, parce que copiés dans leur inflexion sur telle courbe de colline ou scandés dans leur rythme par le retour du lac sur les galets d'un beau rivage, quelque part, si on veut, entre Cully et Saint-Saphorin, – que ce peu de chose voie le jour, et nous nous sentirons absous. (Ramuz, 1941, p. 61)

CHAPITRE 5

Le maître-mot du style national, est celui d'authenticité, un mot que la théorie postcoloniale place au cœur de ses réflexions sur les identités : *authenticity* s'oppose à *false conscience* dans les relations au modèle occidental (Miller, 1998). La vertu de l'austère République de Genève, depuis Béat de Muralt et Rousseau, s'oppose à l'artifice mensonger de la rhétorique parisienne, née de l'urbanité et de la cour. Ramuz insiste d'ailleurs sur le fait que, non seulement la Suisse n'a jamais été française, mais qu'elle ignore la monarchie. Il perpétue ainsi l'idéal moral de vérité et de simplicité ainsi que l'anti-intellectualisme caractéristique d'une certaine tradition littéraire suisse. Ramuz invite ainsi ses compatriotes romands à surmonter leur complexe linguistique à l'égard de Paris pour faire de leur incapacité à la rhétorique une vertu esthétique, sinon morale. Lors de la polémique que déclenche son œuvre en France (« Pour ou contre Ramuz »), Ramuz revendique donc le « droit à mal écrire », « par souci d'être plus vrai ou, si on veut, être aussi authentique que possible », par « fidélité » (Meizoz, 1997). Cette contre-rhétorique, en somme, passe par la distinction entre la « langue-geste » et la « langue-signe ». La « langue-geste » rejoint par son style concret, intuitif, les accents, les inflexions de la langue parlée spontanément par les paysans, vignerons vaudois ou montagnards valaisans, alors que la « langue-signe » provient du discours abstrait, standardisé, des citadins et des intellectuels coupés de la vie : « J'ai essayé de me servir d'une langue-geste qui continuât à être celle dont on se servait autour de moi, non de la langue-signe qui était dans les livres » (Ramuz, 1992, p. 53). Cette langue-geste est un style fondé sur des images et non pas une langue au sens strict. Elle ne doit certainement pas être confondue avec le style folkloriste des régionalistes. Il s'agit de la recréation, de l'invention d'un « grand style paysan », d'une fiction littéraire qui transcende l'anecdote, le particulier, le « petit fait vrai ». Jamais, d'ailleurs, les paysans vaudois n'ont parlé comme les personnages des romans de Ramuz, qui ne comportent pratiquement pas de régionalismes ou de mots de dialecte. Pas plus que Céline n'enregistre le parler populaire, Ramuz ne retranscrit le parler paysan. Marqué par le caractère irréfléchi, sensitif et sensuel d'une relation toute physique au monde, scandé par d'incessantes répétitions, retouches correctives, approximations, périphrases faussement maladroites qui tentent de cerner le mystère des origines de la sensation, Ramuz est résolument du côté des avant-gardes littéraires. Les contemporains de Ramuz, tant suisses que français, ne se sont guère trompés sur la modernité de la démarche, qui l'ont accusé de tuer la littérature par le fait de « mal écrire ». On comprend alors mieux pourquoi il a été salué, non pas tant par Pourrat que par Claudel, Cocteau, Paulhan, Céline, Giono, comme l'un des leurs – c'est-à-dire comme un inventeur, et nullement comme un conservateur. Dans le roman, dont il fait éclater les structures narratives en brouillant la chronologie et les voix, Ramuz est assurément proche de Cendrars, de Céline, de Larbaud et de Queneau, bien plus que d'Henri Pourrat ou de Maurice Genevoix.

De nombreux écrivains francophones, au Québec et ailleurs, ont pu ainsi se reconnaître dans le style de Ramuz, qui vise à réconcilier le particulier et l'universel. Gaston Miron, dans les proses théoriques qui accompagnent le recueil poétique *L'Homme rapaillé* (qui indique lui aussi clairement par son titre ce désir d'unité) dans la première édition de 1970, sous le titre « Recours didactique », assume l'héritage ramuzien. Il écrit à propos du cycle « La vie agonique » :

> Je m'efforçais, écrit-il de me tenir à égale distance du régionalisme et de l'universalisme abstrait [...]. J'essayais de rejoindre le concret, le quotidien, un langage repossédé et en même temps l'universel. Je reliais la notion d'universel à celle d'identité.

Il n'est pas fortuit que Ramuz ait été finalement mieux compris au Québec qu'en France.

Mais l'idée même de littérature romande, abstraction faite de sa signification politique, pose également des problèmes à l'histoire littéraire. Certes, aujourd'hui, l'expression « littérature romande » a perdu ses connotations conservatrices et désigne plus largement la littérature écrite en français. Mais elle suggère tout de même encore un territoire et une « origine ». Que faire, par exemple, de l'auteur du recueil poétique *Un grain de blé dans l'eau profonde* (1982), Georges Haldas, d'origine grecque et installé à Genève, ou d'Agota Kristof, romancière du *Grand Cahier* (1986), émigrée de Hongrie à Neuchâtel ? Ces deux auteurs, comme bien d'autres, relèvent pleinement du champ littéraire de la Suisse romande, sans être d'origine helvétique. Roger Francillon a donc choisi d'intituler sa monumentale histoire littéraire : *Histoire de la littérature en Suisse romande* (1996-1999) plutôt qu'*Histoire de la littérature* romande. Il évite ainsi le risque d'une perspective essentialiste, voire nationaliste qui se limiterait à une identité « romande » controversée et, de toute façon, bien difficile à définir, puisque la Romandie n'existe pas comme entité politique. La contrepartie de cette perspective, c'est que l'ouvrage inclut non seulement Blaise Cendrars, qui a en quelque sorte renié (ou dénié) son origine, mais encore Robert Pinget qui, après avoir quitté Genève, paraît avoir rompu tous liens avec son pays d'origine. Ces itinéraires singuliers, comme celui d'Albert Cohen, juif de Céphalonie émigré à Marseille puis installé à Genève, pose d'intéressantes questions pour la définition du champ littéraire.

- • **De la littérature « canadienne française »
à la littérature « québécoise »**

La question d'une littérature « canadienne française » se pose, comme en Suisse et en Belgique, dès le milieu du xixᵉ siècle, au moment même où naissent les lettres « romandes » et les lettres « françaises de Belgique ». Il s'agit, comme pour la Belgique ou la Suisse, d'« écrire pour la nation » (Biron, Dumont, Nardout-Lafarge, 2007, p. 55). La poésie canadienne française, comme celle de Suisse, de Belgique, d'Haïti ou du Liban, se construit néanmoins fatalement sur l'imitation des modèles importés de Paris, depuis le premier recueil de vers, publié dès 1830. François-Xavier Garneau commence sa carrière comme poète, avant de se consacrer à une *Histoire du Canada* (1852) destinée à démentir le jugement sans appel du Gouverneur Lord Durham selon lequel les Canadiens français sont « un peuple sans histoire et sans littérature ». Après la révolte violemment réprimée de Papineau et de ses Patriotes en 1837, puis l'unification du Haut et du Bas-Canada, la littérature a désormais pour tâche de célébrer le paysage, la culture et l'histoire des Canadiens français soumis à la Couronne britannique. Plus question, donc, de se contenter d'imiter la rhétorique hors du temps et de l'espace de la poésie classique, encore en vigueur au début du siècle.

L'influence d'*Atala* et, plus généralement, du romantisme venu de France, se fait sentir dans l'élaboration d'un style spécifiquement canadien, à vocation patriotique. La littérature est destinée à répondre aux « Anglais », à sceller l'unité de la communauté et à lui assurer une identité au regard de la « Mère patrie », désormais définitivement perdue. À cet appel répond le poète romantique le plus important, Octave Crémazie qui, contraint à s'exiler en France, criblé des dettes de sa librairie à Québec, publie justement un grand poème patriotique : « Le Drapeau de Carillon » (1858), qui célèbre une victoire des Français sur les Anglais, avant la défaite fatale des Plaines d'Abraham. Un disciple de Crémazie, Louis Fréchette, sacré « Hugo du Canada français » par l'Académie française, donne une épopée nationale à ceux qui s'appellent encore « Canadiens ». Avec *La Légende d'un peuple* (1887), il héroïse le « pays » et ses habitants qui, à la même époque, sont aussi les personnages principaux des romans de la terre. Le modèle de la poésie nationale d'inspiration hugolienne domine jusqu'à la fin du XIXe siècle. Dans une lettre adressée de Paris à l'Abbé Casgrain, maître à penser de la génération de 1830, et qui appelle à construire « un édifice qui [soit] avec la religion, le plus ferme rempart de la nationalité canadienne ». Les idéologues conservateurs du Canada français, qui défendent une terre, une foi, une langue, parlent volontiers aussi d'une « race française », comme l'Abbé Lionel Groulx dans le roman *L'Appel de la race* (1922), qui est publié la même année que celui de Ramuz. Groulx, qui relate l'échec d'un mariage mixte entre un Canadien français et une Canadienne anglaise, met en œuvre un nationalisme xénophobe d'inspiration maurrasienne (le roman a également paru à Paris, en 1923, dans la Bibliothèque de l'Action française).

Se détachant de la rhétorique de la poésie patriotique au tournant du siècle, Émile Nelligan (Nelligan, 1992) paraît tourner ostensiblement le dos à la question nationale. Mais il contribue en réalité au développement d'une poésie authentiquement nationale. S'inspirant de la poésie symboliste française, il inaugure un style qui prépare l'émergence d'une littérature « québécoise » autonome. En ce sens, Nelligan et ses amis de l'École littéraire de Montréal sont les précurseurs de la poésie du « pays » qui, avec Gaston Miron, Gatien Lapointe, Jean-Guy Pilon, Paul Chamberland et bien d'autres, accompagne les luttes pour la souveraineté. Le paysage – les forêts d'épinettes et de feuillus, le Saint-Laurent et son estuaire, les falaises de Gaspésie, le fjord du Saguenay et le lac Saint-Jean, les montagnes des Laurentides – et le climat, dont la description jouait déjà un rôle central dans les journaux des navigateurs et des explorateurs de la Nouvelle-France, constituent ainsi le socle identitaire de la « communauté imaginée » sur la « Terre Québec », comme dira Paul Chamberland, bien plus tard, dans le recueil du même nom. La constitution de l'identité nationale passe par l'invention d'un lieu, ou de lieux, qui sont ceux du Nouveau Monde – « lieux de la culture » canadienne et américaine. Même si le modèle français continue à exercer son influence, il faut à la lettre l'acclimater, comme le demandait déjà le critique Joseph-Charles Taché en 1874, dans des termes emphatiques :

> Notre langage national doit donc être comme un écho de la saine littérature française d'autrefois, répercuté par nos montagnes, au bord de nos lacs et de nos rivières, dans les mystérieuses profondeurs de nos grands bois.

Plus question, donc, de se contenter d'imiter la description rhétorique de paysages hors du temps et de l'espace de la poésie française classique. Les descriptions du Nouveau Monde n'échappent cependant pas à l'influence d'*Atala* et, plus généralement, du romantisme venu de France. C'est donc toujours sous le signe du modèle français, classique pour Taché, ou romantique pour Louis Fréchette, que naît cet appel à une poésie spécifiquement canadienne française. La littérature à vocation patriotique est destinée à répondre aux Anglais tout autant qu'à sceller la communauté et à lui assurer une identité au regard de la Mère patrie perdue.

Le paysage littéraire est ainsi la représentation d'une « terre » et d'un « pays ». À la fin du XIXᵉ et du XXᵉ siècle, quand émerge la littérature canadienne française, mais aussi le « phénicisme » libanais et l'« indigénisme » haïtien, le thème barrésien des racines prédomine. Mais la signification du mot « terre » change du tout au tout dans les années 1950-1960. Gaston Miron, par exemple, s'inspire de Ramuz, pour affirmer la spécificité québécoise :

> Notre tellurisme n'est pas français et, partant, notre sensibilité, pierre de touche de la poésie ; si nous voulons apporter quelque chose au monde français et hisser notre poésie au rang des grandes poésies nationales, nous devons nous trouver davantage, accuser notre différenciation et notre pouvoir d'identification [...]. Nous aurons alors une poésie très caractérisée dans son inspiration et sa sensibilité, une poésie canadienne d'expression française et, si nous savons aller à l'essentiel, universelle. (Miron, 1970, p. 91)

Paul Chamberland illustre ce « tellurisme » québécois par une poésie épique et lyrique qui célèbre la *Terre Québec* (1964). Le recueil s'ouvre sur un « Poème d'appartenance » qui unit étroitement la poésie, la terre, l'amour, la naissance et la langue :

> Retourné au nu langage
> À ton visage ô terre égal à mon silence
> À ma naissance à mon retour au profond de ton âge
> À la vérité du labour de la biche sertie du sommeil des forêts
> Et de la bête brune qui bêle renversée d'amour sous le dieu immédiat
> Ô mère et ma propriété ma substance abîme
> Murmurant sous l'écume des mots
> Je te rends nu mon corps
> Crible sa nuit de sèves

La poésie québécoise des années 1960 peut ainsi être placée sous le signe du *Recours au pays* (1961), titre emblématique de Jean-Guy Pilon. De manière plus générale, ce thème du « pays » rend bien compte de l'engagement politique et poétique en faveur du « Québec libre », selon la déclaration fameuse du général de Gaulle, lors de sa visite à Québec en 1967. Dans les années 1960, l'expression littérature « québécoise » se substitue à « canadienne française », à la faveur d'une révolution tranquille qui promeut l'idée d'une « nation québécoise ». L'identité spécifique du Québec se définit alors non seulement par rapport au Canada anglophone, mais aussi à la France. La notion de littéra-

CHAPITRE 5

ture québécoise fait toutefois un peu oublier l'existence d'autres provinces qui comportent d'importantes communautés francophones, comme l'ancienne Acadie (les provinces maritimes de l'Est, Nouveau-Brunswick et Nouvelle-Écosse aujourd'hui), mais aussi l'Ontario, le Manitoba, l'Alberta. En réaction, de nouvelles appellations sont apparues, qui accompagnent des revendications identitaires, d'ailleurs souvent encouragées par le gouvernement fédéral, qui joue la division des francophones pour diminuer l'influence du Québec : littérature acadienne, franco-ontarienne, franco-manitobaine. *Bonheur d'occasion* (1945), l'un des romans fondateurs de la modernité québécoise, qui transporte le récit de la vie rurale à la vie urbaine, à Montréal, en 1945, est ainsi une œuvre classique de Gabrielle Roy, écrivaine bilingue originaire du Manitoba. Herménégilde Chiasson, universitaire, plasticien, cinéaste et poète, nommé Gouverneur à Moncton, est, lui, une figure majeure d'une poésie acadienne d'avant-garde (*Mourir à Scoudouc*, 1974). Ces provinces dénoncent la tentation hégémonique de Québec et de Montréal, qui s'érigent en un nouveau centre, à la place d'Ottawa, de Toronto ou de Paris. Par ailleurs, en raison du caractère multiculturel de la mégapole américaine qu'est devenue Montréal, l'expression « littérature québécoise », qui désigne originellement la littérature francophone, ne peut plus se limiter à l'usage exclusif de la langue française. Il existe désormais une littérature anglophone au Québec, illustrée par l'œuvre du très controversé Mordechai Richler (*L'Apprentissage de Duddy Kravitz*, 1959). Cette littérature, qui ne s'est pas encore vraiment constituée en un champ spécifique, paraît ainsi doublement minoritaire – anglophone dans une province très majoritairement francophone, québécoise dans le champ de la littérature canadienne, qui a elle-même beaucoup de peine à se distinguer des littératures anglophones de Grande-Bretagne et des États-Unis, comme l'a bien montré la romancière anglophone Margaret Atwood (Atwood, 1987).

● De la littérature « doudouiste » à la littérature
  « antillaise »

La littérature antillaise « doudouiste » avant Césaire (Chamoiseau, Confiant, 1991) décrit un décor de cartes postales. Le paysage composé de plages de sable blanc, d'une mer turquoise, de
cocotiers, est traversé par la silhouette langoureuse des
Martiniquaises, selon le titre suggestif d'un recueil de Daniel
Thaly en 1903. Les topographies du Liban, du Québec, de la
Martinique, de la Flandre ou de la Suisse procèdent ainsi des
grands stéréotypes culturels et poétiques ethnocentriques, qui
empruntent leur matière à l'exotisme des voyageurs occidentaux.
Décrire le paysage natal conduit paradoxalement à une représentation médiatisée par le regard de l'Autre. Tout paysage, fût-il
naturel, procède certes d'une « artialisation » (Roger, 1998). Le
paysage dans la littérature antillaise avant Césaire est encore largement redevable à celui de Baudelaire, des Parnassiens, des
romans coloniaux. Césaire et ses amis, dans le premier numéro
de la revue *Tropiques* (1942) publiée à Fort-de-France pendant la
guerre, montrent que la reconquête d'une identité antillaise
commence par l'étude scientifique de la géologie et de la flore de
la Martinique. *Tropiques* dresse un inventaire minutieux du paysage naturel, avec sa mangrove, ses palétuviers, ses flamboyants.
Dans *Martinique, charmeuse de serpents* (1948), Breton place sa
rencontre avec Césaire sous le signe de la fleur du balisier, au
cœur du gouffre d'Absalon, qui est le centre du paysage martiniquais :

> Je nous reverrai toujours de très haut penchés à nous perdre sur
> le gouffre d'Absalon comme sur la matérialisation même du
> creuset où s'élaborent les images poétiques quand elles sont de
> force à secouer les mondes, sans autre repère dans les remous
> d'une végétation forcée que la grande fleur énigmatique du bali-
> sier qui est un triple cœur pantelant au bout d'une lance. C'est là
> et sous les auspices de cette fleur que la mission, assignée de nos
> jours à l'homme, de rompre violemment avec les modes de pen-
> ser et de sentir qui l'ont mené à ne plus pouvoir supporter son
> existence m'est apparue sous sa forme imprescriptible. (Breton,
> 1948, p. 93-94)

La fleur du balisier, qui condense à elle seule tout le rêve tropical par ses connotations érotiques, est un emblème de la personne même du « poète noir » que Breton célèbre. La rencontre avec le *Cahier d'un retour au pays natal* est inséparable du « délire végétal » qui, après les fantasmes de Huysmans et de Mirbeau, focalise la nostalgie primitiviste des surréalistes. La rêverie sur les espaces primitifs de la forêt vierge, associée à l'Éden, évoque la peinture du Douanier Rousseau, qui donne son titre au recueil de Breton, ainsi que le souvenir de Gauguin, à travers qui Breton lit Césaire. Ce paysage naturel permet au poète de plonger au plus profond de la mémoire ancestrale et de retrouver les racines multiples des identités antillaises, caraïbes, africaines, européennes. Tous ces éléments de flore et de faune composent le paysage des poèmes de Césaire, où les vents alizés soufflent sur le kaïlcédrat royal transplanté dans la forêt vierge.

Mais le paysage naturel est fait de mots. La démarche que l'on peut qualifier de patrimoniale des rédacteurs de la revue *Tropiques* engage aussi la langue, puisqu'il s'agit de nommer le « pays », quitte à se référer aux langues natives. Le poète Edward Kamau Brathwaite, né à Trinidad souligne le fait que, lecteur familier des *daffodils* qui sont l'emblème de la poésie anglaise, il ne dispose pas de mots anglais pour nommer les fleurs et les éléments naturels du paysage de son île natale. Il met ainsi en évidence l'inadéquation des modèles poétiques importés d'Angleterre au monde tropical :

> En d'autres mots, nous n'avons pas les mots, vous n'avez pas le lexique, l'intelligence du lexique pour décrire l'ouragan, qui est notre expérience, tandis que nous pouvons décrire l'expérience étrangère de la neige. (Brathwaite, 1984, p. 8-9)

De là l'importance capitale de l'acte de nommer, et donc de trouver le lexique précis et savant, ou au contraire populaire, qui permet de dire la réalité de la nature américaine en créole, dans les langues amérindiennes des Antilles, d'Haïti ou du Canada, ou en français québécois : le *jujubier*, les *cécropies*, le *lait jiculi*, le *kaïlcédrat royal*, la *fleur de balisier*, les *colibris* pour Césaire, l'*épinette*, les *peaux de vison*, les *bisons*, le *tocson*, l'*orignal*, pour Miron. Les listes et nomenclatures des sciences naturelles – géologie, flore, faune – sur lesquelles la poésie se construit, correspondent à une nouvelle « découverte » du paysage natal, jusque-là aliéné au regard : à une réappropriation. La même démarche se retrouve dans les autres littératures postcoloniales, maghrébines ou africaines, par exemple. Senghor place un lexique à la fin de ses *Poèmes*, et balise le paysage en donnant la traduction et la paraphrase des mots africains concernant la géographie, les coutumes et les mœurs, les grandes figures de la vie sociale, les instruments de musique. Comme il le souligne volontiers dans la postface aux *Éthiopiques* (1956), l'acte de nommer n'a rien à voir avec le pittoresque ni l'exotisme : « Quand nous disons kôras, balafons, tam-tams et non harpes, pianos et tambours, nous n'entendons pas faire pittoresque ; nous appelons "un chat un chat" » (Senghor, 1964, p. 158).

❸ Identités nationales ou transnationales ? L'exemple américain

Comme le montre Fanon à propos de la réaction nationale aux modèles européens, la recherche d'une identité s'effectue d'abord au niveau des continents (Fanon, 1998, p. 263), avant de s'incarner au niveau national. L'exemple de l'Amérique, que Fanon n'aborde que sous l'angle « racial », illustre bien la dialectique du particulier et de l'universel. Du Québec aux Antilles, des liens multiples se nouent, qui appellent à réfléchir à une spécificité continentale et transnationale des littératures d'Amérique, des Amériques, en évitant cependant d'« essentialiser » cette spécificité. Cette appartenance commune pourrait se définir par la spécificité de son paysage naturel, par rapport au paysage européen, ainsi que le note Édouard Glissant :

> La première approche que j'ai eue de ce qu'on a pu appeler les Amériques, la première expérience que j'en ai faite, fut du paysage, avant même d'avoir eu conscience des drames humains collectifs ou privés qui s'y étaient accumulés. Le pays américain m'a toujours paru – et je parle du pays *des* Amériques – très particulier par rapport à ce que j'ai pu connaître par exemple des paysages européens. Ceux-ci m'ont semblé être un ensemble

> très réglé, minuté, en relation avec une espèce de rythme ritua-
> lisé des saisons. Chaque fois que je reviens dans les Amériques,
> que ce soit dans une île comme la Martinique, qui est le pays où
> je suis né, ou sur le continent américain, je suis frappé par
> l'ouverture de ce paysage. Je dis que c'est un paysage « irrué »
> – c'est un mot que j'ai fabriqué bien évidemment –, il y a là de
> l'irruption et de la ruade, de l'éruption aussi, peut-être beaucoup
> de réel et d'irréel. (Glissant, 1996, p. 11)

La conscience « nationale » québécoise se fonde elle aussi
sur le sentiment d'appartenir à l'espace américain. En 1958, au
moment où il compose ses grands cycles, Gaston Miron déclare
son américanité :

> Je suis Américain, c'est ma grande découverte, et je n'ai plus rien
> à faire avec l'Europe. Au début, j'en étais consterné. Maintenant,
> je sais qu'ils sont nos frères, des autres nous-mêmes, et que j'ai
> trouvé là, en rompant définitivement avec la vieille culture, repré-
> sentée par l'Europe, le plain-pied avec moi-même. Tant que les
> Canadiens d'expression française ne s'américaniseront pas, ils ne
> produiront rien, ils seront les bâtards d'une culture qu'ils ne
> peuvent assumer, d'une langue qu'ils ne peuvent contrôler ni
> même utiliser. (Haeffely, Miron, 2007, p. 63-65)

À la même époque, Miron lit avec enthousiasme la poésie de
Césaire, et en particulier *Cahier d'un retour au pays natal*, frater-
nisant avec les peuples colonisés des Amériques. Pour Miron
comme pour Césaire, il faut rompre avec l'Europe, s'affranchir du
poids de l'Histoire européenne pour retrouver la nature à l'état
vierge, comme au premier jour de la Création, mettre entre
parenthèses l'histoire de l'humanité, qui est celle du colonialisme
et des empires. L'Amérique est le Nouveau Monde, page blanche
d'une Histoire encore à écrire. De manière toute rimbaldienne,
Miron et Césaire cherchent à prendre un nouveau « Départ »,
« dans l'affection et le bruit neufs », en vue de porter un regard
innocent et frais sur une *terra incognita* à découvrir et à parcourir,
littéralement à *inventer*. Il s'agit de restituer un paysage jamais
décrit d'un point de vue américain, et même jamais vu, à la lettre.
Césaire, retournant au pays natal, contemple les Antilles « au
bout du petit matin », comme s'il ne les avait jamais vues. C'est la
nouveauté, la fraîcheur de ce regard porté sur le Nouveau Monde
par des « hommes nouveaux » (Saint-John Perse), qui appelle le

recensement et la description des choses et des êtres du paysage natal dans une « géographie poétique », comme dit Glissant dans sa préface à *L'Homme rapaillé* (1970) ou encore dans une « géo-poétique » à la manière du poète écossais Kenneth White (White, 1994). Et c'est la même démarche que poursuit Saint-John Perse dans *Éloges* (1925) et dans les grands poèmes de *Vents* (1946) ou d'*Amers* (1957), qui parcourent l'espace du « Poème ». C'est d'une poésie de l'espace et de l'histoire européennes, qu'il faut se libérer pour fonder une ère nouvelle. Miron regrette que les poètes québécois ne prennent pas la mesure de l'espace américain. Haeffely, son correspondant français, demande que Miron lui « envoie (s)es réflexions sur la poésie canadienne tournée vers l'Amérique et s'enracinant en sol américain – se détournant de l'Europe de l'exil de l'imitation vaine – de l'absence » (Haeffely, Miron, p. 118). Miron écrit une poésie épico-lyrique adaptée à l'espace américain, au « tellurisme » canadien qui « n'est pas français ». C'est évidemment à ce prix que le poète américain atteint l'universel. Les formes (listes, nomenclatures, descriptions) de la représentation du paysage naturel, redécouvert comme aux premiers jours de la Création, fondent une identité américaine de la poésie, par-delà la différence des langues comme le montrent d'évidentes analogies entre la poésie épique de Césaire ou de Glissant et celle de Walcott, ou de Pablo Neruda, par exemple (voir le programme de littérature comparée pour le concours de l'agrégation de Lettres modernes en 2010 sur la poésie épique, qui associe Akhmatova, Césaire, Neruda, Hikmet (Rumeau, 2009). Le parcours des vastes espaces des Amériques, conduit tout naturellement au récit épique.

ENCADRÉ N° 16

À l'origine de la poésie des Amériques, il y a la grande épopée nationale portugaise de Luis de Camoes, *Les Lusiades* (1572). L'épopée est le seul genre à même de prendre en charge l'immensité et la nouveauté de cet espace américain, et de suivre sa conquête jusqu'à la fondation des cités nouvelles par un peuple et une nation eux-mêmes nouveaux. *Leaves of Grass* (1855) de Walt Whitman, épopée fondatrice de la démocratie aux États-Unis, célèbre l'espace américain et appelle prophétiquement à une nouvelle ère. La mémoire de Whitman continue à hanter tous les poètes des Amériques, d'Ezra Pound à William Carlos Williams, de Derek Walcott à Edward Kamau Braithwaite, de Gatien Lapointe à Gaston Miron, de Saint-John Perse à Aimé Césaire et à Édouard Glissant. Cette poésie des Amériques prend la forme d'une épopée de la conquête, comme chez Camoes et Saint-John Perse, ou de la fondation, comme chez Miron. La quête de l'identité individuelle s'élargit alors dans le « nous » de la communauté épique – « nation » antillaise et québécoise.

Littératures francophones, écritures « migrantes »

Les thèmes de l'émigration, de l'exil, de l'errance, du nomadisme ne sont certes pas nouveaux, tant s'en faut. Comme l'acculturation, la diversité, la différence culturelle, l'hybridation, ils sont même devenus en quelque sorte les lieux communs des études francophones et postcoloniales. Il est ainsi significatif qu'Edward Saïd ait choisi de placer un ensemble d'essais sous le titre *Réflexions sur l'exil* (Saïd, 2008), de même que le romancier et poète de la Barbade, George Lamming (*The Pleasures of Exile*, 1960).

❶ Exil, migration, migrance, diaspora

L'exil a bien entendu des résonances métaphysiques. Les recueils *Cendres* (1934) et *Étoile secrète* (1937) de Jean Amrouche, qui laissent entendre la voix de Milosz, évoquent la perte de la Kabylie natale :

> Je veux aller trouver ma vraie famille humaine.
> Sous les branches tombes de l'olivier bruni,
> Et les pentes à nu de ces collines bleues
> Le Désespoir dormait. (« Adieu au pays natal », 1983, p. 77)

De manière très significative, la première section de *Cendres* s'intitule « Brisures ». Amrouche est obsédé par l'angoisse de la séparation et de l'exil, qui le conduit à s'interroger sur sa propre identité : « Qui suis-je aujourd'hui ? » (Amrouche, p. 43) La crainte de l'oubli tient à la disparition des traditions ancestrales de la Kabylie, dont Jean et sa sœur Taos recueillent les légendes de la bouche même de leur mère. Jean Amrouche décline le paradigme du spleen baudelairien, mais la « conscience malheureuse » qui l'accable tient d'abord aux menaces qui planent sur la culture berbère. Il s'agit donc, comme dans *Étoile secrète*, de « monter vers l'Origine, conquérir l'enfance perdue, réveiller l'Enfance du monde, comme la sève endormie s'éveille au baiser du printemps terrestre, image de l'Éternel Printemps » (Amrouche, p. 60).

ENCADRÉ N° 17

Dans les *Tristes*, Ovide, exilé au Pont-Euxin chez les Scythes, « abandonné sur des rivages solitaires » (*solus desertis in oris*, V, 7), endure les longs hivers dans lesquels le Danube lui-même est pris dans les glaces et se plaint auprès de son épouse qu'il ne supporte ni le climat ni la terre elle-même (III, 3). C'est le paysage hostile de l'exil qui, par contraste, pare le paysage natal de l'aura de la perte, par le jeu de la mémoire.

La nostalgie du paysage natal peut se retourner et l'exil susciter une véritable détestation. Le *Cahier d'un retour au pays natal* (1939/1956) est un exemple privilégié. Retournant en vacances sur son île de la Martinique, Césaire commence par le récuser violemment, avant d'y adhérer. Le paysage antillais, au début du *Cahier*, fait ainsi l'objet d'une description littéralement apocalyptique :

> Au bout du petit bourgeonnant d'anses frêles les Antilles qui ont faim, les Antilles grêlées de petite vérole, les Antilles dynamitées d'alcool, échouées dans la boue de cette baie, dans la poussière de cette ville sinistrement échouées. Au bout du petit matin, l'extrême, trompeuse désolée eschare sur la blessure des eaux […]. (Césaire, 1986, p. 8)

La description dysphorique des Antilles vues du bateau, dans un espace complètement ouvert, tourne à l'anathème biblique, comme le montre le registre dominant de la maladie, de la décomposition physique, de la saleté et de la misère, sous le signe du péché. Le paysage originel remplit ici la fonction d'un repoussoir, d'un Enfer poétique. Mais cette phobie n'est jamais que l'envers d'un désir ambivalent à l'égard du pays natal. La seconde partie du poème opère un renversement complet qui prépare l'assomption de la Négritude. Rétrospectivement, la description initiale apparaît comme l'expression des préjugés de l'étudiant qui a intériorisé le regard métropolitain sur l'île. *Cahier d'un retour au pays natal*, en un éloge dithyrambique, finit par réhabiliter le paysage antillais, célébrant l'union retrouvée de l'homme et de son pays : « Et nous sommes debout maintenant, mon pays et moi, les cheveux dans le vent » (Césaire, 1986, p. 57). Désormais, le poète, réconcilié avec sa terre, avec son peuple et avec lui-même, peut *voir* et aimer le paysage natal (Combe, 1993).

De manière plus générale, la question des migrations domine ainsi la théorie des littératures francophones postcoloniales (voir Albert, 2005). Kateb Yacine par exemple, dans un récit repris dans *Le Polygone étoilé* (1966), relate l'errance de Lakhdar, émigré en France pour chercher du travail.

La composante migratoire de l'écriture pose un problème de fond, car certaines littératures francophones n'existent que dans (et parfois par) l'exil, comme le montrent bien les exemples d'Haïti, du Liban et plus encore de l'Égypte, où il ne reste que très peu d'écrivains francophones. Dans tous les cas, la double appartenance culturelle et le bilinguisme sont une source de création en même temps que de dédoublement schizophrénique, comme on l'a vu. Telle est la situation de Leïla Sebbar ou de Nina Bouraoui, qui ont « l'origine en partage » (Sibony, 1991) entre le Maghreb ou l'Afrique et la France, c'est-à-dire l'arabe, le berbère, le wolof ou telle autre langue africaine. Il en est de même des romanciers antillais, partagés entre le créole et les langues européennes. Nomades ou migrants, ces écrivains ne cessent de circuler d'une culture à l'autre, bien qu'ils restent profondément attachés à la langue française. Edmond Jabès, né en Égypte et contraint à l'exil à Paris, est devenu écrivain français (Larçon, 1998). C'est dans la poésie, c'est-à-dire dans la langue elle-même, que l'exilé « bâtit sa demeure » – titre sous lequel il recueille les poèmes composés entre 1943 et 1957, durant les années égyptiennes (*Je bâtis ma demeure in Jabès*, 1990). Dans l'un de ses tout derniers livres, *Un étranger avec, sous le bras, un livre de petit format* (1989), Jabès lie le destin de l'écrivain à sa langue d'adoption, en hommage à tous les immigrés :

> Non seulement, il nous faudrait accepter l'immigré tel qu'il est, mais l'aider à s'épanouir en notre milieu, à s'insérer dans notre langue ; car, en fin de compte, la langue est la réelle patrie de l'exilé. (Jabès, 1989, p. 85)

Paris, capitale de la « République mondiale des Lettres » (Casanova, 1999), accueille nombre de ces écrivains, ou encore Bruxelles, Genève ou Beyrouth. Mais aujourd'hui Montréal est la ville des migrants francophones par excellence, même si le phénomène est loin d'être aussi développé qu'à Toronto ou à New York pour la langue anglaise. La mégapole (Robin, 2008) est riche d'écrivains de toutes origines.

En Europe, même la littérature française hexagonale « française de France » (Ramuz, 1990), n'échappe pas à la migration, puisqu'elle compte de nombreux écrivains venus d'« ailleurs », nés hors de France et, parfois hors de la culture française, qui sont autant d'exilés, de réfugiés, de nomades, d'errants, d'immigrés – de migrants, pour employer un terme neutre et moins ethnocentrique. Ces « singularités francophones » (Jouanny, 2000) contribuent activement à la francophonie, ou plutôt aux francophonies plurielles, dans le sens le plus large. De la même façon, le Belgique et la Suisse accueillent depuis le XIXᵉ siècle de nombreux exilés ou réfugiés. Intellectuels, artistes, opposants politiques, révolutionnaires et anarchistes originaires d'Europe centrale et orientale et de Russie trouvent par exemple refuge dans la Confédération. Dostoïevski, Bakounine, Kropotkine, Lénine ont ainsi résidé à Genève, Lausanne ou Zurich, mais également Stravinsky et Nabokov. Certains écrivains ou artistes suisses ont du reste des origines à l'Est, comme Mme de Staël (polonaise par sa mère) ou les frères Cingria (aux origines dalmates-polonaises). Ces exilés jouent un rôle actif dans la vie culturelle suisse, contribuant souvent à la francophonie. Il faut rappeler la collaboration exemplaire entre Stravinsky, Ramuz et Auberjonois pour l'*Histoire du soldat*, pièce de théâtre musical née de la collaboration de Stravinsky et de Ramuz avec le peintre suisse Robert Auberjonois. Le spectacle, créé à Lausanne en 1918 sous la direction du chef d'orchestre Ernest Ansermet, a fait une tournée à travers la Suisse. De manière générale, la francophonie « atavique » en Suisse est soutenue par l'apport des étrangers : Albert Cohen, Georges Haldas,

Agota Kristof. Et réciproquement, l'Empire austro-hongrois et l'Empire des Tsars ont toujours accueilli des sujets helvétiques, qui contribuaient à une présence francophone – et pas seulement des mercenaires, mais aussi des commerçants, des artisans et surtout des précepteurs, des gouvernantes, des intellectuels. Mme de Staël elle-même a séjourné en exil à Moscou, chassée par Napoléon. Le même phénomène se retrouve en Belgique, qui a une très ancienne tradition de cosmopolitisme et d'internationalisme, et au Canada, terre d'immigration.

Cet état de fait n'est évidemment pas propre à la littérature française ni à la francophonie. La « République des lettres » est elle aussi mondialisée, ce qui remet clairement en question l'appartenance nationale et la territorialisation de la langue. La littérature anglaise, comme on l'a vu (chapitre 2, p. 43), est pour une large part une littérature du Commonwealth écrite par des écrivains originaires du subcontinent indien, de la Jamaïque ou de Trinidad, d'Afrique du Sud, d'Australie, du Canada. Salman Rushdie a reçu le très prestigieux Booker Prize en 1981 pour *Les Enfants de Minuit*, avant de faire l'objet d'une *fatwa* pour *Les Versets sataniques*, qui mettent en scène le Prophète. De la même façon, la littérature hispanique ou lusophone se joue souvent loin de Madrid, de Barcelone ou de Lisbonne, de l'autre côté de l'Atlantique. On s'intéresse depuis quelques années, surtout en Allemagne, aux écrivains d'origine turque ou yougoslave. La littérature qu'on appelle allemande par référence à la langue, est largement écrite au XXe siècle par des germanophones issus de l'ancien Empire austro-hongrois (Rilke, Kafka, Musil, Canetti, Celan, Bernhard, Jelinek, Herta Müller qui ont reçu le prix Nobel) ou de Suisse (Frisch, Dürrenmatt, Walzer, Nizon), aussi bien que par des Allemands au sens national du terme. La littérature allemande de l'émigration est un sujet majeur des études germaniques depuis longtemps, comme le montre le succès des *Émigrants* (*Die Ausgewanderten*, 1992) de W.G. Seebald.

Pour rendre compte d'un phénomène qui s'intensifie depuis les années 1980, les théories postcoloniales ont en quelque sorte inventé une catégorie nouvelle : *migrancy*, la migrance, qui a donné à son tour naissance à la catégorie des littératures ou écritures migrantes. Le critique et poète Pierre Nepveu montre que, bien avant qu'on ne parle de littératures migrantes, la littérature québécoise s'est définie sous le signe d'un imaginaire de l'exil, du manque, du pays absent, du « pays incertain » (Nepveu, 1999, p. 197 *sq.*). La « migrance » tend aujourd'hui à s'imposer comme une catégorie centrale pour la théorie postcoloniale, avec l'« hybridité », la « liminalité » ou le « subalterne ».

Depuis les années 1980, surtout en Amérique du Nord, la critique francophone se concentre donc sur les « écritures migrantes » et « transmigrantes » – nouvelles catégories toujours menacées par la tentation de l'« essentialisme » dénoncée par Edward Saïd, mais qui remettent fondamentalement en question l'idée même d'identité nationale. Comment définir (mais le faut-il ?) un dramaturge comme Wajdi Mouawad, né au Liban, élevé en France, installé au Québec puis à nouveau en France ? Mouawad publie et met en scène des pièces jouées partout dans le monde francophone, et d'abord en France : *Littoral, Forêts,* et tout récemment encore *Ciels,* avec un large succès. Il a ainsi été l'invité d'honneur du Festival d'Avignon en 2009. Que dire de Dany Laferrière, prix Médicis 2009 pour *L'Énigme du retour,* romancier d'origine haïtienne, qui vit entre Montréal et Miami, et publie à Montréal et à Paris ? Plus que jamais, la « République des Lettres » apparaît comme « mondiale ».

Le phénomène est en relation directe avec la mondialisation elle-même. Dans un texte célèbre du *Manifeste du Parti communiste* (1848), Marx et Engels avaient déjà fait l'analyse du caractère cosmopolite de la production et de la consommation dans le monde capitaliste. Marx et Engels étendaient la réflexion aux productions culturelles, et en particulier à la littérature, qui ne peut plus être pensée seulement au niveau national, mais doit être envisagée comme « littérature mondiale » (voir *infra,* p. 213).

Les phénomènes migratoires – déplacements de population du fait des guerres, des conflits interethniques, de la crise économique –, qui ont toujours joué un rôle décisif dans l'histoire, sont désormais un enjeu majeur pour les sociétés postmodernes dans leur ensemble, à l'heure du capitalisme mondialisé. Pour certaines sociétés, ces migrations forcent à reléguer au second plan la question des identités nationales. En France, les polémiques

récentes montrent bien l'importance politique de l'accueil des
réfugiés, du droit d'asile, des sans-papiers, de même que l'argu-
mentaire de l'académie Nobel lors de la remise du prix à Le Clézio
en 2009. La « migrance » est ainsi le mode d'être propre au
XXIe siècle.

ENCADRÉ N° 18

Comme le montre l'historien et anthropologue Serge Gruzinski
(Gruzinski, 1999), bien avant la révolution industrielle, c'est la conquête
des Amériques qui ouvre le champ du métissage des cultures, et donc
de la mondialisation :

> Les premiers métissages à projection planétaire apparaissent ainsi étroite-
> ment liés aux prémisses de la globalisation économique qui s'est amorcée
> dans la seconde moitié du XVIe siècle, un siècle qui, vu d'Europe, d'Amé-
> rique ou d'Asie, fut, par excellence, le siècle ibérique, comme le nôtre est
> devenu le siècle américain. (Gruzinski, 1999, p. 12)

La colonisation, depuis le XVIe siècle, est un vaste mouvement migratoire,
surtout lorsqu'il s'agit des colonies de peuplement, comme au Canada,
aux États-Unis, en Australie ou encore en Algérie. Et ces migrations à
partir de l'Europe ont elles-mêmes entraîné le déplacement des populations dépossédées de leurs territoires. Les migrations vers le Nord sont
elles-mêmes la résultante postcoloniale des empires européens, dont le
sol attire les ressortissants anciennement colonisés.

La « migrance », comme manière d'être au monde propre au
siècle, doit être distinguée de l'émigration et de l'immigration,
qui l'ont précédée. Certes, et on y reviendra, se pose la question
d'une littérature de l'immigration – par exemple de la littérature
« beure », en France. Mais la migrance à l'œuvre dans les littératures migrantes est en consonance avec l'errance. Depuis les
années 1980, l'émigration (ou immigration) temporaire, portée
par l'espoir d'un « retour au pays natal », comme chez Césaire
ou Cheikh Hamidou Kane, dans *L'Aventure ambiguë* (1961),
s'est transformée en un exil durable, sans espoir ni même désir
d'un retour. Le roman de Dany Laferrière *L'Énigme du retour*
(2009), dans lequel le narrateur revient en Haïti après la mort de
son père, en exil à New York, montre toute l'ambivalence de ce
retour grâce au jeu formel sur le vers et la prose. On trouve

encore dans la théorie postcoloniale le thème de la « diaspora », et son dérivé « diasporisation ». Le mot « diaspora » donne une réalité diamétralement opposée au nationalisme qui, dans les années 1960, s'exprimait volontiers sur le mode du panarabisme, du panafricanisme, pour rassembler des peuples que la colonisation avait, pensait-on, artificiellement et injustement divisés. Sur le modèle de la dispersion du peuple juif après la destruction du temple, le terme s'applique à une communauté minoritaire vouée à la dispersion, ce qui suppose donc une unité préalable – Palestiniens, Arméniens, Kurdes, Libanais, Grecs, Haïtiens en exil, qui sont plus nombreux à l'étranger que dans leur pays, quand celui-ci existe comme un état souverain. Au-delà de la dispersion géographique, les sujets de la *diaspora* sont unis par le sentiment d'appartenir à une « communauté imaginée » qui les relie à un pays que, souvent, ils ne connaissent pas directement. La culture commune, quoique « déterritorialisée », passe par la mémoire (le génocide, pour les Arméniens, ou la *Nakba*, la « catastrophe » que représente la création d'Israël en 1947 pour les Palestiniens), mais aussi par la langue, les langues (surtout pour l'arménien ou le kurde, langue d'identité partagée entre plusieurs États). La diaspora, parce qu'elle suppose une unité primitive, porte en elle l'idée d'un possible « retour » et d'un rassemblement des populations disséminées, comme le montre bien le projet sioniste au XIXe siècle. Mais cette possibilité demeure souvent utopique, et le retour sans cesse repoussé, comme celui des émigrés/immigrés en général, qui ont dû s'adapter à leur pays d'accueil. Wajdi Mouawad appartient à la diaspora libanaise, vivant et travaillant à Montréal puis en France depuis une vingtaine d'années. Plus le temps passe, moins une réinstallation à Beyrouth paraît envisageable, à supposer même que les conditions matérielles en soient réunies.

Tous ces termes renvoient à un même constat : la colonisation est une mondialisation qui a profondément et durablement bouleversé les repères dans l'espace, par le déplacement de populations entières. La « migrance » n'a elle-même de sens que pour une théorie entièrement fondée sur l'idée de « lieux de la culture » (Bhabha, 2007), développée par Homi Bhabha. La pensée postcoloniale est fondée sur une réflexion géopolitique, mais aussi géopoétique. L'œuvre est replacée dans l'espace géographique et culturel de la colonisation. Les auteurs de *The Empire Writes Back*, dès l'introduction, constatent qu'« un trait majeur des littératures postcoloniales est leur préoccupation du lieu et du déplacement », la conscience de soi ayant été « érodée par la dislocation résultant de la migration, de l'expérience de l'esclavage, de la déportation, ou du déménagement pour un travail obligatoire » (Ashcroft, Griffiths, Tiffin, 1989, p. 8). L'anthologie monumentale Ashcroft, Griffiths, Tiffin, 1995), devenue un classique, comporte ainsi une section entièrement consacrée au « lieu » :

> Le lieu et le déplacement sont des traits essentiels du discours postcolonial. Par « lieu » nous ne voulons pas seulement dire « paysage » [...] Bien plutôt, le « lieu » dans les sociétés postcoloniales est une interaction complexe du langage, de l'histoire et de l'environnement. (Ashcroft, Griffiths, Tiffin, 1995, p. 345)

La traduction française du substantif « déplacement » fait un peu oublier le caractère négatif du préfixe *dis-* en anglais, qui subsiste dans le participe adjectif français « déplacé ». Il s'agit bien des populations « déplacées » par la colonisation et par les guerres – les esclaves déportés par la traite, mais aussi les peuples dépossédés de leurs terres, d'une manière plus générale. Ces populations déplacées ont le sentiment de ne plus être à leur place, et même de ne plus avoir de place du tout, d'être *Out of place*, selon le titre magnifique de l'autobiographie d'Edward Saïd (Saïd, 1999). Le « déplacement », en ce sens, est inséparable de ce que Jacques Berque appelait la « dépossession du monde » (Berque, 1964), qui est d'abord une dépossession de soi.

❷ Les littératures de l'immigration en France

La présence déjà ancienne de communautés issues de l'immigration sur le sol français a été rendue visible dans les années 1980, notamment par la « marche des beurs », en 1983. Cette prise de conscience de la dimension multiculturelle de la société française, jusque-là occultée, s'est accompagnée de recherches sur les cultures immigrées, conduites par des socio-logues, des politologues, des anthropologues, des historiens de la littérature. La notion de littérature de l'immigration, et en particulier de littérature « beure », a alors fait l'objet d'une reconnaissance universitaire durant la décennie suivante. C'est en effet dans les années 1990 que paraissent les premiers tra-vaux importants sur ces catégories nouvelles et discutées, comme le livre de Michel Laronde, (Laronde, 1993) et les deux volumes du collectif dirigé par Charles Bonn (Bonn, 1995). Force est de constater que ce champ littéraire nouveau n'a guère été exploré depuis lors, malgré des tentatives pour ouvrir l'analyse aux écrivains issus de l'immigration africaine – par exemple dans *Afrique sur Seine, une nouvelle génération de romanciers afri-cains à Paris* d'Odile Cazenave (Cazenave, 2003). Les travaux récents consacrés aux « Noirs de France » (Ndiaye, 2009) n'ont jusque-là guère concerné la littérature. La critique universitaire en France semble très en retrait sur ce point par rapport au monde nord-américain.

D'un point de vue strictement méthodologique, l'expression littérature « de l'immigration » pose de sérieux problèmes de définition. Selon quels critères considère-t-on un écrivain comme immigré ? Kateb Yacine, qui finit ses jours à Grenoble, après avoir dû s'exiler d'Algérie, est-il un immigré ? Est-il même un « migrant », lui qui représente l'errance de Lakhdar parcourant la France à la recherche d'un travail dans *Le Polygone étoilé* (1966) ? Et le romancier camerounais Mongo Beti, l'auteur des classiques *Villes cruelles* (1954), *Le Pauvre Christ de Bomba* (1956), *Mission terminée* (1957) qui a enseigné au lycée de Rouen ? L'immigration, à la différence de la « migration » et *a fortiori* de la « migrance », suppose la perspective plus ou moins lointaine d'un « retour au pays natal », tout en indiquant le carac-tère durable du séjour sur le sol français. L'immigré n'est pas un passant en transit, car il conserve l'espoir, le plus souvent hypo-thétique, d'un retour. La plupart des écrivains francophones reconnus au Maghreb et en Afrique ont vécu et travaillé en exil en France, mais faut-il pour autant les considérer comme des immigrés ?

Il semble préférable de réserver l'appellation « littérature de l'immigration » à la « deuxième génération » d'écrivains nés en France de parents eux-mêmes immigrés. Ainsi d'Azouz Begag, le sociologue, éphémère ministre de la diversité sous la présidence Sarkozy, auteur du *Gone du Châaba* (1986), qui a connu un grand succès en relatant la vie d'un enfant de la banlieue lyonnaise ; ou encore de Mehdi Charef, l'auteur d'*Un thé au harem d'Archi Ahmed* (1983), adapté au cinéma.

Certes, nombreux sont les écrivains originaires d'Afrique subsaharienne ou du Maghreb, qui sont des immigrés au sens de la « deuxième génération », sans pour autant exprimer un sentiment d'appartenance qui les distinguerait soit des écrivains « français » (puisque, pour la plupart, ils sont de nationalité française), soit des écrivains « francophones ». Mais faut-il pour autant créer une nouvelle catégorie à part, pour distinguer les écrivains « issus de l'immigration » des écrivains francophones (et pourquoi), sachant que le critère de la nationalité est discutable, avec un risque sérieux d'une ethnicisation artificielle de la littérature ? La question reste de savoir s'il existe un « champ autonome » des littératures de l'immigration. On peut douter de l'intérêt de telles classifications, qui ne sont pas sans danger. Cette catégorie paraît en outre transitoire puisque, de génération en génération, le lien avec l'origine se distend. Le terme « littérature de l'immigration » désigne donc empiriquement une génération d'écrivains apparue dans les années 1980, plus qu'il ne définit une catégorie théorique. Si les littératures « de l'immigration », à la différence des littératures « migrantes » au Québec, occupent une place secondaire dans les études littéraires francophones en France, c'est peut-être que ces littératures n'ont pas réussi à s'imposer auprès non seulement de la critique mais des lecteurs.

Il faut d'ailleurs rappeler que la trentaine de romans dénombrés par Michel Laronde entre 1983 et 1990 ont été rassemblés et promus par les médias. Leurs auteurs ont été encouragés par les éditeurs, qui ont cru trouver l'expression littéraire du malaise des banlieues dans une littérature de témoignage. Le succès du genre tient à une forme d'exotisme, à la mise en scène de la vie ordinaire dans les cités, par le recours au verlan, aux argots, à la

CHAPITRE 6

« tchatche de banlieue » (Pierre-Adolphe, Mamoud, Tzanos, 1998), à la manière des romans réalistes-naturalistes. Azouz Begag fait l'analyse sociologique de ce phénomène médiatique :

> Pendant la décennie 80, le roman « beur » était à la mode [...] Il y a dix ans, des éditeurs allaient en banlieue traquer le talent beur, fût-ce au prix d'un remaquillage à la sauce cambouis, béton, drogue et amour volé [...]. Tout le monde peut constater que cette mode est passée. Les Beurs et les banlieues n'intéressent plus les éditeurs. (Cité par Albert, 2005, p. 51)

Les auteurs ont fini par récuser l'identité « beure » qui leur était assignée. L'opération médiatique est apparue au grand jour avec la supercherie de Paul Smaïl, l'auteur supposé de *Vivre me tue* (1997), récit « autobiographique » d'un jeune homme d'origine marocaine, et d'*Ali le Magnifique* (2001), récit de la cavale de Sid Ahmed Rezala qui, après avoir assassiné plusieurs femmes dans des trains, s'est enfui au Portugal, où il a été arrêté, avant de se suicider dans sa prison. Jack Alain Léger, qui n'est pas du tout issu de l'immigration, a finalement révélé être l'auteur d'une supercherie comparable à celle d'Émile Ajar *alias* Romain Gary, sinon par la qualité littéraire du moins par le jeu de la fiction. Le travail sur la langue, l'imitation du parler des banlieues, le croisement du français et de l'arabe ne sont en réalité qu'une pure invention de style, d'ailleurs virtuose, et nullement le récit « vrai » que les éditeurs cherchent à vendre au public. Jack Alain Léger *alias* Paul Smaïl a pris les éditeurs à leur propre piège mercantile, contribuant à décrédibiliser la littérature « beure » aux yeux des lecteurs.

❸ Les écritures migrantes au Québec

La catégorie des « écritures migrantes » est relativement peu employée par la critique française. Nomades et nomadisme sont traditionnellement plus répandus dans la critique et la théorie littéraire françaises, sans doute sous l'influence de la pensée « rhizomatique » du philosophe Gilles Deleuze. L'expression « écritures migrantes » a son correspondant en anglais, même si elle s'est imposée également en français, outre-Atlantique, au Québec, et désormais en Europe. Au Québec, le mot (et ses dérivés, comme « transmigrantes ») connaît encore une très grande fortune, du fait de la présence importante de communautés venues d'Italie, d'Haïti, du Liban, d'Asie du Sud-Est. Depuis la fin des années 1960, Montréal est devenue une mégapole multiculturelle, à la faveur d'un assouplissement de la politique d'immigration au Canada et de la nécessité pour le Québec de faire appel à une immigration francophone.

Le travail accompli par *Vice Versa*, une revue trilingue (français, anglais, italien) représentant la communauté italoquébécoise (selon le terme en vigueur), fondée par Marco Micone et Fulvio Caccia, rend bien compte de la transformation profonde de la société québécoise, à la faveur du renouvellement des générations durant la Révolution tranquille. Les manifestations ont révélé au public la place dans la vie culturelle et artistique des « communautés », des « Néo-Québécois », dans une société qui n'est plus faite seulement par les Québécois « pur sirop d'érable », ou encore « de souche », c'est-à-dire d'origine française. Le phénomène des migrations littéraires n'est certes pas nouveau au Québec. L'œuvre pionnière de Naïm Kattan, juif irakien passé par Paris et installé à Montréal, devenu directeur du Conseil des Arts à Ottawa, en témoigne. Kattan raconte son exil volontaire dans *Adieu Babylone* (1976), puis les problèmes de la relation interculturelle dans *La Fiancée promise* (prix Athanase David 2004). Dans un essai très subtil, *Le Réel et le théâtral* (1971), il médite sur sa propre expérience de la relation entre l'Orient et l'Occident (1971). « Juif » et « arabe », déclare-t-il, il a choisi d'écrire en français. Après avoir suivi les cours de l'école arabe, à Bagdad, le narrateur d'*Adieu Babylone*, double de l'auteur fasciné par la culture française, part poursuivre ses études à Paris. Il renonce ainsi au projet de devenir un écrivain arabe et change de langue. Kattan oppose l'attitude, orientale selon lui (juive autant qu'arabe), qui consiste à vivre l'existence comme un drame, confondant le « réel » et le « théâtral », et l'attitude occidentale distanciée, qui assiste à ce drame, comme de l'extérieur. Si les littératures orientales ignorent le théâtre, c'est qu'elles sont incapables de représenter la vie, de la mettre à distance. Le changement de langue et l'immersion dans la culture française permet de prendre ses distances, condition essentielle de l'artiste qui « vit de l'intérieur et observe de l'extérieur » (Kattan, 1971, p. 14).

> Renoncer à la langue arabe et adopter le français, c'est émigrer pour s'arracher au réel, au monde extérieur comme donnée immédiate, sans pour cela faire de la nature un décor ; c'est plonger lucidement dans un nouvel hiver, un autre été, oublier le goût de tous les fruits pour les découvrir à nouveau, c'est mourir pour renaître, enterrer dans la mémoire une vie pour qu'une autre puisse éclore. (Kattan, 1971, p. 170)

Suivant cette logique « migrante », Kattan a poursuivi son itinéraire de Bagdad à Paris, de Paris à Montréal, puis à Ottawa – d'Orient en Occident.

Mais, depuis les années 1980, c'est le succès d'auteurs comme Dany Laferrière (d'origine haïtienne) avec *Comment faire l'amour avec un nègre sans se fatiguer* (1985), Ying Chen (d'origine chinoise) avec *Les Lettres chinoises* (1993), Wajdi Mouawad (d'origine libanaise) avec les pièces *Incendies*, *Forêts*, *Littoral* qui a largement contribué à la diffusion du terme, rapidement adopté par les critiques et les universitaires. La définition officielle du Canada (et pas seulement du Québec) comme pays « multiculturel », selon un concept élaboré par le philosophe canadien Charles Taylor (Taylor, 1994), a contribué à la reconnaissance des écrivains migrants, et réciproquement. Cette génération de migrants publie des essais et des manifestes qui placent la question de la langue et de l'identité au cœur de la littérature, comme dans le retentissant manifeste *Speak what* de Marco Micone, qui parodie le titre célèbre d'un poème de Michèle Lalonde, *Speak white*, assimilant le français au Québec à la langue des Noirs américains (voir Gauvin, 2000, p. 53-63).

On attribue généralement l'expression « littérature migrante » au critique d'origine haïtienne Robert Berrouët-Oriol, qui l'un des premiers, lui consacre un article dans *Vice Versa* (Berrouët-Oriol, 1989), puis en 1992 (Berrouët-Oriol, Fournier, 1992). La notion ne manque pas de susciter des polémiques dès lors qu'elle tend à une reconnaissance critique, comme dans le remarquable essai de Pierre Nepveu, *L'Écologie du réel. Mort et naissance de la littérature québécoise contemporaine* (1988), qui s'achève sur la question des littératures migrantes. Monique LaRue, romancière et essayiste, accuse la critique et les éditeurs de favoriser les « Néo-Québécois », qui bénéficient d'un effet d'exotisme, comme les romanciers francophones antillais ou maghrébins à Paris (Monique LaRue, 1996).

a – Critères de définition de l'écrivain migrant

Les chercheurs québécois ont proposé plusieurs critères de définition de l'écrivain migrant. Selon Daniel Chartier, qui prévoit 628 entrées dans le *Dictionnaire des écrivains émigrés au Québec 1800-1999* (Chartier, 2003), les écrivains migrants, nés hors du Canada, doivent y être installés durablement et y publier au moins une œuvre significative (excluant les mémoires ou thèses universitaires, mais incluant les essais, y compris journalistiques), quelle qu'en soit la langue. Ces critères ont été discutés à l'infini, et continuent à l'être, notamment celui de la langue, puisque Daniel Chartier tient compte des publications en anglais, en espagnol, en yiddish. Statistiquement, l'auteur migrant de référence dans le *Dictionnaire* arrive au Québec à l'âge de trente ans, où il s'installe au terme d'un parcours migratoire souvent multiple, il y écrit pendant vingt ans et y publie huit œuvres, surtout en français.

Pour le *Dictionnaire des œuvres littéraires du Québec* (DOLQ, sept volumes parus à ce jour, depuis 1971) (Lemire, 1971), monumental ouvrage de référence, la langue française reste un critère déterminant, selon une conception « nationalitaire » de la culture et de la langue, que l'existence depuis quelques années d'une littérature au Québec dans d'autres langues (en anglais, surtout) fait clairement apparaître. Par ailleurs, la chronologie retenue est âprement discutée, mais elle est clairement justifiée par Daniel Chartier : avant 1800, pour la Nouvelle-France, il est impossible de parler d'identité nationale, même si les textes font apparaître des spécificités qui les distinguent de la littérature française. Il faut attendre l'émergence d'une conscience nationale, après la révolte des Patriotes conduite par Papineau en 1837, réprimée par les Anglais, pour commencer à parler d'une identité nationale

CHAPITRE 6

canadienne française, qui se constitue progressivement au fil du siècle. Pour le *terminus ad quem*, Daniel Chartier s'arrête à la fin des années 1990 parce que, selon lui, les définitions des littératures nationales sont devenues suffisamment structurées pour qu'il ne soit plus nécessaire de considérer les écrivains migrants autrement que comme « québécois ».

L'effet paradoxal produit par la question des écrivains migrants, si ardemment débattue, est d'attirer l'attention de la critique européenne sur le Québec, qui ne peut plus être réduit au stéréotype de la Belle Province et d'une littérature régionale. Mais le Québec sert également de « laboratoire » à une réflexion sur le statut des écritures migrantes. À partir de la situation emblématique du Québec, la réflexion s'étend à l'ensemble des littératures. Comment distinguer les migrants des francophones nationaux, selon l'ancien modèle « atavique » ? Le projet en cours d'un *Dictionnaire des écrivains migrants* à l'université d'Innsbruck, sous la conduite d'une québéciste, Ursula Mathis-Moser [1], avec une équipe de rédacteurs de toutes origines, montre l'actualité de la notion en Europe, même si elle n'est encore guère utilisée par la critique française, sauf pour la littérature dite « beure ». La préparation d'un tel ouvrage suppose l'élaboration de critères de définition de l'écrivain migrant, qui doit être distingué de l'écrivain francophone, postcolonial ou non, sur la base des travaux pionniers effectués au Québec et à propos du Québec.

Après l'échec du Parti québécois aux deux référendums de 1981 et 1995 pour la souveraineté du Québec, les écritures migrantes semblent donc prendre le relais des littératures nationales (ou nationalistes) qui, depuis la fin des années 1950, accompagnent les luttes anticoloniales et les mouvements de libération nationale, non seulement au Québec, mais au Maghreb, en Afrique, aux Antilles.

---

1. Qui a en outre consacré une étude au prix Médicis 2009 Dany Laferrière : *Dany Laferrière, la dérive américaine*, Montréal, VLB, 2003.

b – Un exemple d'écriture migrante : Régine Robin et « le deuil de l'origine »

C'est à Montréal, mégapole multiculturelle, que l'expression « écritures migrantes » s'est imposée dans le discours critique nord-américain. Régine Robin, universitaire française née de parents d'origine polonaise et installée au Québec, publie le roman *La Québécoite* en 1983, suivi en 1999 d'un recueil de « biofictions » : *L'Immense fatigue des pierres* (1999). Dans la postface à une réédition du roman, en 1993, Régine Robin revient sur la réception d'un roman « ethnique », à une époque où le multiculturalisme n'était pas encore entré dans les mœurs :

> Il s'agit d'un roman écrit par un écrivain qui n'est pas né au Québec, qui vient donc d'ailleurs, qui, tout en écrivant en français, a peut-être laissé derrière lui une autre langue, maternelle, vernaculaire ou autre encore. Un écrivain qui a donc un autre pays d'origine et qui a eu à se battre avec lui-même pour s'adapter à ce nouveau pays. (Robin, 1993, p. 207-208)

Le qualificatif d'écrivain « migrant » est depuis lors âprement discuté. Le risque est grand d'enfermer auteurs et œuvres dans une communauté qui pourrait vite se révéler un « ghetto ». Qu'y a-t-il de commun entre Sergio Kokkis, montréalais d'origine gréco-brésilienne, et Ying Chen, d'origine chinoise, auteur des *Lettres chinoises* (1993), si ce n'est le fait de venir d'une autre culture et d'écrire en français ? Existe-t-il des critères fiables pour définir un(e) écrivain(e) « migrant(e) » ? Les polémiques, parfois violentes, tournent toujours autour de la question des identités nationales – québécoise, canadienne et autres. Qu'est-ce en effet qu'un écrivain « québécois », « néo-québécois », « ethnique » ? Ces expressions sont symptomatiques de la transformation profonde de la société québécoise en une société multiculturelle depuis une vingtaine d'années. Certes, le Québec et le Canada dans son ensemble sont depuis le XVIIe siècle des terres d'immigration et de peuplement. Montréal, et plus encore Toronto, sont des mégapoles où se croisent les cultures du monde entier.

CHAPITRE 6

Les Canadiens sont à l'origine des immigrés, à l'exception bien sûr des « premières nations », qui revendiquent légitimement leur identité et leur littérature (Gatti, 2004). La littérature « canadienne française », devenue littérature « québécoise » au moment de la Révolution tranquille, « migrante » du fait de son histoire même, s'est sédentarisée pour devenir nationale. Depuis les années 1980, surtout à Montréal, la société québécoise n'est plus exclusivement issue des lointains descendants des « Canadiens français » qui ont mené le combat nationaliste et souverainiste des années 1960. Il faut compter avec les populations francophones ou anglophones dites « ethniques », originaires d'Haïti, du Liban, du Maghreb ou d'Afrique subsaharienne. D'autres sont venues d'Italie, d'Amérique latine, d'Asie. Ces communautés produisent à leur tour des littératures minoritaires (sinon mineures) en français (ou en anglais) affirmant à leur tour leur spécificité par rapport à la littérature « québécoise » dominante, qui a tendance à annexer les autres littératures francophones du Canada (acadienne, franco-ontarienne, etc.). Produites par des écrivains installés depuis longtemps au Québec, publiées et lues au Québec, les œuvres migrantes sont à la fois à l'intérieur et à l'extérieur du champ littéraire québécois.

Tel est précisément le cas du roman *La Québécoite* : « Désormais le temps de l'ailleurs, de l'entre-trois langues, de l'entre-deux alphabets, de l'entre-deux mers, de l'entre-deux mondes, de l'entre-deux logiques, l'entre-deux nostalgies. » Une romancière comme Marie-Céline Agnant figure dans les histoires littéraires comme une romancière « haïtienne » aussi bien que « québécoise ». *La Québécoite* a été classée parmi les vingt-cinq grandes œuvres les plus représentatives de l'histoire littéraire du Québec, aux côtés, pour s'en tenir aux écrivaines, de *Kamouraska* (1970) et des *Poèmes* (1990) d'Anne Hébert, de *Bonheur d'occasion* (1945) de Gabrielle Roy, d'*Une saison dans la vie d'Emmanuel* (1965) de Marie-Claire Blais, du *Survenant* (1945) de Germaine Guèvremont, d'*Angéline de Montbrun* (1884) de Laure Conan. Ces œuvres échappent en tout cas à l'idéologie de la « québécitude » (pour faire écho à la « belgitude » de Pierre Mertens). Régine Robin emploie le mot « québécité », par analogie avec le très senghorien « francité », pour dénoncer la tentation ultranationaliste. Le roman *La Québécoite* s'oppose ainsi « à une essentialisation, à une substantialisation des cultures, des langues et des écritures que ce soit par le biais du nationalisme ou par le biais de la "propriété culturelle". Chacun pour soi ! ». C'est cette présence massive de l'altérité, des différences culturelles dans la « parole immigrante » qui fait éclater l'identité québécoise et l'enrichit en la démultipliant :

> La parole immigrante inquiète. Elle ne sait pas poser sa voix. Trop aiguë, elle tinte étrangement. Trop grave, elle déraille. Elle dérape, s'égare, s'affole, s'étiole, se reprend sans pudeur, interloquée, gonflée ou exsangue tour à tour. La parole immigrante dérange. Elle déplace, transforme, travaille le tissu même de cette ville éclatée. Elle n'a pas de lieu. Elle ne peut que désigner l'exil, l'ailleurs, le dehors. Elle n'a pas de dedans. Parole vive et parole morte à la fois, parole pleine. La parole immigrante est insituable, intenable. Elle n'est jamais où on la cherche, où on la croit. Elle ne s'installe pas. Parole sans territoire et sans attache, elle a perdu ses couleurs et ses tonalités. (Robin, 1993, p. 204-205)

La pensée et l'œuvre de Régine Robin, attirant l'attention sur cette parole qu'elle appelle « immigrante », affiche sa volonté de désenclaver la littérature, de la soustraire à une logique identitaire, de l'universaliser en l'ouvrant sur une « esthétique du Divers », dont le thème, emprunté à Segalen, a été repris par Glissant. En croisant la pensée de Deleuze, de Derrida, de Blanchot, Régine Robin propose une véritable pensée des écritures migrantes. Au-delà de l'histoire personnelle et collective, elle met en fiction l'exil. Fascinée par l'œuvre de Perec, de Jabès, de Kafka, par le yiddish et l'hébreu, la pensée laïque (pour ne pas dire athée), Régine Robin ne cesse de questionner la théologie et la philosophie du judaïsme.

Toute l'œuvre (et la vie) de Régine Robin est en effet une longue remontée vers « l'origine » et la langue à jamais « perdue » – le yiddish de ses parents et de ses proches, exilés de Pologne ou victimes de la Shoah. C'est sur le « deuil de l'origine » qu'elle construit sa réflexion d'historienne, de sociologue et de philosophe. Du travail de la mémoire personnelle aussi bien que collective, témoigne l'ensemble de l'œuvre, depuis la thèse publiée sous le titre *Le Roman mémoriel* (1989), jusqu'à *Berlin chantiers. Essai sur la mémoire fragile* (2001) et *La Mémoire saturée* (2003). Régine Robin, qui a appris le yiddish, traduit et étudie la littérature du « shtetl ». Comme Naïm Kattan – issu, lui, du judaïsme irakien arabophone, émigré à Paris, puis à Montréal et pour finir à Ottawa –, Régine Robin a fait la traversée d'Orient en Occident. La recherche d'une identité multiple et insaisissable se poursuit à travers essais, récits de fiction et littérature « virtuelle » utilisant toutes les ressources d'internet, auxquelles est consacré *Le Golem de l'écriture. De l'autofiction au Cybersoi* (1997). On peut consulter le blog de Régine Robin, reconstruire sa biographie et même la « fictionnaliser ». Son œuvre apparaît ainsi délibérément polyphonique, dans le sens bakhtinien du terme, en ce qu'elle mêle étroitement l'essai universitaire à la « biofiction ». Il est en effet impossible de distinguer le genre académique du genre littéraire, l'autobiographie de la fiction, la fiction de la poésie, puisque les récits se transforment souvent en poèmes qui sont autant de pauses dans la narration. C'est ainsi que la thèse de 1989, *Le Roman mémoriel,* se présente comme une réflexion très approfondie sur la « mémoire identitaire » dans l'histoire, à partir de l'expérience personnelle et familiale. Traversée des langues et des cultures, l'œuvre de Régine Robin est aussi une traversée des savoirs : histoire et histoire littéraire (biographie de Kafka, 1989, études sur Canetti, Perec, réunies dans *Le Deuil de l'origine*, 2003), linguistique (*Histoire et linguistique*, 1973), sociologie et analyse politique (*Le Cheval blanc de Lénine*, 1979). Et au centre de cette œuvre polyphonique, se trouve le « hors-lieu » de la langue, qui seule offre l'hospitalité. L'exil et l'errance de l'Europe orientale jusqu'à l'Occident conduisent à une méditation sur le « sentiment de la langue », comme dans la conclusion du *Deuil de l'origine* (2003) :

> Langue perdue, langue méconnue, langue inconnue, langue en lieu et place d'une autre, troisième langue, langue pure, langue fondamentale, langue de fond, langue maternelle, simplement quelque chose des « lointains fabuleux » qui s'inscrit dans l'œuvre, dans un travail d'écriture toujours à côté de, pas tout à fait sur le trait, décalé, décentré.

Le récit est à la mesure de cette errance, à travers le « patch-work » des lieux urbains. *La Québécoite* relate l'itinéraire d'une écrivaine d'origine française, hantée par le souvenir de sa pre-mière vie parisienne, et qui doit s'adapter à une nouvelle vie à Montréal, dans trois quartiers différents. Comme dans *La Vie mode d'emploi* de Georges Perec, à qui elle consacre un chapitre dans *Le Deuil de l'origine*, Régine Robin opère une sorte de qua-drillage géographique, social et sentimental de la métropole, opérant d'incessants rapprochements avec les lieux parisiens (rue Monge, quartier latin) décrits par Perec. À chacun de ces espaces, dont elle fait en quelque sorte l'inventaire (sous la forme éminem-ment perecquienne de listes de lignes et de stations de métro, de noms de rues, de noms propres, etc.) correspondent des modes de vie, à chaque fois liés à des relations amoureuses. Le roman se construit selon la technique du collage et du montage. La trame narrative de la fiction est minimale, sans aucune péripétie. L'essentiel est dans l'atmosphère des lieux, longuement décrits et souvent ressaisis par des pauses lyriques, dans la typographie aérée du poème, sous la forme d'inventaires et de recensements. De la même façon, le recueil de nouvelles *L'Immense fatigue des pierres* met en relation une fille émigrée de Paris et installée à Tel-Aviv et sa mère, vivant à New York. Le partage de l'espace géo-graphique et romanesque entre des lieux hétérogènes que relie le dialogue par l'écriture et, surtout, la mémoire et l'imagination, est caractéristique de la fiction selon Régine Robin, écrivaine-voyageuse par excellence, qui du reste célèbre le « tiers espace » des aéroports et des chambres d'hôtel.

La « Québécoite » se sent partout en exil, « en exil dans sa propre langue ». Mais, paradoxalement, comme « migrante », Régine Robin appartient désormais au champ littéraire « québé-cois ». Reconnue comme historienne et comme sociologue, elle a été couronnée du prestigieux prix du Gouverneur général pour son essai *Le Réalisme socialiste : une esthétique impossible* (1984), et du prix Spirale pour *Le Golem de l'écriture* (1997).

→ EN GUISE DE CONCLUSION : DES LITTÉRATURES FRANCOPHONES À LA « LITTÉRATURE-MONDE EN FRANÇAIS » ? [1]

« **J**e ne suis d'aucune nationalité prévue par les chancelleries », s'écrie le poète noir dans le *Cahier d'un retour au pays natal*. L'expression si controversée de « littératures francophones » a-t-elle encore un sens dans la « République mondiale des Lettres » (Casanova, 1999), à l'heure de la globalisation (Gupta, 2009), de la « littérature-monde » (Le Bris, Rouaud, 2007), du « *World Writing* » (Gallagher, 2008) ? La « Relation » établie entre les continents et les cultures n'a-t-elle pas eu raison des logiques nationales qui sont au cœur de la Francophonie des années 1960 ?

C'est précisément dans ce contexte « mondialisé » que s'inscrit le manifeste *Pour une littérature-monde* de Jean Rouaud et Michel Le Bris (Rouaud, Le Bris, 2007). Le singulier *une* « littérature-monde », qui s'oppose au pluriel « littératures francophones », indique bien l'ambition totalisante et utopique du projet, mais aussi sa logique essentialiste :

> Le monde revient. Et c'est la meilleure des nouvelles. N'aura-t-il pas été longtemps le grand absent de la littérature française ? Le monde, le sujet, le « référent » [...] Littérature-monde, pour revenir à une idée plus large, plus forte de la littérature, retrouvant son ambition de dire le monde, de donner un sens à l'existence, d'interroger l'humaine condition, de reconduire chacun au plus secret de lui-même. Littérature-monde, pour dire le télescopage, dans le creuset des mégalopoles modernes, de

---

1. Cette conclusion reprend pour partie l'article « Littératures francophones, littérature-monde en français » (Combe, 2010).

CONCLUSION

> cultures multiples, et l'enfantement d'un monde nouveau. Littérature-monde, enfin, à l'heure où sur un tronc désormais commun se multiplient les hybridations, dessinant la carte d'un monde polyphonique, sans plus de centre, devenu rond... (Rouaud, Le Bris, p. 41-42)

Le texte programmatique est certes un règlement de comptes avec le roman français contemporain, assimilé au Nouveau roman et à ses théoriciens « linguistes » – en « deuil du récit » (p. 18), « coupé de ses fondamentaux, le récit, l'intrigue, l'imagination, les personnages, l'émotion » (p. 19). Mais il est surtout un plaidoyer vibrant en faveur d'une « littérature-monde en français » (p. 42) faite par les « voyageurs », les « petits-enfants de Stevenson et de Conrad » (p. 27), ignorant les « tenants ronchons du formalisme, du nihilisme et du solipsisme » (p. 42). La « littérature-monde » passe par une critique virulente de l'ancienne francophonie.

Le « déclin de la culture française » ?

Les attaques contre la littérature contemporaine, réduite au roman (rien sur la poésie, le théâtre), et l'appel à s'ouvrir sur le monde, participent de l'interrogation sur la place de la culture française et de la francophonie dans le monde (voir chapitre 1, p. 27 *sq.*). Jean Rouaud et Michel Le Bris sont en accord avec la thèse du déclin de la culture française, significative d'une propension typiquement française à l'autodépréciation et à la haine de soi, encouragée par les critiques venues du monde anglo-saxon. En 2007, la publication par le journaliste Donald Morrison, d'un numéro de l'édition européenne de *Time Magazine* consacré à la « mort de la culture française », avec une photo du mime Marceau, suggère que cette culture, comique et pathétique, est désormais muette. La polémique a été prolongée par la publication de la traduction française du texte augmenté de Morrison : *Que reste-t-il de la culture française ?*, accompagné d'un essai d'Antoine Compagnon, « Souci de la grandeur ». [1] Au chapitre

---

1. Paris, Denoël, 2008. Le titre, non sans ironie, fait écho à l'essai du romancier suisse romand C.-F. Ramuz, « Besoin de grandeur », à propos de la situation de la Suisse vis-vis de la France et de l'Europe...

de la littérature, les recherches « formalistes » du Nouveau roman et le dogmatisme de la théorie y sont accusés d'avoir fait perdre à la littérature française ses lecteurs étrangers, dans un contexte mondialisé évidemment favorable à l'anglais.

Signé par des auteurs aussi connus qu'Édouard Glissant, Maryse Condé ou Tahar Ben Jelloun, le manifeste ne peut qu'alimenter une nouvelle polémique. Abdou Diouf, secrétaire général de l'Organisation internationale de la francophonie n'a pas manqué de réagir officiellement, tandis que nombre d'écrivains et d'intellectuels francophones, en France, au Québec, au Liban, en Afrique et un peu partout dans le monde, ont pris part au débat, en particulier dans les colonnes du *Monde*. Le pamphlet récent d'un jeune romancier, Camille de Toledo, *Visiter le Flurkistan ou les illusions de la littérature-monde* (Toledo, 2008) montre que l'incendie est loin d'être éteint, même si le monde académique s'est emparé de la discussion. Éminemment discutable, le manifeste aura au moins contribué à ouvrir un débat littéraire, réactivant au passage la question de la francophonie.

La forme (ou le genre) du manifeste révèle le caractère passionnel que peuvent prendre à Paris des questions littéraires (on n'imagine guère cela aux États-Unis), dans un discours dramatisé, solennisé jusqu'à la grandiloquence. Ainsi du ton prophétique de la mégalomanie, à travers l'antienne de la rupture, de la « révolution copernicienne » : « Plus tard, on dira peut-être que ce fut un moment historique : pour la première fois dans la vie littéraire française… » (p. 23).

> Ainsi s'ouvre le manifeste des voyageurs, un texte de rupture, donc. Qu'ils ont voulu entre deux temps et placé sous le signe de la fatalité, de l'Histoire : une « révolution copernicienne », disent-ils. *Avant*, les écrivains-linguistes qui, tels des brigands, ont dépouillé le roman de toutes ses possessions, le récit, le sens, le référent… *Après*, par ce « retour du monde » qu'inaugure, pour les signataires, la fin des idéologies, la revanche des pirates, de la périphérie, le triomphe de la littérature d'outre-France, la liberté romanesque recouvrée. (Toledo, p. 35)

Jean Rouaud et Michel Le Bris, qui dénoncent le parisianisme, ont paradoxalement recours au genre et au style polémiques qui sont, par excellence, ceux des intellectuels de Saint-Germain-des-Prés. Le manifeste tourne ainsi au pamphlet, avec des attaques virulentes contre les « nains » qui, selon Le Bris, « avaient pris partout le pouvoir, acharnés à réduire la littérature à leur propre mesure » (Rouaud, Le Bris, p. 25). Répondant sur le même ton pamphlétaire, Camille de Toledo s'oppose mot pour mot à « l'offensive des géants » : « Les signataires usaient pleinement de leur autorité. Parmi eux, en effet, tant de géants... On ne répond pas aux géants. » (Toledo, p. 11) Ce n'est évidemment pas la moindre des contradictions que de feindre de jouer « Saint-Malo contre Paris », d'opposer la « périphérie » au « centre », comme le note Camille de Toledo avec un humour cinglant, pour se couler dans le moule parisien le plus arrogant. Loin d'être le produit d'une énonciation « décentrée », le manifeste ne fait au contraire que conforter les valeurs du Quartier latin, dans lequel ils occupent eux-mêmes une position dominante.

> On comprendra vaguement qu'il s'agit d'une scène endogame pleine de ressentiment, de vanités et de faiblesse qui s'agite, les jours de semaine, dans le triangle d'or, entre Saint-Sulpice, Odéon et Saint-Germain-des-Prés. C'est la petite démagogie dont est tissé le manifeste. Il reprend le *très populaire* refrain de la Province contre Paris, lieu de perdition mondaine où l'inspiration n'est plus, où le feu est éteint, l'esprit est contaminé par de mauvaises guerres, des jeux d'intérêts, où l'on ne croit plus aux « puissances d'incandescence » de la littérature. (Toledo, p. 15)

Pour une littérature-monde cherche ouvertement à s'inscrire dans le prolongement de l'*Éloge de la créolité* (1989) (voir *supra*, p. 98 *sq.*).

Parmi les signataires, figurent les protagonistes déjà mentionnés du psychodrame de la francophonie : Tahar Ben Jelloun et Amin Maalouf, les grands aînés comme Édouard Glissant, Maryse Condé, Jacques Godbout, Nancy Huston, mais aussi la relève, Alain Mabanckou, Nimrod, Abdourrahmane A. Waberi. On observe une nette prédominance des pays du Sud, ce qui n'a rien de surprenant puisque le projet du manifeste avait germé en 2006 à Bamako, au Mali, à l'occasion du festival « Étonnants voyageurs » organisé par Michel Le Bris. Le fait de contribuer au recueil n'a d'ailleurs pas forcément une signification pertinente, dans la mesure où les textes n'ont parfois qu'un rapport assez lointain avec le programme fixé par Rouaud et Le Bris. Certains, comme Laferrière ou Mouawad, n'abordent même pas du tout la question de la « littérature-monde », à tel point qu'on en vient presque à se demander s'ils ont lu attentivement le manifeste. Nimrod, fidèle à des positions exprimées dans un hommage à Senghor, prend même le contre-pied de la thèse du manifeste pour défendre l'idée de francophonie. Godbout se désolidarise complètement du texte qu'il a signé, après-coup, dans un entretien – donné au Québec, il faut le préciser. Le manifeste est l'occasion de fédérer des intérêts et des préoccupations diverses et parfois même incompatibles, et qui n'ont rien à envier à la disparate imputée à la francophonie. En définitive, le thème vague et général de la littérature-monde fonctionne peut-être comme une machine de guerre lancée par l'éditeur Gallimard contre son concurrent Minuit, éditeur de Simon, de Pinget, d'Echenoz (Rouaud est un transfuge de Minuit vers Gallimard).

La fin de la « Francophonie » ?

Cette polémique est surtout un règlement de comptes avec la Francophonie officielle, avec laquelle les littératures francophones sont constamment confondues. « Expliquer l'eau par l'eau », répond le romancier libanais Alexandre Najjar dans une tribune du *Monde* : « la notion de "littérature-monde en français" ne veut rien dire, elle n'est qu'une périphrase de la francophonie qui est l'ensemble de ceux qui, aux quatre coins du monde, ont le français en partage. "Il a expliqué l'eau par l'eau", dit un proverbe libanais. C'est de cela, précisément, qu'il s'agit ici » (*Le Monde*, 30 mars 2007). Ce motif de l'eau se retrouve, avec une signification légèrement différente, chez Camille de Toledo, qui file la métaphore, bien qu'il n'ait vraisemblablement pas eu connaissance de l'article d'Alexandre Najjar.

> Dans un verre d'eau, ils ont vu l'océan. En trinquant, ils ont cru faire des vagues. La remise des prix 2007 leur parut une tempête [...]. Face au manifeste, j'ai cru bon d'être Sancho Pança. Celui qui rappelle que les verres d'eau sont des verres d'eau, le remous à leur surface, rien d'autre qu'un remous, et la remise des Prix, le contraire d'une tempête. [...] En fait de "révolution", ce fut un coup d'épée. Dans l'eau. (Toledo, p. 71)

Les instigateurs du manifeste n'avaient jusque-là pas pris part aux polémiques autour de la Francophonie. Jean Rouaud, prix Goncourt 1990 pour *Les Champs d'honneur*, proclame la mort du roman en France. Michel Le Bris quant à lui est un grand connaisseur de Stevenson et de la littérature anglaise, ainsi que de la littérature de voyage (l'un recoupant l'autre), qui aime citer Jack London, Bruce Chatwin, Nicolas Bouvier.

Le discours aux allures prophétiques, organisé autour de la métaphore du « grand corps agonisant » et du « déclin fatal » de la littérature française, se présente ainsi (modestement !) comme un nouvel Évangile apportant « la formidable nouvelle » d'un retour à la vie, d'une renaissance du roman, grâce à un retour au et du « réel » qui marque la fin de la littérature française narcissique, et avec elle de la Francophonie. Comme l'observe Camille de Toledo, il faut ouvrir la fenêtre « sur l'Océan, les voiles hissées, le tintement des drisses, la nuit » (Toledo, p. 17) et sortir de la « chambre du malade », la chambre de Proust. Jean Rouaud compare la situation à celle de l'Empire romain à son déclin, juste avant sa chute : « Je fraternisais avec ces auteurs latins du Bas-Empire s'essayant à maintenir à flot la prose de la République quand par les failles du *limes* s'engouffrait brutalement le monde à venir » (Rouaud, Le Bris, p. 11). On pense aussi, bien sûr, à Houellebecq : « D'un côté la dépression houellebecquienne, le nombrilisme de l'autofiction, le formalisme finissant des postures d'avant-gardes, de l'autre, le monde, l'ouverture, le verbe » (Toledo, p. 17), selon le *topos* de la décadence. C'est dire que Rouaud et Le Bris veulent régénérer le roman, et avec lui la culture française, en invoquant de manière toute rimbaldienne les « barbares ». Le mot n'est certes pas prononcé, mais il est irrésistiblement appelé par l'allusion au Bas-Empire, selon un thème d'actualité, traité récemment par Tzvetan Todorov (Todorov, 2008) qui, décidément, inspire Rouaud et Le Bris.

Mais qui sont donc ces barbares, qui doivent faire irruption dans les chambres closes des malades pour en ouvrir toutes grandes les fenêtres ? Venus d'ailleurs, de la « périphérie », les « Étonnants voyageurs » dans la langue française, auxquels Le Bris a dédié son festival à Saint-Malo, sont célébrés – Nicolas

Bouvier, mais aussi les écrivains d'Afrique et de la Caraïbe à l'honneur à Bamako et à Port-au-Prince, Alain Mabanckou, Abdourrahmane Waberi, Fatou Diome, Kossi Efoui, et bien d'autres francophones, même s'ils récusent l'appellation. Le Bris, comme nombre des auteurs qu'il cite, répugne à utiliser l'adjectif « francophone ». Ce n'est pas de l'ancienne Francophonie institutionnelle qu'il faut attendre une nouvelle vie du roman, bien au contraire. Les signataires du manifeste ne veulent certainement pas être confondus avec les tenants d'une Francophonie « sur laquelle une France mère des arts, des armes et des lois continue de dispenser ses lumières en bienfaitrice universelle, soucieuse d'apporter la civilisation aux peuples vivant dans les ténèbres ». Cette francophonie-là, selon eux, est sclérosée et contribue au déclin de la littérature. La condamnation sévère des pères fondateurs de la francophonie littéraire, de la génération de Senghor, peut avoir de quoi surprendre puisque Mabanckou et Waberi, cités en exemple de la « révolution copernicienne », ne font que poursuivre l'ouverture entreprise par la génération des aînés. Les auteurs du manifeste « manquent singulièrement de mémoire », observent Amadou Lamine Sall et Lilyan Kesteloot, qui invoquent à leur tour les noms de Jacques Roumain, Jacques-Stephen Alexis, Mongo Beti, Ferdinand Oyono, Sembène Ousmane, qui selon eux étaient assurément déjà du côté de la « littérature-monde » :

> Africains et Antillais ne sont-ils pas suffisamment déracinés ? Le fait d'écrire en français n'est-il pas une libération suffisante de leurs racines nationales ? Ne sont-ils pas depuis longtemps aptes et occupés à découvrir le monde, sans pour autant cesser de « passer » dans ce monde leur univers culturel propre ? Cela fait longtemps que Maryse Condé et Édouard Glissant font cela – ni plus ni moins que leurs collègues négro-africains des années 1960-1970 – sans avoir besoin de ce manifeste. (*Le Monde*, 6 avril 2007)

L'épopée barbare de la « littérature-monde » est écrite par une nouvelle génération des écrivains de langue française, née dans les années 1950-1960, hors de la Francophonie officielle. Mais pourquoi donc fait-elle alors appel à Maryse Condé, Édouard Glissant, Jacques Godbout ? Il paraît difficile de lire *Pour une littérature-monde* comme le manifeste d'une génération nouvelle qui cherche à « tuer le père », comme Confiant le fait pour Césaire, par exemple. La confusion des générations, mais aussi des esthétiques et des pensées obscurcit singulièrement le propos. On pourrait attendre en effet, pour le seul Québec, des figures moins établies que celles de Jacques Godbout et de Réjean Ducharme, même si celui-ci reste une figure énigmatique et inassimilable à la Francophonie. À une littérature « française » narcissique, repliée sur elle-même et préoccupée de sa propre écriture, Jean Rouaud et Michel Le Bris opposent une littérature « transnationale » ouverte sur le monde. Par leur parcours même, Dany Laferrière, Wajdi Mouawad, Ying Chen ou Régine Robin dénoncent le « pacte avec la nation » en « déterritorialisant » la langue. De toute façon, « il n'y a pas de pacte, faudrait-il dire. Il y a des écrivains *avec* et *contre* la langue. Et la littérature consiste, en permanence, à métamorphoser et déplacer ce que l'on croyait être un pacte », conclut Camille de Toledo (Toledo, p. 63).

Rouaud redécouvre le fait francophone, avec l'arrogante naïveté de l'écrivain parisien qui, ignorant l'histoire de la langue française depuis le XVIIe siècle, s'aperçoit soudain que le Québec, les Antilles, le Maghreb, l'Afrique existent :

> Nous avions un peu oublié que la langue avait fait souche sur les cinq continents, qu'elle s'était développée loin des affres du vieux pays. Et que désormais libérée de son pacte avec la nation, libérée de l'étreinte de la source-mère, devenue autonome, choisie, retournée à son chant premier, nourrie par d'autres aventures, n'ayant plus de comptes à régler avec la langue des anciens maîtres, elle avait de nouveau à proposer, vue d'Afrique, d'Asie ou des Caraïbes, de Chine ou d'Iran, d'Amérique du Nord ou du Vietnam, son interprétation du monde. (Rouaud, Le Bris, p. 21)

Outre que l'expansion et la dispersion du français ne datent pas d'hier, et surtout pas de l'attribution de quelques prix littéraires, Rouaud, dans son enthousiasme lyrique, fait fi de l'histoire coloniale et postcoloniale en postulant une langue « devenue autonome, choisie », comme si le problème des relations avec l'empire ne se posait plus. Mais une telle vision de la langue dans la « littérature-monde » n'est pas seulement irénique. Oublieuse du politique, elle n'est pas moins « condescendante » que celle de l'ancienne Francophonie stigmatisée par le manifeste. L'évocation d'« un monde ouvert, foisonnant, bigarré, en mouvement, demandant qu'on s'intéresse à lui, qu'on ne l'abandonne pas à lui-même, un monde en quête de récit, un monde sachant que sans récit il n'y a pas d'intelligence du monde » (Rouaud, Le Bris, p. 21) sacrifie à l'exotisme européocentrique que la théorie post-coloniale, depuis Edward Saïd, n'en finit plus de déconstruire.

« Littérature-monde », « Tout-monde », *Weltliteratur*

Dans sa formulation même, le titre du manifeste *Pour une littérature-monde* est explicitement emprunté à l'expression « Tout-monde » d'Édouard Glissant, signataire du manifeste. Le mot composé, qui consiste dans la juxtaposition de deux substantifs reliés par un trait d'union, est un procédé récurrent chez Glissant, surtout dans les ouvrages récents, après *Poétique de la Relation* (Glissant, 1990). On peut certes y lire une influence de la syntaxe créole, que les romanciers Raphaël Confiant et Patrick Chamoiseau, par exemple, transposent dans un français ainsi « créolisé » (voir *infra*, p. 102-103). Mais le procédé est également fréquent dans la philosophie contemporaine, en particulier chez Derrida et chez Deleuze, que Glissant a beaucoup lu. Peut-être d'ailleurs les philosophes français, et Glissant lui-même, nourris du style de Hegel et de Heidegger, subissent-ils l'influence d'un procédé structurant de la langue allemande. L'expression « littérature-monde » n'est pas sans rappeler le nom composé allemand *Weltliteratur*, utilisé par Goethe à la fin de sa vie. Mais, à son habitude, Glissant s'approprie la formule pour l'acclimater et l'intégrer à sa propre pensée de la créolisation jusqu'à ce qu'elle devienne le centre de gravité de l'œuvre tout entière, comme le montre bien la création d'un « Institut du Tout-monde » où se rencontrent écrivains, artistes et intellectuels de toutes origines. De la même manière, Glissant a intégré le « Divers » de Segalen et le « rhizome » de Deleuze et Guattari.

L'expression « Tout-monde » apparaît semble-t-il pour la première fois sous la plume de Glissant dans le roman *Mahogany*, en 1997, bien que l'idée fonde l'œuvre tout entière depuis *Soleil de la conscience* et *L'Intention poétique*, dès les années 1950. *Tout-*

monde devient le titre d'un « roman » en 1993, auquel fait écho le quatrième volume de la « Poétique » en 1997, sous la forme d'un *Traité du Tout-monde* qui tisse des liens étroits avec le roman en attribuant une partie de ce traité à Mathieu Béluse, personnage central de l'ensemble de l'œuvre romanesque de Glissant, laquelle est placée sous le signe des deux lignées fonda-trices des Longoué et des Béluse. Le « Tout-monde » est lui-même susceptible de se décliner en une série de variations, comme le « Chaos-monde », mais aussi la « mondialité », qui s'oppose à la mondialisation. Le « Tout-monde » n'est pas le monde entier – Chine, Brésil, Congo… – auquel aspirent les per-sonnages de *La Lézarde* (1958) qui rêvent de louer « une flotte énorme » de bateaux. La pensée de Glissant ne se confond nulle-ment avec un banal « éloge du cosmopolitisme » (Scarpetta, 1981), qui n'est qu'un « avatar négatif de la Relation » selon l'*Introduction à une poétique du Divers*. Car le « Tout-monde » ne peut se comprendre que dialectiquement par rapport au « non-monde », c'est-à-dire au gouffre, à l'abîme de la cale et à la mémoire de la Traite : « Le ventre de cette barque te dissout, te précipite dans un non-monde où tu cries. Cette barque est une matrice, le gouffre-matrice. » (Glissant, 1990, p. 18-19) Ainsi, se souvenant de Hugo et de Baudelaire, Glissant affirme que « la connaissance du Tout grandit de la fréquentation du gouffre ». Les personnages des romans – Thaël dans *La Lézarde*, Raphaël Targin dans *Le Quatrième siècle* (1964), Mathieu Béluse dans *Tout-monde* – quittent la case et le pays « réel », dont ils sont dépossédés, pour rejoindre le « Tout-monde », dans un exil qui ne fait que perpétuer l'exil premier de l'Origine, des côtes de l'Afrique vers les Amériques, vers les Indes occidentales, aux-quelles Glissant consacre une épopée. Et même lorsqu'ils restent à la Martinique, comme Mycea, ces personnages voyagent en imagination comme dans *Le Bateau ivre* qui sert largement d'intertexte au *Tout-monde* et au *Traité* de Mathieu Béluse. Le voyage à travers le temps et l'espace est d'abord imaginaire. La prise en compte de l'imaginaire est précisément ce qui, pour Glissant, distingue le « Tout-monde » de la *World Literature* :

> L'idée du monde n'y suffit pas. Une littérature de l'idée du monde peut être habile, ingénieuse, donner l'impression d'avoir « vu » la totalité (c'est par exemple ce qu'on appelle en anglais une World Literature), elle vaticinera dans des non-lieux et ne sera qu'ingénieuse déstructure et hâtive recomposition. L'idée du monde s'autorise de l'imaginaire du monde [...]. (Glissant, 1997, p. 120)

Le multilinguisme signifie « écrire en présence de toutes les langues du monde » selon ce que Glissant, on l'a vu, appelle « l'imaginaire des langues ». La « totalité-monde » veut que « nous ne saurions plus chanter, dire ni travailler à partir de notre seul lieu, sans plonger à l'imaginaire de cette totalité » (Glissant, 1997, p. 176). La structure circulaire du roman *Tout-monde* confirme bien la dimension imaginaire de la migration, car les départs sont aussi des retours – retours éminemment césairiens, comme dans le *Cahier d'un retour au pays natal*, mais aussi rimbaldiens, comme dans *Une saison en enfer*, ou dans *Le Bateau ivre*, nourrissent la conclusion du roman : « Plus tard, il revint à la réalité, la vraie » (Glissant, 1997, p. 511).

Tout en se plaçant sous le signe de la pensée de Glissant, *Pour une littérature-monde* fait aussi explicitement référence à l'idée d'une « littérature mondiale » ou encore d'une « littérature universelle » – *World Literature*, déclinée en *World Fiction*, *World Poetry* – inspirée de la *Weltliteratur* de Goethe. Le manifeste suit la mode aux États-Unis et au Canada de chaires et de départements de *World Literature* et de *Global Studies*, qui publient quantité d'anthologies, de journaux spécialisés comme *World Literature Today*, d'essais universitaires en littérature et en linguistique, qui prolongent celui de David Crystal, *English as a Global Language* (Crystal, 1997).

CONCLUSION

ENCADRÉ N° 19

Dans ses *Conversations avec Eckermann*, en 1827, le vieux Goethe, lecteur de romans chinois, d'épopées serbes et de poésie persane, rompt avec l'idée de littérature nationale, découverte à la lecture de Herder, durant ses années d'études à Strasbourg, où il admirait le style gothique allemand dans l'architecture de la cathédrale. Il conseille à ses visiteurs et son ami Eckermann la lecture d'œuvres du monde entier, dans le texte ou en traduction pour les autres langues. Fasciné dès sa jeunesse par l'Orient, Goethe a appris des rudiments d'hébreu, d'arabe, de persan, ce qui lui permet d'entrer plus avant dans la poésie de Hafiz, dont il s'inspire pour le *Divan occidental-oriental* (*Westöstliches Diwan*, 1819). « Aussi j'aime à me renseigner sur les littératures étrangères et je conseille à chacun d'en faire autant de son côté. Le mot de littérature nationale ne signifie pas grand-chose aujourd'hui ; nous allons vers une époque de littérature universelle (*Weltliteratur*, traduction à discuter), et chacun doit s'employer à hâter l'avènement de cette époque. » (Goethe, 1941, p. 158). On a beaucoup glosé sur ce terme de *Weltliteratur*, repris par Marx et Engels dans le *Manifeste communiste*, en 1847, et plus récemment, Milan Kundera. Il ne faut pas y lire, par anticipation, une apologie du multiculturalisme, car Goethe envisage toujours la diversité des cultures d'un point de vue occidental, qui reste la référence pour lui, quelle que soit sa curiosité à l'égard des littératures orientales. Mais le mot incite le lecteur et l'écrivain européen à s'ouvrir sur le monde, en réaction au développement des nationalismes – et en particulier du nationalisme allemand inspiré de Herder. La poésie de Hafiz, « illimitée » (*unbegrenzt*), permet de se libérer des cadres étroits de la pensée occidentale, et d'atteindre à l'universel.

Cette démarche, critiquée par Edward Saïd qui y voit les prémices d'un discours de pouvoir préludant à la colonisation dans *L'Orientalisme*, est fondée sur la traduction. Il n'est donc pas surprenant de voir associer aujourd'hui l'idée de littérature mondiale à telle ou telle aire des littératures. Dans la littérature maghrébine, on peut citer par exemple l'usage de la référence goethéenne par Driss Chraïbi, dont *Le Passé simple* met en exergue la formule « Mehr Licht ! » (« Plus de lumière ! ») prêtée à Goethe sur son lit de mort.

ENCADRÉ N° 20

C'est à cette interprétation que revient le critique américain, compara-tiste, David Damrosch dans un ouvrage récent : *What is World Litera-ture ?* (Damrosch, 2003). Damrosch abandonne la conception normative des chefs-d'œuvre de la littérature mondiale qui a longtemps prévalu dans les universités anglophones : « La littérature mondiale englobe toutes les œuvres littéraires qui circulent au-delà de leur culture d'ori-gine, soit en traduction soit en langue originale » (Damrosch, 2003, p. 4). Analysant les exemples de l'épopée de Gilgamesh, du Livre des Morts égyptien, de Dante, de Kafka, de Rigoberta Menchu, ou de P.-G. Wodehouse, Damrosch fait du mode de circulation et de la lecture le critère essentiel des œuvres de la littérature mondiale, qui se mesure au rayonnement dans d'autres contextes culturels, grâce à la traduction. C'est ainsi que, selon les époques et les pays, le patrimoine mondial de la littérature peut changer du tout au tout, car des œuvres jusque-là jugées universelles peuvent disparaître, et d'autres au contraire appa-raître. L'hypothèse majeure de l'ouvrage est que les œuvres de la littéra-ture mondiale ainsi comprise « *benefit by translation* ». L'œuvre d'Edgar Poe a par exemple été universalisée par les traductions de Baudelaire et de Mallarmé. Il n'est peut-être pas excessif d'affirmer que, par sa diffu-sion et par son héritage, l'œuvre de Poe importe en définitive plus à la littérature française qu'à la littérature américaine.

---

* *
*

Quelques mois après la parution de *Pour une littérature-monde*, l'essayiste Jean-Claude Guillebaud publie *Le Commen-cement d'un monde* (2008) :

> Nous sommes au commencement d'un monde. Vécu dans la crainte, ce prodigieux surgissement signe la disparition de l'ancien monde, celui dans lequel nous sommes nés. Pourtant, la sourde inquiétude qui habite nos sociétés doit être dépassée. Le monde « nouveau » qui naît sous nos yeux est sans doute porteur de menaces mais plus encore de promesses. Il correspond à l'émergence d'une modernité radicalement « autre ». Elle ne se confond plus avec l'Occident comme ce fut le cas pendant quatre siècles. Une longue séquence historique s'achève et la stricte hégémonie occidentale prend fin. Nous sommes en marche vers une modernité métisse. (Guillebaud, 1988, quatrième de couverture)

Comment ne pas s'accorder avec l'idée, hautement consen-suelle, que la littérature doit s'ouvrir sur le monde, sous la

conduite des « Étonnants voyageurs » ? Qui ne se réjouirait à
l'heure de la mondialisation postmoderne, de la « pensée
métisse » (Gruzinski, 1999) et de l'« hybridité » (Bhabha, 2007),
de la « Poétique de Relation », de la « Poétique du Divers » et du
« Tout-monde » (Glissant) ?

« Libérer la langue de son pacte avec la nation » (Rouaud,
Le Bris, p. 47), « dénouer le nœud gordien qui englobe tout à la
fois la langue, la "race" et la nation françaises » (Rouaud, Le Bris,
p. 72), répètent à l'envi Le Bris et Waberi. En récusant le supposé
« pacte avec la nation » de la littérature française et de la Francophonie, Rouaud et Le Bris pérennisent et fétichisent l'idée d'une
identité française « primordiale ». Certes, Le Bris répond par
avance à l'objection en invoquant son appartenance à une tradition d'écriture en français :

> Entendons-nous bien. Je ne me sens en rien investi d'une mission, et
> surtout pas de défense de valeurs françaises menacées par le monde
> extérieur, l'impérialisme culturel américain, que sais-je encore ? Je ne me
> sens pas plus défenseur d'un ex-Empire français, dernier vestige de notre
> grandeur, fût-il déguisé sous les oripeaux d'une « francophonie ». Écri-
> vain, je me sens du monde entier, habité par tous les livres qui ont pu
> compter pour moi, écrits aux quatre coins du monde dans toutes les
> langues possibles […] Écrivain, il se trouve simplement que j'écris en fran-
> çais. Et je me sens du coup héritier, aussi, d'une longue histoire, respon-
> sable en quelque sorte d'une aventure inachevée qu'il m'appartient, avec
> d'autres, de prolonger. (Rouaud, Le Bris, p. 42-43)

Mais ce faisant, Le Bris revient à une conception que Glissant
appelle « atavique » de la langue et de l'identité. Il conçoit l'histoire du français à partir du « centre », en allant vers la « périphérie ». Le rêve essentialiste est sans commune mesure avec le
« hors-lieu » mis en œuvre par Régine Robin. La « déterritorialisation » de la langue et de la littérature que Deleuze et Guattari
lisent chez Kafka, et que Glissant transpose dans la « Poétique
de la Relation », est loin d'être accomplie. Plus que jamais la
littérature « française de France » reste le centre. La « littérature-
monde », comme la littérature française, doit encore être décentrée, « provincialisée » (Chakrabarty, 2009).

Car il s'agit toujours d'une « littérature-monde en français »,
ce qui ne fait pas grande différence avec l'ancienne francophonie, ni même avec la Francophonie politique. L'expression

« littérature-monde en français » peut ainsi apparaître comme une contradiction dans les termes, puisque l'universalité du français est à juste titre dénoncée comme un « mythe » de l'ancienne francophonie, à travers ses « fonctionnaires autoproclamés de l'universel » (p. 25). Si l'argumentation était cohérente, si l'expression était prise au pied de la lettre, la « littérature-monde » ne devrait-elle pas, par définition, s'affirmer résolument multilingue ?

Dany Laferrière, hostile à la francophonie et signataire (sans doute distrait, lui aussi) du manifeste, pousse le raisonnement jusqu'au bout en rompant non seulement le pacte avec la nation, mais encore avec la langue elle-même. Très logiquement, il va jusqu'à écarter le critère de la langue pour définir ses choix littéraires :

> La langue n'est pas forcément l'élément le plus important dans la littérature. La culture, notre passé, nos souvenirs, notre mémoire sont des éléments aussi importants que la langue. Quand je lis Hemingway en français, je lis du français, mais je sais très bien que je lis un écrivain américain. C'est ce qui explique les divergences de vues existant entre certains pays du tiers-monde et le Québec, qui considère la langue française comme un élément fondateur, fondamental. Mais c'est un choix politique qui n'a rien à voir avec la littérature.

Le manifeste ne va pas jusqu'au bout d'une logique transnationale qui est également translinguistique.

Le manifeste revient ainsi, bien malgré lui, à la Francophonie honnie. C'est le rôle essentiel dévolu à l'imaginaire, à travers l'écriture aussi bien que la lecture, qui fait toute la différence entre la « littérature-monde en français » et le « Tout-monde ». Le « Tout-monde » procède de la mémoire de la « Trace » ou de la « blessure » de l'Origine, par quoi il est impossible de ne pas entendre le « cri du monde », les voix et les langues démultipliées à l'infini de la Relation. La « littérature-monde », elle, se contente de célébrer, platement, « la beauté du monde » (titre du dernier roman de Le Bris) où se croisent les cultures. La « littérature-monde » représente un monde métissé, coloré, bruissant, comme une totalité close et finie. Le mouvement de totalisation jamais achevée que Glissant appelle la créolisation

CONCLUSION

est au contraire la vie même d'une œuvre en perpétuelle genèse, portée par le « Chaos-monde », « choc actuel de tant de cultures qui s'embrassent, se repoussent, disparaissent, subsistent pourtant, s'endorment ou se transforment, lentement ou à vitesse foudroyante » (Glissant, 1997, p. 22).

→ BIBLIOGRAPHIE

Textes francophones : fiction, poésie, théâtre[1]

AMIEL Henri Frédéric, « Du mouvement littéraire dans la Suisse romane et de son avenir » (1849), *Essais critiques*, Paris, Éditions du Sandre, 2006.

AMROUCHE Jean, *Cendres* (1937), Paris, L'Harmattan, 1983.

ANTAKI Myriam, *Les Caravanes du soleil*, Paris, Gallimard, 1991.

AQUIN Hubert, *Prochain épisode* (1965), Montréal, Bibliothèque québécoise, 1996.

AUBERT DE GASPÉ Philippe (père), *Les Anciens Canadiens* (1863), Montréal, Boréal, 2002.

BEGAG Azouz, *Le Gone du Chaâba* (1975), Paris, Seuil, « Points », 1986.

BETI Mongo/BOTO Eza, *Ville cruelle* (1954), Paris, Présence africaine, 2005.

BLAIS Marie-Claire, *Une saison dans la vie d'Emmanuel* (1965), Paris, Seuil ; rééd. « Points », 1996.

BOUDJEDRA Rachid, *Topographie idéale pour une agression caractérisée*, Paris, Denoël, 1975 ; rééd. Gallimard, « Folio ».

CÉSAIRE Aimé, *Cahier d'un retour au pays natal* (1956), Paris, Présence africaine, 1986.

CHAMBERLAND Paul, *Terre Québec* (1964), Montréal, Typo, 2003.

---

1. Les titres cités sont seulement des exemples significatifs, ils ne constituent pas un palmarès des littératures francophones. La distinction entre « Fiction, poésie et théâtre » et « Essais critiques », utilisée ici par commodité, est conventionnelle et schématique, puisqu'un des traits majeurs des textes francophones et postcoloniaux est précisément de transgresser les frontières de genres. L'œuvre de Khatibi, comme celle de Glissant ou de Régine Robin, mêle indistinctement la fiction à la réflexion théorique, de sorte qu'il est artificiel de séparer *Amour bilingue* ou *La Mémoire tatouée* des « essais » de *Maghreb pluriel*, par exemple. On se limite ici aux textes en langue française, mais la rubrique « Essais » inclut en revanche des références en anglais.

CHAMOISEAU Patrick, *Chronique des sept misères*, Paris, Gallimard, 1986 ; rééd. « Folio ».
— *Texaco*, Paris, Gallimard, 1992 ; rééd. « Folio ».

CHEDID Andrée, *Les Marches de sable*, Paris, Flammarion, 1981 ; rééd. « J'ai lu ».
— *Nefertiti et le rêve d'Akhenaton*, Paris, Flammarion, 1974 ; rééd. « Garnier-Flammarion ».

CHESSEX Jacques, *L'Ogre*, Paris, Grasset, 1973 ; rééd. Livre de poche.

CHIASSON Herménégilde, « Mourir à Scoudouc » (1974), in *Émergences*, Ottawa, Éditions de l'Interligne, 2003.

CINGRIA Charles-Albert, *Florides helvètes* (1944), Lausanne, L'Âge d'homme, « Poche Suisse », 1993.

CONFIANT Raphaël, *Eau de café*, Paris, Grasset, 1991.

COSSERY Albert, *Les Hommes oubliés de Dieu* (1945), Paris, Le Terrain vague, 1990, et rééd. *Œuvres complètes* 1, Paris, Gallimard, 2005.

CRÉMAZIE Octave, *Poèmes et proses*, Montréal, Bibliothèque québécoise, 2006.

DE COSTER Charles, *La Légende d'Ulenspiegel au pays de Flandres et ailleurs* (1867), Paris, La Différence, « Minos », 2003.

DIB Mohammed, *Les Terrasses d'Orsol* (1985), Paris, La Différence, « Minos », 2002.

DIOP Birago, *Les Contes d'Amadou Koumba* (1947), Paris, Présence africaine, 2000.

DJAVANN Chadort, *Comment peut-on être français ?*, Paris, J'ai lu, 2006.

DJEBAR Assia, *L'Amour, la fantasia* (1985), Paris, Lattès ; rééd. Livre de poche, 1995.
— *Nulle part dans la maison de mon père*, Paris, Fayard, 2007 ; rééd. Livre de poche.
— *Vaste est la prison* (1995), Paris, Albin Michel ; rééd. Livre de poche, 2005.

FRÉCHETTE Louis, *La Légende d'un peuple* (1887), Trois-Rivières, Écrits des Forges, 1989.

GASPAR Lorand, *Sol absolu, Corps corrosifs et autres textes*, Paris, Gallimard, « Poésie », 1982.

GLISSANT Édouard, *La Lézarde* (1958), Paris, Seuil, 1995 ; rééd. « Points ».
— *Le Quatrième siècle*, Paris, Gallimard, 1964 ; rééd. « L'Imaginaire ».
— *Mahogany*, Paris, Gallimard, 1997.
— *Tout-monde*, Paris, Gallimard, 2003 ; rééd. « Folio ».

GODBOUT Jacques, *D'amour, P.Q.*, Paris, Seuil, 1972 ; rééd. « Points ».

— *Salut Galarneau !*, Paris, Seuil, 1967 ; rééd. « Points ».

GROULX Lionel, *L'Appel de la race*, Montréal, Fides, 1956.

HAÏK Farjallah, *L'Envers de Caïn* (1955), Paris, Stock, « Bibliothèque cosmopolite », 1980.

HAMPATE BÂ Amadou, *L'Étrange destin de Wangrin* (1973), Paris, UGE 10/18, 1999.

HÉBERT Anne, *Kamouraska*, Paris, Seuil, 1970 ; rééd. « Points ».

HELLENS Franz, *Mélusine* (1920), Paris, Gallimard, 1952.

HÉMON Louis, *Maria Chapdelaine*, « Bibliothèque québécoise », Montréal, Fides, HMH et Leméac, 1994.

HENEIN Georges, *Le Seuil interdit* (1956), textes repris dans l'ordre chronologique in *Œuvres*, Paris, Denoël, 2006.

JABÈS Edmond, *Le Seuil. Le Sable. Poésies complètes 1943-1988*, Paris, Gallimard, « Poésie », 1990.
— *Un étranger avec, sous le bras, un livre de petit format*, Paris, Gallimard, 1989.

KATEB Yacine, *Le Polygone étoilé* (1966), Paris, Seuil, « Points », 1994.

KATTAN Naïm, *Adieu Babylone*, Paris, Julliard, 1976.

KHATIBI Abdelkébir, *Amour bilingue* (1983a), *Œuvres I. Romans et récits*, Paris, La Différence, 2008.

KOUROUMA Ahmadou, *Les Soleils des Indépendances* (1968), Paris, Seuil, 1970 ; rééd. « Points ».

KRISTOF Agota, *Le Grand Cahier*, Paris, Seuil, 1986 ; rééd. « Points ».

LABOU TANSI Sony, *La Vie et demie*, Paris, Seuil, 1979 ; rééd. « Points ».

LAFERRIÈRE Dany, *Comment faire l'amour avec un nègre sans se fatiguer* (1985), Paris, Le Serpent à plumes, 1995.
— *L'Énigme du retour*, Paris, Grasset, 2009.

MAALOUF Amin, *Léon l'Africain*, Paris, Grasset, 1987, Paris ; rééd. Livre de poche.
— *Le Périple de Baldassare*, Paris, Grasset, 2000 ; rééd. Livre de poche.
— *Origines*, Paris, Grasset, 2004 ; rééd. Livre de poche.

MABANCKOU Alain, *Black-Bazar*, Paris, Seuil, 2009 ; rééd. « Points ».

MAETERLINCK Maurice, *Pelléas et Mélisande* (1892), Bruxelles, Labor, « Espace Nord », 2005.

MAMMERI Mouloud, *La Colline oubliée* (1952), Paris, Gallimard, 1992 ; rééd. « Folio ».

MARAN René, *Batouala* (1921), Albin Michel, 1979.

MEDDEB Abdelwahab, *Talismano* (1979), Paris, Sindbad, 1999.

MEMMI Albert, *Agar* (1955), Paris, Gallimard, 1984 ; rééd. « Folio ».

MERTENS Pierre, *Les Bons offices*, Paris, Seuil, 1974.
— *Les Éblouissements*, Paris, Seuil, 1987.

MIRON Gaston, *L'Homme rapaillé* (1970), Paris, Gallimard, « Poésie », 1999.

MONÉNEMBO Tierno, *Le Roi de Kahel*, Paris, Seuil, 2008.

MOUAWAD Wajdi, *Forêts*, Montréal/Arles, Boreal/Actes Sud-Papiers, 2006.
— *Littoral*, Montréal/Arles, Boreal/Actes Sud-Papiers, 1999.

NASSIB Selim, *Fou de Beyrouth*, Paris, Balland, 1992.

NELLIGAN Émile, *Poésies complètes* (1902), Montréal, Bibliothèque québécoise, 1992.

PILON Jean-Guy, *Recours au pays* (1961), Montréal, Typo.

RABEARIVELO Jean-Joseph, *Poèmes (Presque-songes, Traduit de la nuit, Chants pour Abéone)*, Paris, Hatier, 1990.

RAMUZ Charles-Ferdinand, *La Séparation des races* (1922) ; *La Grande Peur dans la montagne* (1926) ; *Derborence* (1934), Paris, Gallimard, « Bibliothèque de la pléiade », vol. II, 2005.

RILKE Rainer-Maria, *Vergers* (1926), Paris, Gallimard, « Poésie », 1978.

ROBIN Régine, *L'immense fatigue des pierres*, Montréal, XYZ, 1999.
— *La Québécoite*, Montréal, XYZ, 1993.

ROUD Gustave, *Écrits I*, Genève, Bibliothèque des Arts, 1978.

ROUMAIN Jacques, *Gouverneurs de la rosée* (1944), Paris, Le Temps des cerises, 2000.

ROY Gabrielle, *Bonheur d'occasion* (1945), Montréal, Boréal, « Compact », 1976.

SCHWARZ-BART Simone, *Pluie et vent sur Télumée Miracle*, Paris, Seuil, 1973 ; rééd. « Points ».

SEBBAR Leïla, *Je ne parle pas la langue de mon père*, Paris, Julliard, 2003.

SENGHOR Léopold Sédar, *Anthologie de la nouvelle poésie nègre et malgache* (1948), Paris, PUF, « Quadrige », 1992.
— *Poèmes*, Paris, Seuil, 1964 ; rééd. « Points ».

SOCÉ Ousmane, *Karim. Roman sénégalais* (1935), Paris, Nouvelles Éditions Latines, 2000.

TCHICAYA U TAM'SI Félix, *Le Mauvais sang* (1955), *Feu de brousse*, *À triche cœur*, Paris, L'Harmattan, 2005.

TREMBLAY Michel, *Les Belles-sœurs* (1965), Arles, Actes Sud-Papiers, 2007.

TUENI Nadia, *Œuvres II*, *La Prose*, Beyrouth, Dar En-Nahar, 1986.

VERHAEREN Émile, *Les Campagnes hallucinées* (1893) suivi de *Les Villes tentaculaires* (1895), Paris, Gallimard, « Poésie », 1982.

WILDE Oscar, *Salomé* (1893), Toulouse, Éd. Ombres, 1992.

YING Chen, *Les Lettres chinoises*, Montréal, Boréal, 1993.

Essais critiques et théoriques

ACHEBE Chinua, *Morning Yet on Creation Day*, New York, Doubleday, 1975.

AHMAD Aijaz, *In Theory – Classes, Nations, Literatures*, London and New York, Verso, 1992.

ALBERT Christiane, *L'Immigration dans le roman francophone contemporain*, Paris, Karthala, 2005.

AMROUCHE Jean, « Colonisation et langage » cité par KHATIBI Abdelkébir, *Le Roman maghrébin*, 2ᵉ éd., Rabat, Société marocaine des éditeurs réunis, 1979, p. 39.

ANDERSON Benedict, *L'Imaginaire national. Réflexions sur l'origine et l'essor du nationalisme*, tr. fr., Paris, La Découverte, 2002.

ASHCROFT Bill, *Caliban's Voice. The Transformation of English in Post-Colonial Literatures*, London, Routledge, 2009.

ASHCROFT Bill, GRIFFITHS Gareth, TIFFIN Helen, *The Empire Writes Back. Theory and Practice in Post-Colonial Literatures*, London, Routledge, 1989.
— *The Postcolonial Studies Reader*, London, Routledge, 1995.

ATWOOD Margaret, *Essai sur la littérature canadienne* (1972), tr. fr., Montréal, Boréal, 1987.

BAILEY Richard, *Images of English. A Cultural History of the Language*, Cambridge (Mass.) University Press, 1991.

BEAUDOIN Réjean, *Naissance d'une littérature. Essai sur le messianisme et les débuts de la littérature canadienne-française (1850-1890)*, Montréal, Boréal, 1989.

BENIAMINO Michel, *La Francophonie littéraire*, Paris, L'Harmattan, 1999.

Beniamino Michel, Gauvin Lise (dir.), *Vocabulaire des études francophones. Les concepts de base*, Limoges, Pulim, 2005.

Benjamin Walter, *Œuvres I*, tr. fr., Paris, Gallimard, « Folio Essais », 2000.

Benrabah Mohamed, *Langue et pouvoir en Algérie. Histoire d'un traumatisme linguistique*, Paris, Séguier, 1999.

Berman Antoine, *L'Épreuve de l'étranger, culture et traduction dans l'Allemagne romantique*, Paris, Gallimard, 1984.

Bhabha Homi K., *Les Lieux de la culture, une théorie postcoloniale*, tr. fr., Paris, Payot, 2007.

Blanchard Pascal, Bancel Nicolas, Lemaire Sandrine, *La Fracture coloniale. La société française au prisme de l'héritage colonial*, Paris, La Découverte, 2005.

Blanchard Pascal, Bancel Nicolas, Vergès Françoise, *La République coloniale. Essai sur une utopie*, Paris, Albin Michel, 2003.

Bernabé Jean, Chamoiseau Patrick, Confiant Raphaël, *Éloge de la créolité*, Paris, Gallimard-Presses Universitaires Créoles, 1989.

Berrouët-Oriol Robert, « L'effet d'exil », *Vice Versa* n°17, Montréal, décembre 1986 – janvier 1987.

Bertrand Jean-Pierre, Biron Michel, Denis Benoît, Gutman Rainier, *Histoire de la littérature belge 1830-2000*, Paris, Fayard, 2003.

Biron Michel, Dumont François, Nardout-Lafarge Élisabeth, *Histoire de la littérature québécoise*, Montréal, Boréal, 2007.

Blair Deirdre, *Samuel Beckett*, tr. fr., Paris, Fayard, 1979.

Bœhmer Elleke, *Colonial and Postcolonial Literature: Migrant Metaphors*, Oxford, Oxford University Press, 1995.
— *Empire Writing: An Anthology of Colonial Literature 1870-1918*, Oxford, Oxford University Press, 1998.

Bonn Charles, *Littératures de l'immigration*, 2 vol., Paris, L'Harmattan, 1995.

Bourdieu Pierre, *Ce que parler veut dire*, Paris, Fayard, 1982.
— « Existe-t-il une littérature belge ? », Lausanne, *Études de Lettres*, octobre-décembre 1985, p. 3-7.
— *Raisons pratiques. Sur la théorie de l'action*, Paris, Seuil, 1994.

Brahimi Denise, *Appareillages*, Paris, Éditions DeuxtempsTierce, 1991.

Brathwaite Edward Kamau, *History of the Voice. The Development of Nation Language in Anglophone Caribbean Poetry*, New Beacon, 1984.

Calvet Louis-Jean, *La Guerre des langues*, Paris, Payot, 1987.

Casanova Pascale, *La République mondiale des Lettres*, Paris, Seuil, 1999.

Cazenave Odile, *Afrique sur Seine, une nouvelle génération de romanciers africains à Paris*, Paris, L'Harmattan, 2003.

Certeau de Michel, Julia Dominique, Revel Jacques, *Une politique de la langue. La Révolution française et les patois*, Paris, Gallimard, 1975 ; rééd. « Folio histoire ».

Césaire Aimé, *Discours sur le colonialisme* (1955), Paris, Présence africaine, 1994 ; préface à *Tropiques*, Paris ; rééd. J.-M. Place, 1978.

Chakrabarty Dipesh, *Provincialiser l'Europe. La pensée postcoloniale et la différence historique*, tr. fr., Paris, Éditions Amsterdam, 2009.

Chamoiseau Patrick, *Écrire en pays dominé*, Paris, Gallimard, 1997.

Chamoiseau Patrick, Glissant Édouard, *Quand les murs tombent. L'identité nationale hors-la-loi ?*, Galaad Éditions, 2007.

Chartier Daniel, *Dictionnaire des écrivains émigrés au Québec 1800-1999*, Québec, Nota Bene, 2003.

Cingria Charles-Albert, « Essai de profession de foi d'un embusqué savoyard », in *Œuvres complètes I*, Lausanne, L'Âge d'Homme, 1967.

Combe Dominique, *Aimé Césaire, Cahier d'un retour au pays natal*, Paris, puf, « Études littéraires », 1993.
— *Poétiques francophones*, Paris, Hachette, « Contours littéraires », 1995.
— « Théorie postcoloniale, philologie et humanisme. Situation d'Edward Saïd », *Passages. Écritures francophones. Théories postcoloniales, Littérature n° 154*, juin 2009, p. 118-134.
— « Littératures francophones, littérature-monde en français », London, Routledge, *Modern & Contemporary France*, vol. 18, n° 2, May 2010, p. 231-249.

Confiant Raphaël, *Aimé Césaire, une traversée paradoxale du siècle*, Paris, Stock, 1992 ; rééd. Écriture, 2006.

Crystal David, *English as a Global Language*, Cambridge (U.K.), Cambridge University Press, 1997.

Culioli Antoine, « La formalisation en linguistique », *Cahiers pour l'analyse*, n° 9, 1968, p. 106-117.

Damrosch David, *What is World Literature ?*, Princeton, Princeton University Press, 2003.

Deleuze Gilles, *Critique et clinique*, Paris, Minuit, 1993.

Deleuze Gilles, Guattari Félix, *Kafka. Pour une littérature mineure*, Paris, Minuit, 1975.

DERRIDA Jacques, *Le Monolinguisme de l'autre*, Paris, Galilée, 1996.

DORSINVILLE Max, *Caliban without Prospero*, Ontario, Erin, 1974.

EAGLETON Terry, *After Theory*, London, Allen Lane, 2003.

EAGLETON Terry, JAMESON Frederic, SAID Edward W., *Nationalism, Colonialism and Literature*, Minneapolis, University of Minnesota Press, 1990.

ELIAS Norbert, *La Société des individus* (1987), tr. fr., Paris, Fayard, 1990.

FANON Frantz, *Esprit* : « Le français, langue vivante », n° 311, novembre 1962.
— *Les Damnés de la terre* (1961), Paris, Gallimard, « Folio actuel », 1998.
— *Peau noire, masques blancs* (1952), Paris, Seuil, « Points », 1971.

FORSDICK Charles, MURPHY David, *Francophone Postcolonial Studies. A Critical Introduction*, London, Arnold, 2003, p. 77-87.

FOX Kate, *Watching the English: the Hidden Rules of English Behaviour*, London, Hudder and Soughton, 2004.

FRANCILLON Roger (dir.), *Histoire de la littérature en Suisse romande*, 4 vol., Lausanne, Payot, 1996-1999.

GAFAÏTI Hafid, *La Diasporisation de la littérature postcoloniale (Assia Djebar, Rachid Mimouni)*, Paris, L'Harmattan, 2005.

GALLAGHER Mary, *La Créolité de Saint-John Perse*, Paris, Gallimard, 1998.

GARNIER Xavier, *Le Roman swahili. La notion de « littérature mineure »* à *l'épreuve*, Paris, Karthala, 2006.
— « Les littératures en langues africaines ou l'inconscient des théories post-coloniales », *Neohelicon* 35, 2, décembre 2008, Budapest, Akademie Kiado/Springer, 2008.
— « Ngugi et la décolonisation par la langue », *Littératures noires*, Quai Branly/BNF, février 2010 (actes à paraître).

GATTI Maurizio, *Littérature amérindienne du Québec. Écrits de langue française*, Montréal, Hurtubise, 2004.

GAUVIN Lise, *Écrire pour qui ? L'écrivain francophone et ses publics*, Paris, Karthala, 2007.
— *L'Écrivain francophone à la croisée des langues*, Paris, Karthala, 1997.
— *La Fabrique de la langue, de François Rabelais à Réjean Ducharme*, Paris, Seuil, « Points », 2004.
— *Langagement. L'écrivain et la langue au Québec*, Montréal, Boréal, 2000.
— « Problématique de la langue d'écriture au Québec de 1960 à 1975 », *Langue française*, sept.1976, « Le français au Québec ».

— (dir.), *Les littératures de langue française à l'heure de la mondialisation*, Montréal, Hurtubise, 2010.

GILLIARD Edmond, « De l'usage du mot *national* et, en particulier, de son sens dans l'expression "littérature nationale" », *Œuvres complètes*, Genève, Éditions des Trois Collines, 1965.

GILROY Paul, *There Ain't No Black in the Union Jack. The Cultural Politics of Race and Nation* (1987), Chicago, The University of Chicago Press, reed. 1991.

— *L'Atlantique noir. Modernité et double conscience* (1993), tr. fr., Paris, Éditions Amsterdam, 2010.

GLISSANT Édouard, *Le Discours antillais*, Paris, Seuil, 1981 ; rééd. Gallimard, « Folio essais ».

— *Introduction à une poétique du Divers*, Paris, Gallimard, 1996.

— *Poétique de la Relation*, Paris, Gallimard, 1990.

GODBOUT Jacques, *L'Écrivain de province*, Paris, Seuil, 1995.

— *Le Réformiste, textes tranquilles*, Montréal, Quinze/Alain Stanké, 1975.

GOETHE Johann Wolfgang von, *Conversations avec Eckermann*, tr. fr., Paris, Gallimard, 1941.

GREEN Julien, *Le Langage et ses doubles*, Paris, La Différence, 1985.

GROSJEAN François, *Life with Two Languages : An Introduction to Bilinguism*, Harvard, Harvard University Press, 1982.

GRUTMAN Rainier, *Des langues qui résonnent. L'hétérolinguisme au XIXe siècle québécois*, Montréal, Fides-CETUQ, 1997.

GRUZINSKI Serge, *La Pensée métisse*, Paris, Fayard, 1999.

GUILLEBAUD Jean-Claude, *Le Commencement d'un monde*, Paris, Seuil, 2008.

HADDAD Malek, *Les zéros tournent en rond*, Paris, Maspéro, 1961.

HAEFFELY Claude, MIRON Gaston, *À bout portant. Correspondance 1954-1965*, Montréal, Bibliothèque Québécoise, 2007.

HERSCHBERG-PIERROT Anne, *Stylistique de la prose*, Paris, Belin, 1993.

HULME Peter, *Colonial Encounters: Europe and the Native Caribbean 1492-1797*, London, Methuen, 1986.

Internationale de l'Imaginaire, *Cette langue qu'on appelle le français. L'apport des écrivains à la langue française*, Arles, Actes Sud/Babel, 2006.

JAMES C.L.R., *Les Jacobins noirs. Toussaint Louverture et la révolution de Saint-Domingue* (1938), tr. fr., Paris, Éditions Amsterdam, 2008.

JACKSON John E., *Passions du sujet. Essai sur les rapports entre psychanalyse et littérature*, Paris, Mercure de France, 1990.

Jaquier Claire, Francillon Roger, Pasquali Adrien, *Filiations et filatures. Littérature et critique en Suisse romande*, Genève, Zoé, 1991.
— *Jean Amrouche, L'Éternel Jugurtha*, Marseille, Archives de la Ville de Marseille, 1985.
— *Jean-Joseph Rabearivelo cet inconnu*, Tananarive, Université de Madagascar, Sud, 1989.

Jouanny Robert, *Singularités francophones*, Paris, PUF, 2000.

Jurt Joseph, « Champ littéraire et nation », in *Champ littéraire et nation*, Freiburg, Frankreich-Zentrum, 2007.

Jussawalla Feroza, Dasenbrock Reed Way, *Interviews with Writers of the Post-Colonial World*, Jackson and London, University Press of Mississippi, 1992.

Kachru Braj B., *The Alchemy of English: the Spread Functions and Models of Non-Native Englishes*, Champaign, University of Illinois Press, 1990.

Kane Cheikh Hamidou, *L'Aventure ambiguë* (1961), Paris, UGE 10/18, 1999.

Kateb Yacine, *Comme un boxeur. Entretiens 1958-1989*, Paris, Seuil, 1994.

Kattan Naïm, *Le Réel et le théâtral*, Paris, Denoël, 1971.

Khatibi Abdelkébir, « Bilinguisme et littérature » in *Maghreb pluriel*, Paris, Denoël, 1983b.
— « Bilinguisme, dialogisme et schizophrénie », *in* Khatibi Abdelkébir (dir.), *Du bilinguisme*, Paris, Denoël, 1985.

Klinkenberg Jean-Marie, « Insécurité linguistique et production littéraire : le problème de la langue d'écriture dans les lettres francophones » *in* Francard Michel *et al.* (dir.), *L'Insécurité linguistique dans les communautés francophones périphériques*, Cahiers de l'Institut de linguistique de Louvain, 1993, p. 71-80.

Laâbi Abdellatif, *La Brûlure des interrogations*, Paris, L'Harmattan, 1985.

Lamming George, *The Pleasures of Exile* (1960), rééd. Ann Arbor, University of Michigan, 1991.

Lançon Daniel, *Jabès l'Égyptien*, Paris, J.-M. Place, 1998.

Lazarus Neil, *The Cambridge Companion to Postcolonial Studies*, Cambridge (U.K.), Cambridge University Press, 2004 ; tr. fr. *Penser le postcolonial*, Paris, Éditions Amsterdam, 2006.

Laronde Michel, *Autour du roman beur, immigration et identité*, Paris, L'Harmattan, 1993.

LaRue Monique, *L'Arpenteur et le Navigateur*, Montréal, Fides, 1996.

Le Bris Michel, Rouaud Jean, *Pour une littérature-monde*, Paris, Gallimard, 2007.

Lemire Maurice, *Dictionnaire des œuvres littéraires du Québec*, 7 tomes parus, Montréal, Fides, 1971-2003.

Léveillé J. Roger, « Made in Manitoba », in *Internationale de l'Imaginaire*, Paris, 2006, p. 249-250.

Levillain Henriette, *Sur deux versants. La création chez Saint-John Perse, d'après les versions anglaises de son œuvre*, Paris, José Corti, 1987.

Lévi-Strauss Claude, *L'Identité. Séminaire*, Paris, Grasset, 1977.

Lévy-Beaulieu Victor, « Moman, popa, l'joual pis moué ! », Montréal, *Maintenant* n° 134, avril 1974.

Maalouf Amin, *Les Identités meurtrières*, Paris, Grasset, 1998 ; rééd. Livre de poche.

Mackay William F., *Bilinguisme et contact de langues*, tr. fr., Paris, Klincksieck, 1976.

Maggetti Daniel, *L'Invention de la littérature romande 1830-1910*, Lausanne, Payot, 1995.

Mannoni Octave, *Psychologie de la colonisation*, Paris, Seuil, 1950.

Mari Pierre, *Humanisme et Renaissance*, Paris, Ellipses, 2000.

Mathis-Moser Ursula, *Dany Laferrière, la dérive américaine*, Montréal, vlb éditeur, 2003.

Meizoz Jérôme, *L'Âge parlant du roman parlant (1919-1939)*, Genève, Droz, 2001.

— *Ramuz, un passager clandestin des Lettres françaises*, Genève, Zoé, 1997.

Memmi Albert, *Portrait du colonisé* (1957), *Portrait du colonisateur*, Paris, Gallimard, « Folio actuel », 2008.

Miller Christopher L., *Nationalists and Nomads. Essays on Francophone African Literature and Culture*, Chicago, Chicago University Press, 1998.

Millet Richard, *Le Sentiment de la langue*, Paris, La Table Ronde, 1993.

Milner Jean-Claude, *L'Amour de la langue*, Paris, Seuil, 1978.

Miron Gaston, « Recours didactique », in *L'Homme rapaillé*, Montréal, Presses de l'Université de Montréal, 1970.

Moï Anna, *Espéranto, désespéranto, la francophonie sans les Français*, Paris, Gallimard, 2006.

Mongo-Mboussa Boniface, *Désir d'Afrique*, Paris, Gallimard, « Continents noirs », 2002.

Moura Jean-Marc, *Exotisme et lettres francophones*, Paris, puf, 1999.
— *Lire l'Exotisme*, Paris, Dunod, 1992.
— *Littératures francophones et théorie postcoloniale*, Paris, puf, 1994.

Mouralis Bernard, *L'Europe, l'Afrique et la folie*, Paris, Présence africaine, 1993.

Ndiaye Pap, *La Condition noire. Essai sur une minorité en France*, Calmann-Lévy, 2008 ; rééd. Gallimard, « Folio ».

Nepveu Pierre, *L'Écologie du réel. Vie et mort de la littérature québécoise*, Montréal, Boréal, 1988.

Ngugi wa Thiong'o, *Decolonizing the Mind : The Politics of Language in African Literature*, London, James Currey, 1986.

Organisation internationale de la francophonie, *La Francophonie dans le monde 2006-2007*, Paris, Nathan, 2007.

Pennycook Alastair, *English and the Discourse of Colonialism*, London and New York, Routledge, 1998.

Pinhas Luce, « Aux origines du discours francophone : O. Reclus et l'expansionnisme colonial français », Paris, *Communication et langages*, 2004, n° 140, p. 69-82.

Plourde Michel, Duval Hélène, Georgeault Pierre, *Le français au Québec. 400 ans d'histoire et de vie*, Conseil de la langue française, Québec, FIDES, Les publications du Québec, 2000.

Poissonnier Ariane, Sournia Gérard, *Atlas mondial de la francophonie*, Paris, Éditions Autrement/ Collection Atlas/Monde, 2006.

Quaghebeur Marc, « L'identité ne se réduit pas à la langue », *in* Gorceix Paul (dir.), *L'Identité culturelle de la Belgique et de la Suisse francophones. Actes du colloque international de Soleure (juin 1993)*, Paris, Honoré Champion, 1997, p. 59-105.

Quebec Studies n° 14, Duke University, 1992.

La Quinzaine littéraire : « Écrire les langues françaises », n° 436, 16-31 mars 1985.

Ramuz Charles-Ferdinand, « Lettre à Bernard Grasset » (1924), *Deux lettres*, Lausanne, L'Âge d'Homme, « Poche Suisse », 1992.
— « Raison d'être » in *Œuvres VII*, Lausanne, Mermod, 1941.

Rancière Jacques, *Politique de la littérature*, Paris, Galilée, 2007.

RANDALL Marylin, « Resistance, submission and oppositionality : national identity in French Canada », *in* FORSDICK, MURPHY, 2003.

RENAN Ernest, *Qu'est-ce qu'une nation ?* (1882), Paris, Pockett, « Agora », 1992.

REYNOLD Gonzague de, *Histoire littéraire de la Suisse au XVIIIᵉ siècle*, 2 vol., Genève, G. Bridel et Cie, 1912.

RICŒUR Paul, *Soi-même comme un autre*, Paris, Seuil, 1990.

ROBIN Régine, *Le Deuil de l'origine. Une langue en trop, la langue en moins*, Paris, Kimé, 2003.
— *Mégapolis*, Paris, Stock, 2008.

ROGER Alain, *Court traité du paysage*, Paris, Gallimard, 1998.

ROLIN Olivier, *Paysages originels*, Paris, Seuil, 1999.

RUMEAU Delphine (dir.), *Permanence de la poésie épique au XXᵉ siècle*, Paris, PUF-CNED, 2009.

RUSHDIE Salman, *Patries imaginaires* (1991), tr. fr., Paris, Christian Bourgois, 10/18, 1993.

SARTRE Jean-Paul, « Orphée noir », *in* Senghor Léopold Sédar, *Anthologie de la nouvelle poésie nègre et malgache* (1948), Paris, PUF, « Quadrige », 1992, p. IX-XLIV.

SCARPETTA Guy, *Éloge du cosmopolitisme*, Paris, Grasset, 1981.

SEN Amartya, *Identité et violence*, tr. fr., Paris, Fayard, 2006.

SIBONY Daniel, *Entre-deux. L'origine en partage*, Paris, Seuil, 1991 ; rééd. « Points ».

STAROBINSKI Jean, *Jean-Jacques Rousseau, la transparence et l'obstacle*, Paris, Gallimard ; rééd. « Tel », 1971.

SAÏD Edward W., *À contre-voie. Mémoires* (1999), tr. fr., Le Serpent à plumes, Paris, 2002 ; rééd. Livre de Poche.
— *Culture et impérialisme* (1993), tr. fr., Paris, Fayard, 2000.
— *L'Orientalisme* (1978), tr. fr., Paris, Seuil, 1981.
— *Réflexions sur l'exil* (2000), tr. fr., Arles, Actes Sud, 2008.

SEARLE J.R., *Sens et expression*, tr. fr., Paris, Minuit, 1982.

SOYINKA Wole, *Essays on Literature and Culture*, Ibadan, New Horu Press, 1988.
— *Myth, Literature and the African World*, Cambridge (U.K.), Cambridge University Press, 1976.

SPIVAK Gayatri Chakravorty, *Les subalternes peuvent-elles parler ?*, tr. fr., Paris, Éditions Amsterdam, 2009.

STEINER Georges, *Après Babel*, tr. fr., Paris, Albin Michel, 1978.

STÉTIÉ Salah, *Les Porteurs de feu*, Paris, Gallimard, 1972.
— *Archer aveugle*, Montpellier, Fata Morgana, 1985.

TALIB Ismail S., *The Language of Postcolonial Literatures*, London, Routledge, 2002.

TAYLOR Charles, *Multiculturalisme. Différence et démocratie* (1992), tr. fr., Paris, Flammarion, « Champs », 1994.

TODOROV Tzvetan, *La Conquête de l'Amérique. La Question de l'Autre*, Paris, Seuil, 1982.
— *La Peur des Barbares*, Paris, Stock, 2008 ; rééd. Livre de poche.
— *Nous et les autres, la réflexion française sur la diversité humaine*, Paris, Seuil, 1989.

TOLEDO Camille de, *Visiter le Flurkistan ou les illusions de la littérature-monde*, Paris, PUF, 2008.

VALLIÈRES Pierre, *Nègres blancs d'Amérique. Autobiographie «précoce» d'un terroriste québécois*, Montréal, Parti pris, 1967 ; rééd. « Bibliothèque québécoise ».

VIATTE Auguste, *Histoire comparée des littératures francophones*, Paris, Nathan, 1980.

VISWANATHAN Gauri, *Masks of Conquest. Literary Study and British Rule in India*, New York, Columbia University Press, 1989.
— « The Beginnings of English Literary Study in British India », *Oxford Literary Review* 9 (1-2), 1987.

WABERI Abdourrahmane, « Afrique des langues prêtées, Afrique des langues mêlées », *Internationale de l'Imaginaire* n° 21, 2006, Babel.

WALCOTT Derek, « The Muse of History », *What the Twilight Says : Essays*, London, Faber and Faber, 1998.

WINOCK Michel, « *Esprit* » *(1930-1950). Des intellectuels dans la Cité*, Paris, Seuil ; rééd. « Points », 1999.

WHITE Kenneth, *Le Plateau de l'albatros : introduction à la géopoétique*, Paris, Grasset, 1994.

YOUNG Robert J.C., *Postcolonialism: An Historical Introduction*, Oxford, Willey-Blackwell, 2001.
— *The Idea of English Ethnicity*, Oxford, Blackwell, 2007.
— *White Mythologies*, London, Routledge, 1990 ; rééd. 2004.

ZABUS Chantal, *The African Palimpsest. Indigenization of Language in the West African Europhone Novel*, Éditions Amsterdam, Rodopi, 1991.

DANS LA MÊME COLLECTION

Droit
Déontologie des juristes, Joël MORET-BAILLY et Didier TRUCHET
Introduction générale au droit, Muriel FABRE-MAGNAN

Économie
Introduction à l'économétrie, Grégory DENGLOS
Monnaie, banques, finance, Jézabel COUPPEY-SOUBEYRAN
Microéconomie : la concurrence parfaite, Muriel PUCCI et Julie VALENTIN
Statistiques et probabilités appliquées, Grégory DENGLOS

Géographie
Aléas naturels et gestion des risques, Frédéric Leone, Nancy Meschinet de Richemond et Freddy Vinet

Histoire
La France au XIXᵉ siècle, Claire FREDJ
L'Âge des dictatures (1919-1945), Johann CHAPOUTOT
Colonisation et décolonisation (XVIᵉ-XXᵉ siècle), Bernard PHAN
L'Époque de Bonaparte, Jacques-Olivier BOUDON
L'Europe des « patriotes » des années 1770 à la Révolution française, Philippe BOURDIN
L'Hégémonie soviétique, Yvan LECLÈRE

Langues
Histoire de la littérature anglaise, Frédéric REGARD
Littérature espagnole contemporaine, Philippe MERLO-MORAT
Thème espagnol moderne (du XIXᵉ siècle à nos jours), Christine LAVAIL
Version espagnole classique, Christophe COUDERC
Version espagnole moderne (du XIXᵉ siècle à nos jours), Elvire DIAZ et Marie-Angèle OROBON

Lettres
La Culture littéraire, Alain VIALA
Lire les romantiques français, Bruno VIARD
Littératures du Moyen Âge, Nelly LABÈRE

Philosophie
Introduction à l'éthique, Jean-Cassien BILLIER
Philosophie antique, Jean-François PRADEAU (dir.)
Philosophie contemporaine, Roger POUIVET
Philosophie politique (XIXᵉ-XXᵉ siècles), Guillaume SIBERTIN-BLANC

Psychologie
Psychologie clinique et psychopathologie, Catherine CHABERT et Benoît VERDON
Psychologie du développement cognitif, Olivier HOUDÉ et Gaëlle LEROUX

Cet ouvrage a été composé
par IGS-CP à L'Isle-d'Espagnac (16)

Achevé d'imprimer sur rotative Variquik
en juin 2010
par l'imprimerie SAGIM à Courtry (Seine et Marne)
N° d'impression : 11963

L'imprimerie Sagim est titulaire de la marque
Imprim'vert® depuis 2004
──────────
Ouvrage imprimé
sur papier écologique à base de pâte FSC.
Pour plus d'informations, www.fsc.org